HOMMAGE À
MARCEL RIOUX

HOMMAGE À MARCEL RIOUX

Sociologie critique,
création artistique
et société contemporaine

ÉDITIONS
SAINT-MARTIN

Données de catalogage avant publication (Canada)

Vedette principale au titre :

Hommage à Marcel Rioux : sociologie critique,
création artistique et société contemporaine

Comprend des réf. bibliogr.

ISBN   2-89035-194-7

1. Rioux, Marcel, 1919-   . 2. Sociologues –
Québec (Province).   3. Sociologie – Québec (Province).

HM22.C32R55 1992   301'.092   C93-096055-6

Les Éditions Saint-Martin bénéficient de l'aide du Conseil des Arts du
Canada pour l'ensemble de son programme d'édition

Infographie : Info-Type enr.
Graphisme de la page couverture : François Joly

Dépôt légal : Bibliothèque nationale du Québec, 4ᵉ trimestre 1992.
Imprimé au Canada.

Notre catalogue vous sera expédié sur demande :

Les Éditions Saint-Martin
4316, boul. Saint-Laurent, bureau 300
Montréal (Québec) H2W 1Z3
(514) 845-1695

Remerciements

Outre les collaborateurs du présent ouvrage, nous tenons à remercier Mmes Lucie Lévesque et Chantale Loiselle pour les soins apportés à la mise au net de l'ensemble des manuscrits. Nos remerciements vont aussi à Mme Micheline Varin, secrétaire administrative du Département de sociologie de l'Université de Montréal pour les services offerts avec générosité.

La publication de ce recueil a été possible grâce à l'aimable collaboration et au soutien de M. Gilles Houle, directeur de la Collection du CIDAR. Cette collection bénéficie de l'aide financière du Vice-décanat à la recherche de la Faculté des arts et des sciences de l'Université de Montréal et nous tenons à souligner cette contribution en remerciant M. le Vice-doyen Gilles Beaudet.

Notre gratitude va enfin à M. Richard Vézina, président-directeur général des Éditions Saint-Martin pour avoir accepté de publier ce livre en apportant à cette fin des conseils avisés.

J.H. et L.M.

Culture, création
et société contemporaine

Sociologie critique, création artistique et société contemporaine. L'itinéraire intellectuel de Marcel Rioux

Jacques Hamel et Louis Maheu
Université de Montréal

Cet ouvrage collectif, en hommage à Marcel Rioux, regroupe un ensemble de contributions signées par des spécialistes des sciences sociales, des littéraires et des artistes. Elles sont l'œuvre d'amis et de collègues ayant, qui travaillé étroitement avec lui, qui façonné à son contact leur propre manière de penser de même que de créer, qui toujours suivi d'un œil attentif, même si critique, sa démarche intellectuelle.

Et, tour à tour, ces contributions recensent ses travaux, projetant sur eux un éclairage inédit et discutant leurs présupposés et aboutissants, les accompagnent par le traitement de thèmes spécifiques dans la voie de l'interrogation et de la découverte, voire interpellent Marcel Rioux, l'intellectuel créateur, l'anthropologue et le sociologue, le polémiste engagé et passionné.

Ces contributions rendent hommage à cet intellectuel d'une manière qui lui sied : mettre en relief et à profit les outils conceptuels, théoriques et méthodologiques que Marcel Rioux a développés aux confluents de plusieurs écoles de pensée qu'il a fréquentées, critiquées et renouvelées, pour parler des sociétés contemporaines, de la société québécoise. Outils utiles à la compréhension du social-historique, selon son expression, mais aussi outils engageant à œuvrer à son dépassement

et dont on soulignera les forces et les limites, les audaces et les ambiguïtés.

Un colloque tenu à la fin des années 80 à l'Université de Montréal
fut l'occasion d'obtenir puis de susciter de premières contributions à cet
ouvrage collectif[1]. Ensuite, d'horizons divers sont venues s'ajouter
d'autres contributions. Les unes et les autres permettent ultimement de
repérer les sentiers arpentés par Marcel Rioux et ainsi de révéler la
richesse et la diversité thématiques d'une œuvre abondante et soutenue
dont une bibliographie, jointe à cet ouvrage collectif, invite à une appréhension plus systématique.

Présenter une œuvre afin d'en favoriser l'appropriation exige le
recours à des points de repère, à des thèmes porteurs permettant de
mieux la cerner. Le livre que Jules Duchastel[2] consacrait au chemine-
ment personnel et intellectuel de Marcel Rioux, et l'entrevue que ce dernier lui accorde à l'extrême fin de cet ouvrage, sont à cet égard sources
incontournables. Ils permettent l'identification de plusieurs thèmes
façonnant la pensée, les réflexions, les engagements, l'évolution intellectuelle de cet anthropologue et sociologue québécois. Il en va de
même bien sûr de ses propres travaux et des interrogations, le plus souvent vives et passionnées, qui émaillent les entrevues-rencontres que
Marcel Rioux a lui-même réalisées auprès de Marcuse, Eugène Ionesco
et Edgar Morin[3].

Marcel Rioux n'a rencontré que trop brièvement Ernst Bloch pour
en laisser trace dans des propos d'entrevue signés par lui. Ce n'est pas
par manque de volonté ni indifférence si les circonstances de la vie ne
lui ont pas permis d'échanger directement et longuement avec Ernst
Bloch. Il l'aurait alors apprivoisé, il aurait créé de multiples liens vivi-
fiants avec lui par une grande communion de pensée. C'est à Ernst
Bloch (1976, 1981) et Hurgon (1974) que l'on doit la belle expression
de « marxisme chaud » de laquelle Rioux a lui-même – ainsi qu'il le précise dans *Le besoin et le désir* – tiré bénéfice. Ernst Bloch, dont les tra-

---

1. Organisé autour de l'œuvre de Marcel Rioux, ce colloque, sous l'initiative du Département de sociologie de l'Université de Montréal, réunissait en novembre 1987 des
   participants de plusieurs milieux, artistiques, culturels, intellectuels et universitaires
   interpellés par les thèmes donnant à cette œuvre ses traits distinctifs.
2. Voir Duchastel (1981) et Hamel (1985).
3. « Entretien avec Herbert Marcuse », *Forces*, n° 22, 1973, p. 46-63 ; « Ionesco devant
   le 3e millénaire : "Il est dangereux que l'homme ne soit qu'un être social... alors que
   la condition métaphysique est là" », *Forces*, n° 50, premier trimestre 1980, p. 24-33 ;
   « La nouvelle culture : un effort de retotalisation des pouvoirs de l'homme... », *Forces*, n° 52, 3e trimestre 1980, p. 4-15.

vaux sur la culture, les formes d'art, la créativité artistique, l'utopie dans les sociétés contemporaines appartiennent de plein droit à la généalogie d'une pensée qu'on appelle le « marxisme occidental », s'étendant de Lukacs aux deux générations de l'École de Francfort, y compris jusqu'à son plus célèbre héritier Jürgen Habermas (Lukacs, 1960 ; Jay, 1977 ; Zima, 1974 ; Habermas, 1986, 1987 ; Ferry, 1988 ; McCarthy, 1979 ; Thompson et Held, 1982). Il est fondé, à notre avis, d'inscrire l'œuvre de Marcel Rioux dans les ramifications buissonnantes de ce courant de pensée même si, comme on le verra, elle ne peut s'y réduire.

Le marxisme occidental a jadis fait l'objet d'un ouvrage de Perry Anderson (1977) et, plus récemment, Martin Jay lui a consacré une forte somme, sous le titre *Marxism and Totality. The Adventure of a Concept from Lukacs to Habermas* (1984). Ce courant de pensée revêt, selon Jay, de nombreux aspects fort distincts, notamment une ouverture l'amenant à considérer, de proche en proche, la psychanalyse, la philosophie existentialiste, diverses formes de structuralisme, la linguistique, l'art, l'esthétique ; bref, des perspectives d'analyse et des influences intellectuelles qui n'étaient pas réputées de parfait accord avec le marxisme. Sous ce couvert, la culture a acquis, avec l'introduction intempestive de ces perspectives, un statut dans la théorie qui est à la hauteur de son rôle critique et stratégique dans l'évolution des sociétés contemporaines, jamais facilement reconnu dans le marxisme classique. La culture considérée dans un double sens : en tant que fondement de nos vies quotidiennes et en tant que création et formes de l'art dans nos sociétés contemporaines. Le marxisme occidental s'y est adossé pour mettre en cause le « déterminisme économique » du marxisme traditionnel, la loi du capital dont la détermination en dernière instance vaudrait de façon impérative. La démarche de Marcel Rioux s'édifie de concert avec cette perspective mais, suivant des variations de vocabulaire et d'accent, elle ne s'y restreint pas, considérant avec profit les travaux de Cornélius Castoriadis (1975) et ses apports propres. Tant et si bien qu'il traitera finalement la culture comme une totalité en soi, comme le domaine du désir par opposition à celui de la rationalité économique et du besoin : désormais il explorera de manière de plus en plus affirmée les terres de l'imaginaire social et ses possibles.

Un second trait spécifique du marxisme occidental renvoie à la discussion permanente, dans ce cadre, des multiples liens entre la théorie et la pratique, notamment la pratique politique. Force est de reconnaître combien les penseurs du marxisme occidental ont abordé, ont vécu ce thème comme intellectuels engagés dans le combat politique, non sans déchirement et ambiguïté toutefois. Car les difficultés et les limites rencontrées dans la définition des modalités et formes des pratiques politiques – autour de partis politiques, de « groupes de base », de la « démocratie directe », de l'autogestion – ont tôt fait d'entraîner un désenchantement, un pessimisme de ces intellectuels pour qui, au sein de sociétés jugées aliénantes, répressives, la négativité d'un social marchandisé et administré barre à jamais la route d'une articulation riche et féconde entre la théorie et la pratique.

La relation entre théorie et pratique est un point majeur de l'œuvre de Marcel Rioux et sa définition s'est faite sur le vif, à la manière des penseurs du marxisme occidental, comme intellectuel engagé dans le combat politique, se faisant fort de prendre position et parti. En tant qu'intellectuel polémiste dont certains auraient souhaité qu'il perde cette vilaine habitude de prendre congé d'eux publiquement (Rioux, 1980b). Cependant, si pessimisme il y a chez Marcel Rioux, il est récent et engage sa démarche théorique et politique à retourner à ses racines (Rioux, 1987a, 1987b, 1990).

Enfin, un troisième et dernier trait du marxisme occidental qu'il importe de considérer est la recherche permanente, dans ce cadre de pensée, de totalités, de « structures profondes », de « touts systémiques » permettant d'expliquer la constitution et l'évolution des sociétés modernes. L'influence de Hegel est ici présente, que ce courant de pensée a néanmoins considérée de façon fort critique dans la mise à jour de totalités dont la construction théorique posait des difficultés redoutables et, à cette fin, force est de remarquer de sérieuses divergences entre ces penseurs : certains construisent ces totalités au moyen de concepts certes sophistiqués mais néanmoins proches parents d'une « détermination économique en dernière instance » ; d'autres ont plutôt privilégié la culture et le symbolique aux fins de cette construction qui, au total, comme chez Ernst Bloch, ne se recommande désormais plus du marxisme orthodoxe. Pour certains autres, enfin, il est requis de définir des couples de totalité en rapports interdépendants et irréductibles : totalité de la structure sociale, d'une part, et totalité de la culture d'autre part ; totalité de la rationalité instrumentale et totalité de la rationalité symbolique et communicationnelle.

Au surplus, il importe de remarquer que l'analyse prend pour point de départ que les totalités dont il est ici question sont aliénantes à maints titres, qu'il s'agisse, d'entrée de jeu, de formes de réification et de séparation : société de la domination, société de la destruction, société de l'exploitation auxquelles il faut opposer des contre-totalités normatives. Leur découverte et leur émergence renvoient en dernière analyse à la volonté de ces penseurs de mettre à découvert des sujets sociaux, des systèmes d'action susceptibles d'informer et d'alimenter des retotalisations de la vie sociale, des pratiques émancipatoires – pour reprendre une expression de Marcel Rioux – dans la culture, l'art, la vie quotidienne.

Et pourquoi tant d'insistance sur des praxis de retotalisation de la vie sociale, sur l'émergence de formes et de sujets nouveaux du social-historique ? Peut-être parce que nous n'avons plus le choix ? Peut-être parce que nous devons collectivement apprendre, par nos pratiques et nos débats, à substituer l'espérance à cette expérience si existentielle du risque qui traverse toutes les pores de nos vies en société ? Peut-être parce qu'il s'impose, malgré le diagnostic d'Adorno, que nous puissions atteindre des horizons ouverts et nouveaux ?

> Il n'y a pas d'histoire universelle qui mène de la barbarie à l'humanitarisme. Mais il y en a une qui mène de la fronde à la bombe atomique. Elle s'arrête à la menace totale que l'espèce humaine développée et organisée fait subir à l'homme dans une synthèse de discontinuités. C'est bel et bien l'horreur qui confirme la pensée d'Hegel et la fait tenir sur ses pieds et en contact avec la réalité. (Adorno, cité par Jay, 1984 : 138.)

Face à pareil tableau, la re-totalisation est bel et bien du côté de l'espérance, de la foi en l'avenir et, chez Marcel Rioux, anthropologue et sociologue engagé, se déploie cette inlassable quête du dépassement, de l'émancipation sollicitant jusqu'aux facettes les plus quotidiennes de nos vies. Et dans le contexte d'une société et d'une nation, le Québec, confronté à son lot de dominations spécifiques, le dépassement et l'émancipation doivent au surplus, peu importe leur articulation problématique avec les formes plus institutionnelles du politique, loger à la base, au fondement d'un mouvement national animateur de la scène publique, de la société civile. Plus que ses interlocuteurs du marxisme occidental, Marcel Rioux aura été un intellectuel engagé, ancré dans sa société et par là aussi dans les enjeux sociaux des sociétés industrielles avancées.

Nous voici à un carrefour de thèmes : la démarche intellectuelle de Marcel Rioux nous les aura livrés, avec ses ressemblances de famille à l'égard du marxisme occidental, mais aussi et surtout ses accents singuliers sur la culture et l'imaginaire social, sur la force instituante du désir, sur les pratiques émancipatoires aptes à retotaliser le social-historique, sur un engagement social passionné mais constant, assumant sa fonction critique mais s'imposant d'ouvrir le futur, tenté quelquefois par le pessimisme mais trouvant là l'incitation à renouer avec ses racines. La culture, l'imaginaire, l'art et la création comme forces motrices contribuant à la constitution de nos sociétés ; l'analyse critique capable de diagnostic et travaillant à chaud pour aviver et promouvoir les formes d'émancipation et leurs sujets sociaux ; la société québécoise, à l'instar aussi des sociétés industrielles avancées en crise et en mutation, comme creuset d'un social-historique à décrypter, sans complaisance mais parti pris, et de pratiques émancipatoires à promouvoir serviront de toile de fond aux diverses contributions ici regroupées.

Sans ici s'engager dans une exégèse de l'œuvre de Marcel Rioux, il convient néanmoins de placer sous sa lumière les thèmes privilégiés dans cet ouvrage afin de bien les mettre en perspective. Il faut, à cet égard, citer ce court extrait du texte inaugurant le premier numéro de la revue *Possibles* :

> La démarche [de la sociologie critique] qui explore les possibles se rapproche de celle des créateurs de possibles que sont les artistes. Que font-ils sinon produire des symboles qui contrairement aux signes qui ressortissent à la logique de l'équivalence – celle de l'économie qui a envahi toute la vie – ressortissent à la logique de l'ambivalence, i.e. qui créent un surplus de sens, générateur de possibles. Le poète combat sans cesse l'aplatissement de la vie en signes, en équivalents qui se modèlent sur la valeur d'échange de l'économie politique. La recherche des possibles – dans toutes les activités humaines – manifeste un effort pour sortir de cette économie politique qui domine la vie de part en part. (Rioux, 1976 : 7-8.)

La sociologie échafaudée par Marcel Rioux, dans ses travaux qui jalonnent plus de 30 années de l'histoire de la sociologie québécoise, se recommande sans contredit du courant chaud du marxisme qui, sur la base de la critique faite par le courant froid de ce qui existe et est institué au sein des sociétés contemporaines, prend pour objet et intérêt les pratiques émancipatoires, c'est-à-dire les pratiques sociales propices au dépassement de l'existant et à l'institution imaginaire d'une nouvelle société, mettant en échec les contraintes et déterminismes de tous ordres qui pèsent sur l'action de l'espèce humaine.

La sociologie critique professée et promue par Marcel Rioux relève donc d'un intérêt de connaissance fondé par un postulat d'une anthropologie philosophique : l'auto-création de l'être humain en vertu de cette faculté particulière dont dispose l'espèce humaine *d'imaginer* ce qui n'est pas encore advenu, de ce qui est au-delà de son action suivant la fameuse métaphore de l'architecture et de l'abeille de Marx. Cette sociologie critique, ayant pour assise ce postulat anthropologique, est un point de vue positif au sens où une confiance permanente est attribuée aux acteurs sociaux, « aux hommes, aux femmes et aux collectivités qui ont le dernier mot et qui, depuis le début de l'évolution de l'humanité, ont su trouver des solutions et des formes de sociétés qui ont fait avancer la caravane humaine » (Rioux, 1978 : 154).

Considérée dans ce qui la différencie d'une sociologie dite positive, la sociologie critique, dans sa théorie et sa pratique, ne doit d'aucune façon faire l'économie de jugements de valeur en vue d'atteindre à des jugements de fait sur les sociétés. Ce point, quant à la spécificité de cette sociologie critique, est défini dans le célèbre article « Remarques sur la sociologie critique et la sociologie aseptique » et gagne en précision dans *Essai de sociologie critique* où il est noté avec force.

> La sociologie critique prend le parti de soutenir que tout un pan important du social-historique n'est pas analysable selon les canons de la science positive [en raison de ce caractère d'auto-création de l'espèce humaine] ; le social-historique n'est donc pas déterminé soit comme cause à effet, moyen à fin ou comme termes d'une implication logique, comme c'est le cas pour les objets d'études des sciences positives. (Rioux, 1978 : 10.)

Pour bien marquer la différence de points de vue entre cette sociologie critique – fondée par un intérêt de connaissance privilégiant l'émancipation humaine – et les sciences positives, le livre *Le besoin et le désir* fait entrer, dans l'arène du débat, l'économie qui, dans sa généralisation autant dans le savoir que dans la pratique, est en train de revêtir des habits anthropologiques qu'il convient, de l'avis de Rioux, de lui arracher. La critique est ici extrêmement féroce et fait feu en direction des « nouveaux économistes » et ne perd rien de son acuité devant un néo-conservatisme de tout acabit en anthropologie, en biologie et en histoire.

Quant à *La question du Québec* – titre de son ouvrage devenu classique – inutile de rappeler qu'elle occupe une place prépondérante dans l'œuvre de Marcel Rioux où les positions adoptées à l'origine gagnent en ampleur et en précision au fil des années, notamment et principalement avec la fondation de la revue *Possibles*, en 1976, dont les options peuvent être sommairement résumées en deux points : indépendance du Québec et édification progressive d'une société socialiste ou autogestionnaire. Si ces projets pointent encore à l'horizon, force est de reconnaître que le contexte politique qui prévaut au Québec les a repoussés tellement loin qu'ils paraissent, pour certains, à jamais compromis. Il n'est pas sans intérêt ici de considérer l'analyse de l'échec référendaire que Marcel Rioux a entreprise récemment et de façon fort lucide, dans un article au titre particulièrement percutant, « Requiem pour un rêve ? », dont le résumé se lit comme suit :

> L'auteur propose une autopsie de l'échec du régime péquiste et de la Révolution tranquille. Jadis terre de promesses de révolution sociale et de modernisation, le Québec d'aujourd'hui connaît plutôt l'atomisation et l'américanisation. Son identité culturelle est en péril, sa culture évaluée en termes de rentabilité. Indissociable des contextes internationaux et nord-américains particulièrement, la société québécoise est à une croisée des chemins. Ni l'État ni les partis politiques actuels ne pourront la sortir de l'impasse ; il faudrait plutôt compter sur la société civile, porteuse d'un projet de société associative et coopérative. (Rioux, 1987 : 8.)

Un pessimisme encore plus accentué marque le plus récent livre de Marcel Rioux, *Un peuple dans le siècle*, dans lequel ce projet de société associative et coopérative, devant inspirer l'avenir du Québec, apparaît aujourd'hui perdu, tant l'américanisation poussée de cette société et l'engouement des Québécois francophones envers l'économie semble le compromettre à tout jamais, comme d'ailleurs le projet d'indépendance politique.

Si des collaborateurs à ce recueil discutent de ce diagnostic pour le moins pessimiste, il n'en reste pas moins que le présent ouvrage ne se limite pas au débat sur l'avenir du Québec. Cet ouvrage, de par les textes qui y sont réunis, vise davantage à cerner et à mettre en relief l'ensemble des aspects de l'œuvre de Marcel Rioux, des thèmes et des points de vue théoriques qui ont marqué son édification. Outre les textes émanant du colloque « Sociologie critique, création artistique et société contemporaine », ce recueil réunit les contributions d'experts qui ont gentiment accepté de présenter et de discuter l'un ou l'autre des thèmes présents dans l'œuvre de Marcel Rioux et dont on peut donner ici un bref aperçu, sans que celui-ci ne suive fidèlement l'ordre d'apparition des textes.

Renée Dandurand traite en premier lieu de la culture, de la notion et la théorie s'y rapportant, constituant sans contredit la pierre angulaire de cette œuvre. La genèse de cette notion est, dans cet article, finement établie à la lumière des nombreux écrits de Rioux sur le sujet, situés et datés selon les intérêts portés par ce dernier aux théories fonctionnalistes et marxistes en anthropologie et en sociologie. Cette genèse de la notion de culture est, par ailleurs, mise en perspective par la comparaison faite par Renée Dandurand entre les positions de Rioux en la matière et celles de son collègue et ami Fernand Dumont. En plus d'être pertinente, cette comparaison permet, de surcroît, de brosser le tableau des écrits sur la culture qui ont marqué, de façon décisive, les avancées de la sociologie au Québec. La comparaison établie entre les propos de ces deux auteurs autorise à penser, selon Renée Dandurand, que :

> [nous sommes] en présence de deux conceptions de la culture. Chez Rioux, anthropologue de « terrain » avant de professer la sociologie, la culture c'est d'abord l'identité d'une société ; même si la conception élaborée par la suite est plus large et rejoint celle de Dumont, la culture-identité, de même que la culture populaire sont toujours présentes dans ses préoccupations, de Belle-Anse à l'étude de la fête populaire. Chez Dumont, sociologue partagé entre l'histoire (comme inspiration) et la philosophie (comme réflexion), la culture est abordée sous son angle le plus vaste, comme le propre de l'humain ; homme de « bibliothèque » plutôt que de « terrain », sous divers aspects, Dumont s'intéresse surtout à la culture savante, qu'il s'agisse de littérature, de philosophie, de théologie[4] [...].

La culture trouve un écho dans la plupart des autres textes de ce recueil et ce, dans les diverses acceptions conférées à ce terme. Léon Bernier rappelle l'usage de ce terme privilégié par Rioux pour envisager la jeunesse, les jeunes des années 60, dont les contestations constituent, pour lui, à cette époque, le principal foyer de l'action culturelle des sociétés occidentales, propre à changer, de façon radicale, les valeurs fondamentales qui les animent.

> La contribution de Rioux à la sociologie des jeunes n'est pas séparable de l'attribution d'un statut d' « acteur » ou de « sujet historique » à la catégorie des jeunes, ce qui revenait à conférer à la jeunesse un poids et une dimension théorique correspondant à ceux que l'analyse marxiste réservait en exclusivité à la classe sociale. Ce faisant, la jeu-

---

4. Renée B.-Dandurand, « Marcel Rioux et Fernand Dumont, deux penseurs québécois de la culture », *infra*.

nesse, comme groupement théoriquement défini, pouvait se reconnaître une fonction socio-historique débordant les conduites et les manifestations concrètes et quotidiennes des individus appartenant à la classe d'âge correspondante. Dans cette perspective, l'analyse des phénomènes concernant les jeunes n'était en outre pas tant axée vers la connaissance de cette catégorie sociale elle-même que vers une compréhension des transformations de la société globale, telles qu'on croyait pouvoir en mieux déceler les orientations à travers les conduites et surtout la vision du monde et d'eux-mêmes des jeunes[5].

Ce sont d'ailleurs ces jeunes contestataires, particulièrement les étudiants dans le domaine des arts plastiques, qui poussent Rioux à la présidence de la Commission d'enquête sur l'enseignement des arts au Québec sous les auspices de laquelle est publié un volumineux rapport écrit, pour l'essentiel, par ses soins. Suzanne Lemerise et Francine Couture relatent la mise sur pied de cette commission, ses audiences et discutent, enfin, la teneur de ce rapport en ce qui a trait à la définition qui y est proposée de l'art, et au projet d'éducation artistique jeté en défi à un gouvernement peu enclin à insérer de son propre chef les domaines artistiques dans les programmes d'éducation sous sa juridiction. Le rappel des recommandations du rapport final de la Commission Rioux montre combien celles-ci étaient audacieuses, novatrices à l'époque et combien elles restent inégalées encore aujourd'hui. La définition de l'art sur laquelle elles s'appuient force à reconnaître le caractère global attribué, par Rioux, à la « culture », comprise ici au sens de la création artistique.

Ce caractère de globalité vaut, de la même façon, pour la notion de culture, envisagée cette fois, en son sens anthropologique, c'est-à-dire comme traits distinctifs des sociétés, déterminant en leur sein la vie en commun. Si Renée Dandurand expose cette acception du terme culture sur le plan de la théorie sociologique de Rioux, Gilles Paquet, Marcel Fournier et Gabriel Gagnon en discutent dans son aspect plus proprement politique, inséparable, de l'aveu même de Rioux, de son aspect théorique. La culture, définie comme traits distinctifs d'une *société*, est-elle garante d'une *spécificité culturelle* permettant de distinguer une société d'une autre, à l'exemple du Québec par rapport au Canada ? La culture est-elle, somme toute, le foyer d'un projet de vie commune, c'est-à-dire d'une conception de la « bonne vie et de la bonne société », définissant au mieux la polis, la politique ? Cette question est, à l'heure actuelle, au cœur d'un débat suscité avec retentissement par Alain Fin-

---

5. Léon Bernier, « Jeunesse et sociologie utopique », *infra*.

kielkraut et au sein duquel Marcel Rioux a été entraîné par François Ricard[6]. Gabriel Gagnon résume cette opposition que Rioux n'a d'ailleurs pas lui-même alimentée. Débordant les reproches de F. Ricard adressés à ce dernier, qui trouvent divers échos chez les historiens[7], Gabriel Gagnon se demande plus généralement, si les projets d'indépendance nationale et de socialisme autogestionnaire, émanant selon Rioux des « habitudes du cœur[8] » des Québécois ou, plus largement, d'une tradition de vie commune sont encore à l'ordre du jour, attestant de ce fait de la présence d'une spécificité culturelle déterminée au sein de la théorie sociologique de Rioux et promue, par ce dernier, par ses engagements politiques et intellectuels, particulièrement la fondation de la revue *Possibles*.

Marcel Fournier relate d'ailleurs les péripéties qui ont entouré la fondation de la revue *Possibles*. Il évoque, au demeurant, les débats qui ont marqué la définition de la politique éditoriale de cette revue, déterminée par les projets clés liés à la conception de la culture chez Rioux : indépendance du Québec et établissement d'une société socialiste démocratique et autogestionnaire. L'étude du contenu des numéros des premières années de cette revue, proposée par Marcel Fournier, montre combien la définition de ces projets faisait place à une observation attentive de l'expérimentation sociale que représentait la création de Tricofil, la mise sur pied de groupes populaires destinés à l'entraide et au bien-être des collectivités, etc. Ces projets étaient donc définis par une conjugaison harmonieuse de l'économie et de la culture et, de ce fait, la culture s'avère apte à donner une forme distincte à l'économie pratiquée par les Québécois, manifestant ainsi le caractère global de la culture dans la définition de la spécificité d'une société comme le Québec. Les propos de Gabriel Gagnon vont en ce sens et rappellent, fort justement, le lien unissant cette position de Rioux avec la perspective de Karl Polanyi que l'économie est « encastrée » dans la culture, à l'exception de l'économie capitaliste qui en apparaît séparée et, de ce fait, préconiser son insertion dans la culture, dans une forme culturelle, constitue sans doute la critique la plus radicale de l'économie capitaliste. La culture assure donc une forme spécifique à l'économie et fonde, plus généralement, la spécificité d'une société.

La spécificité d'une société renvoie-t-elle à *une* culture ? La question est posée par l'économiste Gilles Paquet dans des propos qui ont

---

6. Voir Ricard, 1989.
7. Voir Couture, 1991.
8. Voir Bellah, 1985.

suscité un vif débat lors du colloque « Sociologie critique, création artistique et société contemporaine ». Des nuances y sont apportées mais la question demeure. Selon Paquet, il est paradoxal de constater que la spécificité culturelle d'une société n'émane que d'une culture alors que pour lui, par ailleurs, la culture est pourtant le trait d'union de l'espèce humaine, cette faculté particulière dont elle dispose pour « imaginer » une vie commune. La position politique de Rioux, quant à l'indépendance nationale et à la spécificité culturelle du Québec, ne va pas de pair avec sa position théorique sur la culture, reposant sur cette conception propre à une anthropologie philosophique. Si la culture est, selon cette conception, ce qui caractérise l'espèce humaine, le biais par lequel celle-ci peut s'affranchir des entraves pesant sur son destin, la culture permet donc, par conséquent, d'aplanir les contraintes émanant des diverses cultures nationales et de leur rencontre.

Que dire, par ailleurs, de la rencontre des diverses cultures, comprises au sens des formes artistiques ? Andrée Fortin aborde ce sujet en des termes percutants, annoncés au demeurant dès les sous-titres coiffant les différentes parties de son texte. Si, d'entrée de jeu, l'art désigne les beaux-arts, force est alors de reconnaître que ceux-ci ne rejoignent qu'une infime partie de la population. Ce constat, maintes fois rappelé, ne doit pas pour autant suggérer que la majorité de la poulation ne manifeste aucun intérêt, voire aucune sensibilité face à l'art. Quelle est donc alors l'expérience esthétique de cette population si ce n'est celle qui se manifeste sous la forme des beaux-arts ? La réponse à cette question est bien connue : cette expérience esthétique émane d'un « art populaire », rapidement associé, en sociologie notamment, à une forme artistique de piètre valeur par rapport aux beaux-arts dans toutes ses formes. Allant à l'encontre de cette position, Andrée Fortin jette en défi que l'art populaire, y compris en sa forme d'art de masse, comporte des aspects émancipatoires « davantage que l'art d'avant-garde ». En entamant dans son texte une discussion de la notion d'art populaire, en regard de celle d'art d'avant-garde, et en mettant l'accent sur la définition de l'art et de l'émancipation, Andrée Fortin poursuit, à sa manière, les études de Marcel Rioux sur la culture populaire en conservant de ce dernier l'art... de la provocation, assurément bienvenue dans le domaine de la sociologie de l'art.

Serge Proulx, pour sa part, revient sur une notion privilégiée par Marcel Rioux vers la fin des années 60 : celle de « société de l'information » désignant, chez lui, à cette époque, une société qui, tirant bénéfice des techniques de pointe dans les domaines de la com-

munication et de l'informatique, est en mesure d'établir une communauté de valeurs, d'intérêts et d'idées, marquée de surcroît par la
légalité et la justice, définissant l'utopie et le « principe espérance » de
cette fin de siècle. Les deux dernières décennies ont montré, au contraire, que la société de l'information a cédé la place à l'informatisation
de la société, donnant lieu à un accroissement de la centralisation du
pouvoir et du capital. Sous deux registres de discours, relevant d'une
part de la sociologie critique et d'autre part du journal scientifique,
Serge Proulx, sans nier cette tendance centralisatrice dominante, se
demande, à bon droit, si « l'informatisation peut être source de création
et d'émancipation pour les individus et pour les collectivités ? L'idée
d'une société de l'information serait-elle davantage qu'un slogan de
gouvernements en mal de projets de société ? Cette utopie pourrait-elle
être une idée-force transformatrice et pertinente pour penser les alternatives sociales ? » La réponse à ces questions est, pour l'heure, compli-
quée et Serge Proulx a l'audace de l'esquisser dans des propos
empruntés à la sociologie critique et aux théories de la communication
mais aussi en évoquant son journal où sont consignés des souvenirs de
jeunesse, des observations faites à chaud et des pensées émanant de ses
propres expériences à titre de professeur ou d'expert.

Ce recueil fait aussi place à des écrits sous forme de dialogues avec
Marcel Rioux, pour ne pas dire d'écrits se présentant sous une facture
intime. Fernand Dumont, par exemple, interpelle son ami, son compagnon de discipline en situant l'œuvre de ce dernier au sein de la sociologie, de cette discipline qui, selon ses mots, « est une maison de grands
vents, où portes et fenêtres ne doivent jamais être fermées ». L'œuvre de
Marcel Rioux est sans contredit marquée par ce dessein d'ouverture,
qu'il soit d'ordre théorique, méthodologique ou politique.

Jean Éthier-Blais invite, par ailleurs, à célébrer Marcel Rioux, sa
vie et son œuvre, et ce au fil de souvenirs communs émanant de l'Université Carleton, à Ottawa, alors qu'ils y étaient tous deux en tant que
jeune professeur. Il s'attarde, dans son texte, au caractère sacré de l'écriture chez Rioux, dû à une foi inébranlable en sa société, son pays, et au
fait que le projet politique mis de l'avant dans son œuvre s'inspire d'une
transcendance incarnée jadis dans des formes religieuses, comme chez
le chanoine Groulx, dépassées par Rioux dans sa revendication incessante de la liberté et de l'utopie. « Comment, demande-t-il, ne pas voir
dans l'attitude souverainement méprisante et drôle, ironique, de Marcel
Rioux, une forme de catharsis », se manifestant au premier chef par le
recours à l'écriture.

À ce témoignage s'ajoutent ceux des amis fidèles : Gérald Godin, Roland Giguère et Marcelle Ferron qui, à leur manière, saluent Marcel Rioux, l'homme, celui à qui ils vouent une estime indéfectible.

Ce recueil trace donc un portrait d'ensemble de Marcel Rioux et de son œuvre. Il constitue un premier survol de cette personnalité marquante du Québec, de la vie politique de cette société, de même que de ce sociologue critique pour qui la théorie s'allie, et doit s'allier, à la praxis, à une pratique conduisant au dépassement des contraintes pesant sur l'action humaine, voire sur la nature humaine elle-même. La bibliographie présentée en fin d'ouvrage révèle l'ampleur de cette œuvre, ses ramifications et son importance. Une œuvre laissée en partage, que le présent recueil ne peut prétendre épuiser.

BIBLIOGRAPHIE

BELLAH, R. *et al.* (1985), *Habits of the Heart*, Los Angeles, University of California Press.

BLOCH, E. (1976), *Le principe espérance*, Paris, Gallimard.

BLOCH, E. (1981), *Experimentum Mundi*, Paris, Payot.

CASTORIADIS, C. (1975), *L'institution imaginaire de la société*, Paris, Seuil.

COUTURE, C. (1991), *Le mythe de la Révolution tranquille*, Montréal, Méridien.

DUCHASTEL, J. (1981), *Marcel Rioux. Entre l'utopie et la raison*, Montréal, Nouvelle Optique.

FERRY, J.-M. (1988), *Habermas, l'éthique de la communication*, Paris, PUF.

HABERMAS, J. (1981), *Théorie de l'agir communicationnel*, Paris, Fayard, 2 tomes.

HABERMAS, J. (1986), *Morale et communication*, Paris, Cerf.

HABERMAS, J. (1988), *Logique des sciences sociales*, Paris, PUF.

HURGON, L. (1974), *Ernst Bloch, utopie et espérance*, Paris, Cerf.

JAY, M. (1977), *L'imagination dialectique*, Paris, Payot.

JAY, M. (1984), *Marxism and Totality. The Adventures of a Concept from Lukacs to Habermas*, Cambridge (Angleterre), Polity Press.

LUKACS, G. (1960), *Histoire et conscience de classe*, Paris, Minuit.

McCARTHY, T. (1979), *The Critical Theory of Jürgen Habermas*, Cambridge (Mass.), MIT Press.

RICARD, F. (1989), « Marcel Rioux entre la culture et les cultures », *Liberté*, vol. 31, n° 2, p. 3-13.

RIOUX, M. (1973), « Entretien avec Herbert Marcuse », *Forces*, n° 22, p. 46-63.

RIOUX, M. (1976), « Les possibles dans une période de transition », *Possibles*, vol. 1, n° 1, p. 3-8.

RIOUX, M. (1978), *Essai de sociologie critique*, Montréal, Hurtubise HMH.

RIOUX, M. (1980a), « Ionesco devant le 3e millénaire : Il est dangereux que l'homme ne soit qu'un être social... alors que la condition métaphysique est là », *Forces*, n° 50, p. 24-33.

RIOUX, M. (1980b), *Pour prendre publiquement congé de quelques salauds*, Montréal, L'Hexagone.

RIOUX, M. (1980c), « La nouvelle culture : un effort de retotalisation des pouvoirs de l'homme. Entretien avec Edgar Morin », *Forces*, n° 52, p. 4-15.

RIOUX, M. (1987a), « Préface », dans *La question du Québec*, Montréal, L'Hexagone, collection Typo.

RIOUX, M. (1987b), « Requiem pour un rêve », *Cahiers canadiens de sociologie/Canadian Journal of Sociology*, vol. 12, n°1-2, p. 85-15.

RIOUX, M. (1990), *Un peuple dans le siècle*, Montréal, Boréal.

THOMPSON, J.B. et D. HELD (éds) (1982), *Habermas Critical Debates*, Cambridge (Mass.), MIT Press.

ZIMA, P.V. (1974), *L'École de Francfort*, Paris, Éditions universitaires.

Marcel Rioux : écriture et société

Jean Éthier-Blais
Université McGill

Lorsque le professeur Hamel m'a invité à célébrer Marcel Rioux, sa vie, son œuvre, j'ai réagi un peu contre ma nature, et beaucoup selon la sienne.

J'ai été imprudent, je me suis placé du côté du risque, j'ai plongé, quitte à me retrouver en pays inconnu, jeune ethnologue au cours de sa première expédition, au milieu d'inconnus dont il ignore les codes, ayant peur à chaque instant de me tromper. Et mon texte sera, bien sûr, trompeur, comme tout ce qui vient du cerveau humain.

Imiterai-je cet optimisme, cette espérance dans la réalisation du destin des hommes, par eux-mêmes, dont Marcel Rioux s'est fait le prophète en nos temps troublés ? Chaque fois qu'il a fallu qu'un intellectuel québécois prenne position en faveur de la vie dans sa continuité, Marcel Rioux fut celui-là ; parfois accompagné dans son parcours par d'autres membres de notre *intelligentsia*, comme Jacques Ferron, mais lui, toujours à l'avant-garde, avec son sourire, ses lunettes noires et ses paupières tombantes. Parmi nous, il est le type de l'écrivain et du penseur, comme on disait autrefois, à l'époque où fleurissait le marxisme à l'usage des intellectuels, engagé. Il est revenu de beaucoup d'illusions, peut-être plus près aujourd'hui que les portes de la conscience s'ouvrent de plus en plus grandes, d'Ionesco que d'Edgar Morin. Moins près en profondeur des expériences américaine et française que de la nôtre. Les années 80 qui terminent ce siècle misérablement, sont porteuses de souffrance intellectuelle. Il n'est pas vain que Marcel Rioux ait souffert. Il a souffert pour nous.

Marcel Rioux et moi sommes deux anciens professeurs de l'Université Carleton. Lorsque j'ai quitté la diplomatie, ce fut là mon refuge et quelle exaltation, une sorte de réjuvénation de l'esprit, régnait alors dans cette petite université mélancoliquement sise aux abords d'Ottawa, et se mirant dans l'eau. La présence de Marcel Rioux, jeune et célèbre déjà, me paraissait rassurante. Il faisait partie de l'entourage affectif de Marius Barbeau. J'ai trouvé un homme ouvert, généreux, cultivé qui, bien que savant, honorait les lettres et, au moins de cette religion, respectait les prêtres. Son sourire, le rire qui terminait volontiers ses phrases, le pétillement de son regard, la clarté ingénieuse de ses propos, en faisaient un collègue d'autant plus charmant qu'à la souriante violence des propos se joignaient des manières exquises. Le collègue ne cachait pas l'homme.

À cause de cette silhouette lointaine, qui m'a facilité toutes choses à une époque où, débutant dans la carrière de critique littéraire et d'historien de la littérature, je craignais tout, j'ai accepté de dire, en vrac et sans esprit de système, loin de toute métaphysique, mais soucieux des enseignements du passé, ce qu'a suscité en moi la lecture de Marcel Rioux, ce que représente son destin. Je me sens tout à fait indigne, n'étant ni sociologue, ni philosophe, ignorant dans l'ordre du langage savant. Je commence donc dans la crainte et le tremblement. Cette attitude, ces deux mots soulignent à quel point je suis littéraire. C'est donc en littéraire, inspiré par l'histoire, que je tenterai de tracer le profil de Marcel Rioux, inséré dans l'évolution intellectuelle de notre milieu. Car, en définitive, tout, dans cette vie, débouche sur le littéraire, c'est-à-dire sur l'aventure de la vérité.

Si j'ai choisi de parler de l'écrivain et de la société, c'est que, dans cet ordre, la trajectoire de Marcel Rioux est exemplaire. Il est l'héritier ici d'une belle et forte école de pratiques littéraire et sociologique, entremêlées. Après avoir maîtrisé les rudiments de l'organisation d'un texte, les écrivains canadiens-français de la seconde moitié du siècle dernier se rendirent compte de l'intérêt que pouvait représenter à l'esprit une réflexion savante sur soi-même. Prise de conscience ? Peut-être, mais un retour sur soi qu'accompagnait le besoin de se concevoir comme objet d'étude. Le XIXe siècle est ainsi jalonné d'ouvrages d'écrivains qui, avant les recherches plus thématiques de Gérin, indiquent la voie à suivre dès lors qu'il s'agira de définir l'intériorité de notre nation. Il suffit de lire les *Mémoires* de Philippe Aubert de Gaspé ou *Les souvenirs en manière d'eau-forte* de Louis Fréchette pour se rendre compte de la richesse et de l'originalité du patrimoine dont Marcel Rioux a étudié les antécédents. L'intérêt de ces ouvrages, c'est qu'en fixant dans le souvenir des générations une gestuelle, un rythme de chanson, un comportement, ils retiennent une réalité que l'histoire événementielle occulte délibérément. Mieux encore, en l'insérant dans une continuité, ils fixent l'originalité d'un groupe humain qui ne pourra accéder à la durée, que dans la mesure où cette originalité lui est reconnue. La lecture de ces textes nous apprend que notre histoire n'a de sens que si elle est le prolongement ou la reprise de traditions qui forment un réseau culturel propre. D'un point de vue historique, la brisure de 1763 marque la fin de notre évolution organique ; depuis, nous vivons une histoire de commande, c'est-à-dire que nous aspirons à l'histoire et que nous vivons l'histoire de l'Autre. Nos mémorialistes, nos conteurs, nos folkloristes amassent les souvenirs, créent une sédimentation. Lorsque le jour sera venu où nous pourrons accéder de nouveau à la spécificité de l'histoire, nous retrouverons l'immensité et la profondeur de ce tuf.

Nos sociologues, Gérin et ses successeurs, mirent d'instinct leurs connaissances et leur méthode au service de cette photographie continue du passé. Il s'agissait pour eux de rien de moins que d'organiser les coutumes et le décor comme l'écrivain met en place un texte, afin de lui donner une forme et d'en faire ressortir, à l'œil nu, la cohérence intime. Le but, cependant, reste le même : assurer la pérennité des éléments qui permettront à une nation, en l'espèce, la nôtre, de plus en plus consciente de son insertion dans le temps, de reconnaître ses mythes et de les amener à jouer un rôle dans l'évolution de notre société. Les recherches, les interprétations reposeront désormais sur l'idée que l'on se fait de la dynamique des ressources culturelles que nos ancêtres ont apportées de France avec leurs hardes. Nos ancêtres furent-ils de braves gens, soucieux d'obéissance à leur Roi et à leurs curés (et nous reconnaissons là la vision aristocratique de Philippe de Gaspé) ou, au contraire, furent-ils hommes de liberté, affirmant leur personnalité contre vents et marées, dans un univers de chasse-galerie où Satan intervient, au cœur d'une symbolique de feu et d'air, tout autant que le Crucifié ? Dans une entrevue que Marcel Rioux eut avec Eugène Ionesco, le dramaturge, après avoir dénoncé l'utopie, mère des révolutions (« la révolution, cette maladie politique »), ajoute : « Je suis quelquefois de l'avis de ces philosophes gnostiques des premiers siècles de l'ère chrétienne qui disaient que le monde n'a pas été créé par Dieu, mais par de mauvais démiurges, par des anges, par des archanges qui ont volé des secrets de fabrication à Dieu, qui ont créé ce monde à son insu. Alors, à ce moment-là, Dieu se trouverait au-delà de ce monde... » (Rioux, 1980 : 29). Louis Fréchette privilégia dans ses récits-souvenirs cette conception de l'homme canadien-français d'autrefois, janséniste, entre Dieu et diable.

Pourquoi ce regard attentif fixé sur notre généalogie ? Pourquoi cette ferveur anthropologique ? Pourquoi cette recherche des origines ? C'est que nous sommes passés de la proto-histoire à une autre, uniformément événementielle, sans avoir vécu l'histoire des profondeurs qui nous était destinée. Il saute aux yeux que, depuis 1763, nous existons contre l'histoire ; nous vivons une suite d'événements qui nous sont imposés de l'extérieur. Marcel Rioux cite volontiers Tocqueville ; un peuple ne connaît pas de plus irrémédiable malheur que celui d'avoir été conquis. Pourquoi ? Parce qu'il se situe en marge de l'histoire ; il devient autiste, peuple dont le destin n'a plus de sens que dans la bouche de ses interprètes, qui lui signifient ce qu'il doit penser, lui indiquent la route à suivre. Ils font parler le muet et voir l'aveugle. En sorte que nous ne sommes qu'un peuple d'interprétation, qui tourne en rond à un carrefour, peu importe lequel et peu importent nos choix, puisque le chemin que nous élirons nous mènera infailliblement à la confrontation œdipéenne du Père et du Fils, de Dieu et de Satan, à l'assassinat du premier par le second et à la fuite en avant de l'aveugle. Les visions du sociologue, ou de l'anthropologue et de l'écrivain, se recoupent et se conjoignent. Ils sont tous affairés à façonner une mythologie, à comptabiliser les tabous ou à les ressusciter, d'autant plus passionnés par la narration historique et son interprétation, que leur réflexion mi-de créateur, mi-d'observateur s'applique à l'origine d'une histoire qui n'a pas été vécue. Tout au plus rêvée, jamais assumée. Car le paradoxe, auquel l'intelligence d'un Marcel Rioux s'est trouvée confrontée dès ses premières enquêtes et tout au long de sa carrière, est le suivant : nous réintégrerons le cycle historique le jour où nous reconnaîtrons que nous l'avons quitté. Il s'intéresse dès l'abord aux origines du cycle, perdurables dans la tradition orale. Telle est la logique (dirai-je tocquevillienne ?) qui sous-tend l'existence des peuples vaincus. Ce paradoxe est d'autant plus débilitant que nous en sommes au point où la blessure de la défaite s'étant peu à peu cicatrisée, l'oubli s'est installé en maître de notre non-histoire. Les écrivains et les anthropologues contemporains donnent l'exemple de ce vide mnémotechnique. Notre faculté d'oubli est prodigieuse. Chaque génération élimine d'un trait de plume toutes celles qui l'ont précédée. Leurs orateurs reprochaient aux Athéniens d'être un peuple oublieux. C'est tout ce qui nous reste de parenté avec cette race, malgré Mgr Camille Roy qui voyait en Québec l'Athènes de l'Amérique. Cette matière aride a fait l'objet de la réflexion et de l'écriture de Marcel Rioux. Il a lutté contre l'oubli, jeune anthropologue ; sociologue vieillissant, il lutte aujourd'hui pour la mémoire.

Nous le voyons d'abord anthropologue. Ses études à Paris l'avaient amené jusque dans l'ombre du grand Durkheim. À partir de Durkheim et des anthropologues et sociologues français, Marcel Rioux construit son épistémé. Elle ne variera pas au cours de sa vie de chercheur et de penseur, depuis ses études de notre peuple sans écriture jusqu'à celles, vengeresses, qui portent sur notre conscience collective, s'élargissant ou se repliant sur elle-même, selon les besoins. Je ne retiendrai que quelques-uns de ces signes qui, dans l'œuvre de Marcel Rioux, semblent être des piliers. Totem et tabou qui répondent toujours : présents. Ainsi, le Parti libéral canadien joue dans la société canadienne-française, puis québécoise, depuis 1986, le rôle de totem. Langue et civilisation sont des tabous, ou plutôt l'ont été, car elles sont en passe de perdre, au profit de l'anglais et de la culture américaine, celle du modèle universel, leur statut d'intouchables ; la parousie, enfin, puisque Marcel Rioux croit en l'avènement d'une autre société, « où les derniers seront les premiers ». Cette société sera historique. Elle permettra à la nation de s'épanouir selon la liberté et la justice. M'avançai-je trop en inférant de ce qui précède que l'univers de pensée de Marcel Rioux, axé sur la recherche scientifique, repose sur des données religieuses immanentes ? Les mécanismes fondamentaux de la vie grégaire qui forment, au début de sa carrière, son champ d'analyse, se situent à l'épicentre d'une conception religieuse ou, si l'on veut, panique de la vie. À cet égard, les contraintes sociales qui forment la trame de ses premières études et recherches trouvent leur nécessité intrinsèque dans la religion québécoise, dans son dualisme, dans ses craintes, dans ses interdits. Peut-on, au Canada français de 1958, peut-on même au Québec de 1987, établir un système de l'univers ? Quiconque traite sérieusement ici le monde social débouche sur le phénomène religieux. L'oubli de cette réalité première a entraîné, dans tous les domaines, l'énervement de la société québécoise. Si la religion est le ciment de toute société, à plus forte raison dès lors qu'il s'agit de la nôtre, tronquée, dont la grandeur est qu'elle appartient à une religion faite pour résister à toutes les intempéries, et à une civilisation, elle-même fille de cette foi, dont l'universalité constitue la raison d'être. Les travaux de Marcel Rioux s'élèvent dans l'univers de la pensée à partir de ces deux données : religion, langue, c'est-à-dire culture, évolutive et sacrée. Ils évoluent vers une sorte d'absolu linguistique et culturel, où la langue n'est plus considérée uniquement comme un instrument de communication, de connaissance, de critique, mais bien comme une forme sociale, qui définit l'individu dans son milieu, sans la possession de laquelle aucun groupe humain ne peut accéder à la prise de conscience collective. Bref, la langue et la culture deviennent des instruments d'exaltation de soi, qui permettront à la nation d'accéder à la civilisation du consensus. Ce glissement est-il une pure vue de l'esprit ou correspond-il, dans l'ordre des faits bruts, à la démarche générale de la nation canadienne-française vers sa composante québécoise, comprise comme corps pensant? Il est certain, dans cette optique, que *Pour prendre publiquement congé de quelques salauds* a toutes les formes du document religieux, de quelque mandement où un personnage sacré, émanation du druide, fulmine et condamne selon les rescrits d'une doctrine dont le dieu serait la langue française et les commandements ceux d'une Église qui refuse les catacombes. Les acquis sémantiques et politico-sociologiques sont ici mis au service d'une vision littéraire, où les mots ordonnés selon des formes normatives, selon un système de figures, s'avançant en procession taxinomique, doivent renverser les obstacles, punir les coupables, donner du courage aux combattants, rassurer les tièdes. Le sentiment d'urgence est très frappant et la sérénité se loge plus haut, dans la certitude d'avoir rendu un jugement équitable. S'y ajoute ce particularisme des peuples dominés, qui consiste à croire que l'invective remplace l'action. Les méchants doivent être punis; ils le seront par la parole, faute de justice, étant grands justiciers eux-mêmes. Le brûlot n'incendie pas le navire. Il sombre. Mais qu'importe aux yeux du vieux capitaine? Le geste est honorable, sublime même. Le vieux capitaine s'estime vengé. Les Arabes sont ainsi que les Québécois. Nasser déclencha la guerre dite « des six jours » parce qu'il prenait ses menaces pour des réalités.

Les recherches sur le terrain amènent Marcel Rioux à énoncer deux lois, à saisir deux évidences, qui guideront son comportement, le scientifique agissant sur le citoyen. La première veut que le savant se fonde dans la masse, l'objet de son étude, comme le poisson disparaît dans la mer. À cet égard, Mao aurait donc conquis la Chine comme un ethnologue s'empare de son terrain. La seconde? Le savant qui a appris à disparaître au milieu des siens a le devoir de s'élever au-dessus d'eux, lorsque la situation l'exige, et de leur indiquer la voie. Il rejoint, de nouveau, la littérature. Victor Hugo, rappelons-le, ne voyait pas autrement le destin du poète, ni Baudelaire; ils s'inscrivaient tous deux dans une tradition. Poussé dans ses derniers retranchements, Villon n'aurait pas réagi autrement. Quant à Rabelais, il a nourri l'imagination de tous les intellectuels en gésine d'influence. Ces deux lois s'appliquent expressément au spécialiste de notre ethnie, issu d'elle, étudiant les mécanismes de son comportement, débusquant les racines. Dès 1948, Marcel Rioux commence à forger l'instrument de connaissance qui lui permettra, le moment venu, d'engager le dialogue avec sa nation tout entière. Il est intéressant de constater que, au cours de ses années d'études sur le terrain, Marcel Rioux réfléchit aussi bien à la nature de l'ethnologue qu'aux coutumes dont il établit l'ordonnance. Ainsi, il se rend compte que le savant est homme d'autorité ; il projette sur l'objet de ses analyses, groupe ou individu, une volonté qui régira les attitudes du milieu. Il est détenteur d'un pouvoir quasi souverain, qui lui vient précisément d'une connaissance ou d'un ésotérisme. Il devient un sorcier de l'intelligence dont les écrits donneront au groupe l'assurance qu'il existe. Par lui, la société analphabète accède à l'écriture. Investi d'un pouvoir qui lui vient des questions qu'il pose et des problèmes qu'il soulève, son charisme est celui du lettré.

Il n'y a donc pas de solution de continuité entre la vie austère et solitaire du savant penché sur ses grimoires, dans sa tente, au milieu de la tribu, et l'insertion dans un contexte vivant, où l'ethnologue est à la fois observateur et observé. L'ethnologue abandonne au sommet de la montagne ses vieilles sandales et reparaît sous forme d'écrivain. Il ajoute à la perspicacité d'un regard exercé à saisir les nuances infinitésimales, le don créateur, la flamme, qui lui permettront, parce que son matériau est l'humain, de séduire l'intelligence et le cœur. On peut se demander si, dans ses livres de réflexion politique, Marcel Rioux ne veut pas imposer à une société en mouvement, à la recherche d'elle-même, les lois et les rapports d'autorité presque magiques qui s'appliquent aux sociétés figées. Est-ce là attirance irrésistible du goût personnel ? Générosité du savant ? Tradition d'école ?

Les grands livres de Marcel Rioux sont en effet d'ordre politique. L'écriture y joue un rôle prééminent. Un texte organisé selon les règles de la clarté démonstrative ; une pensée soutenue par la passion de la découverte et de l'expression ; cette sagesse qui en appelle à la droiture d'opinion du lecteur ; un ton ferme ; le recours aux prolongements ethnologiques ; un choix résolu en faveur d'une option historico-politique : ce sont là quelques-uns des éléments qui donnent à l'écriture de Marcel Rioux son relief. Je constate que les historiens du Canada français vacillent ; ils peuvent écrire de façon majestueuse, comme Chapais, impérativement sèche et précise, comme Guy Frégault; ils peuvent même, comme l'abbé Groulx, *Pater Patriae*, s'élever, par les vertus de l'imagination, jusqu'à de merveilleuses tirades romantiques, où le souffle précurseur peut se donner cours. Marcel Rioux, avec Michel Brunet, est le premier à avoir infléchi son élocution dans le sens de l'affirmation nationale indiscutable. L'abbé Groulx espère, mais ne croit pas. Marcel Rioux croit. Mais espère-t-il encore? L'abbé Groulx, formé à l'étude de la législation anglaise, à l'analyse de ces sortes de traités qui nous liaient à Londres et à la défense de ses intérêts, soucieux de donner à l'application ou à la non-application de ces textes, leur vrai sens, oscilla toute sa vie entre la certitude innée que notre démarche historique était déviée et l'espoir que, grâce aux jeux entremêlés de la Providence et des fautes des hommes (qui ne sont jamais totalement mauvais parce qu'ils n'ont pas les moyens de l'être), nous réussirions quelque jour, en dépit de notre passivité et de notre ensorcellement législatif, à prendre en main notre destin. À l'époque même où il disait: notre Québec français, nous l'aurons, ce Québec, nous l'avions, mais sans volonté d'affirmation. La parole de l'abbé Groulx était pareille à celle de la mère qui voit son enfant marcher pour la première fois, tituber, tomber, se relever et qui lui dit: il marchera, notre petit. Oui, il marchera, mais où ses pas le porteront-ils? Aux yeux de l'abbé Groulx, l'évolution du Canada français ne présupposait aucun changement dans la conception de la société. Elle s'inscrivait, avec les mesures de protection culturelle afférentes à ce que nous sommes et à ce que les autres ne sont pas, dans une définition contextuelle canadienne, donc non historique, de notre identité. Il souhaite l'avènement d'une société qui nous permettra de nous épanouir à l'intérieur des limites que le système confédératif et le continentalisme nous imposent. Il souhaite de même que notre affirmation ait lieu, mais sans que cette affirmation débouche sur un changement de statut. Pour tout dire, l'abbé Groulx ne croit pas à l'indépendance du Québec, peut-être parce qu'il nous connaît trop bien; peut-être aussi parce qu'il connaît trop bien nos partenaires-adversaires. Ce grand esprit fait penser à Moïse, qui se rend jusqu'à la terre promise, sans pouvoir y entrer; peut-être parce qu'il n'en a pas la volonté. Devant l'immensité de la tâche, l'abbé Groulx n'a pas su, ou voulu, passer outre.

Il manquait à l'illustre historien, ce dont Marcel Rioux était pourvu, la connaissance de notre imaginaire collectif. À partir de ses études sur le terrain, de ses innombrables entrevues, de son habitude de vivre avec l'objet de sa réflexion, l'ethnologue plonge, comme d'un tremplin, dans l'âme même du peuple. Là où l'historien passe d'un texte à un autre, cherchant souvent à susciter la vie à partir d'un ramas d'archives, l'ethnologue se retrouve au cœur d'une matière qui restera éternellement vivante, qui transcende l'événementiel et constitue, par-delà l'histoire, la moelle de la vie du groupe dans le temps. Par un effort surhumain de son imagination, l'historien peut entrevoir cette conscience collective et cela donnera, par exemple, un Michelet ou le Lionel Groulx qui sait utiliser la méthode sans briser en lui le cordon prophétique. Soulignons que c'est d'abord dans son écriture de combat que l'abbé Groulx se permet des échappées prophétiques ; l'homme gardien d'une tradition parle, non le savant qui, cependant, guide les rêveries profondes. Son génie d'écrivain l'a empêché de sombrer dans la froideur descriptive, comme cela est arrivé à Frégault, esclave de l'appareil critique. Mais l'historien saura s'incliner devant le dépositaire des secrets de la lignée.

Marcel Rioux, lui aussi, a cru bon de s'éloigner de la pure science et d'affronter le public, ces lecteurs qu'intéresse d'abord l'actualité et qui, à la longue, transforment l'histoire. D'où la série d'importants articles et entrevues qu'il a fait paraître dans *Forces* de 1969 à 1980 ; il y présente Marcuse, comme Ionesco ou Edgar Morin, interviewés dans une perspective québécoise. Les articles sont consacrés au Québec, à ses universités, à sa jeunesse, en somme, à son avenir. Lorsque Marcel Rioux commence à collaborer à *Forces*, la vague de protestation dont la jeunesse bourgeoise occidentale et, singulièrement, la classe étudiante, avait tenté d'utiliser les remous à son profit, reculait. Quelques séquelles nous en étaient restées, une vague insatisfaction devant l'avenir, la déception des intellectuels avides de bouleversements qui rompent la monotonie quotidienne des livres et exaltent le sentiment mensonger d'appartenance, la saveur âcre qui reste dans la bouche lorsqu'on se rend compte que Marx, toujours aussi mauvais psychologue, s'est encore une fois trompé ; et pourtant, le désir que cela recommence, le besoin de revivre, sous une forme ou sous une autre, une situation paroxystique. Dans une longue entrevue avec Edgar Morin, c'est cet amalgame qui, sans être dit expressément, forme la toile de fond des questions et des réponses. Le timbre, celui de la défaite, est mélancolique. La partie a été perdue. Vient Ionesco. Il s'attaque aux vrais problèmes qui assaillent l'humanité, non plus, comme Edgard Morin, à un passé qui a trahi les « penseurs » parce qu'il a refusé de se transformer en avenir, mais l'évolution de l'homme, qui est d'ordre philosophique. Au contraire de Marcuse et de Morin, Ionesco parle en praticien d'une pensée qui s'insère dans l'histoire vécue et qui est près d'aboutir. Il se réfère à des schèmes évolutifs, comme la dictature démente d'une science déshumanisée, non à des pulsions de zélateurs de changements pour eux-mêmes. Ionesco ramène son interlocuteur sur une terre qui n'a rien d'utopique. Or, la nature de Marcel Rioux l'entraîne vers l'utopie. Il fonde sa connaissance de la nature de l'homme du XXᵉ siècle sur d'innombrables lectures de théoriciens américains (la plupart oubliés aujourd'hui, 20 ans après) pour que l'objet principal de la vie en société est de créer un milieu universitaire qui réussirait ce prodige de refuser de collaborer avec l'*establishment* politique et économique et, en même temps, qui tournerait résolument le dos à l'humanisme traditionnel. Cette démarche aristocratique a donné les résultats que l'on sait. Fort heureusement pour Marcel Rioux, le Québec est en marge de ces supputations. «Les premiers seront-ils les derniers?» Il se raccroche à l'expérience québécoise, faite d'adaptation aux conditions modernes, donc américaines, et de respect du passé. Est-ce là un modèle viable? L'instinct prophétique de Marcel Rioux ne s'aventure pas jusqu'à l'affirmation. Et pourtant, il connaît les arcanes de notre passé.

Ces secrets, qui fondent une race, coutumes sacrées, Marcel Rioux a appris à les connaître ; ce sont « les mots de la tribu ». Ils lui permettent de jeter sur notre histoire un regard différent de celui de l'historien, regard qui dépasse les événements, les courbes tragiques des mouvements de denrées, les théories de graphiques, et ces lourdes notes qui entraînent la page vers le bas. L'ethnologue devenu historien ou explicitateur politique est un sourcier. Lorsque Marcel Rioux, à la fin de ce siècle, fait le procès de nos élites, coupables d'avoir dominé le peuple afin de le garder dans l'ignorance, il se réfère à la classe ouvrière, comme porteuse du véritable destin national. En accord avec la classe intellectuelle. Emporté par un marxisme «presque classique», il ne fait pas la part des choses qu'un historien aurait faite. Mais sa pensée, qui a fait se hausser nombre de sourcils, va plus loin, en ce sens qu'elle souligne le clivage qui existe, à l'intérieur de notre société, entre les maîtres et les esclaves. Toute la théorie des *compradores*, c'est-à-dire notre histoire politique, découle de là. Rien n'a changé, rien ne changera, aussi longtemps que la classe bourgeoise québécoise, de quelque horizon qu'elle vienne, sacrifiera le peuple au profit de son rôle d'intermédiaire au service des grandes puissances de l'argent. Comment un peuple peut-il rester digne, forcé de respecter une classe dirigeante qui refuse le véritable pouvoir politique, avec toutes ses composantes ? À l'époque de *Cité libre*, Marcel Rioux a perçu à quel point l'idéologie de ce quarteron était réductrice, en ce sens qu'elle souhaitait accentuer l'intégration de notre classe dirigeante dans le système continental, par haine du nationalisme québécois, peu importaient les contradictions. La divinisation du modèle anglo-saxon, redoutable tabou, allait à l'encontre de tout notre instinct historique et empêcherait à jamais l'accession au statut de nation québécoise. Le rattrapage devenait ce qu'il devait être : une école d'ambition personnelle dans l'ordre du pouvoir politique et une course effrénée vers l'appropriation d'un modèle réducteur. Les hommes de *Cité libre*, portant à bout de bras, comme un drapeau, la grille du discours démocratique, avançaient à reculons, pathétiques exemples d'inculture politique. La phrase essentielle de leurs discours était un jeu de mots sur le pouvoir. Il n'est pas question uniquement de pouvoir chez Marcel Rioux, mais de fraternité, de dépassement et des possibles qui s'offrent à une nation en devenir. La pensée « citélibriste » ignore l'attachement à la culture, elle est même anti-culturelle ; elle rejette toute filiation organique qui fait de l'homme d'ici l'héritier d'une thématique de comportements et d'associations qui ne s'affirme pas nécessairement en politique, mais qui empêche ceux qui ignorent son existence ou qui la méprisent, d'exercer durablement le pouvoir. Le dépassement est toujours cohérent parce que, ouvert sur toutes les réalités, il ne perd jamais de vue sa généalogie. Sa pratique élimine la peur de la liberté vécue.

Là est peut-être le mot clé de la vie et de l'œuvre de Marcel Rioux : à partir de ce mot, qui est aussi espérance, dans l'ordre de l'esprit, de l'évolution de l'être, tout devient possible. À mesure qu'on avance dans l'œuvre politique de Marcel Rioux, la liberté se fait plus présente ; liberté de l'individu contre les formes religieuses sclérosées ; liberté du groupe humain, solidaire de l'évolution de l'humanité ; liberté politique, enfin, de la nation québécoise. Là se trouvent les pôles permanents de sa pensée, qui rend à la liberté politique sa prééminence. Alors seulement se terminera le long voyage, alors seulement la liberté prendra son sens québécois. Alors, nous deviendrons ouvertement ce que nous sommes, mais cachés : dionysiaques, épris de chaleur, de communication, de rires, de chansons. Ceci est si vrai que la seule pensée, il y a 20 ans, d'un épanouissement politique personnel a immédiatement donné naissance à une littérature violente et chaude, à une musique aux rythmes personnels, à une façon neuve de se concevoir physiquement. La liberté fait surgir en nous l'homme nouveau, création de nous-mêmes.

Malheur donc à ceux qui trahissent ce destin possible, en l'empêchant de s'accomplir. Le courage de Marcel Rioux ne consiste pas à tourner le dos à des amis ou à des connaissances parce qu'ils ne partagent pas ses idées politiques. Le courage, c'est de le faire publiquement, avec une certaine voix, en utilisant certains mots, en s'interdisant toute possibilité de réconciliation. Il démantèle la citadelle ennemie, découvre le leader embusqué derrière ses fidèles et le dénude comme un artichaut. Il montre surtout qu'il n'y a pas de grand chef, malgré les provocations et les pitreries, que ce grand chef n'est, en réalité, qu'un pion que des puissances terribles manipulent. Ces puissances se parent des noms de démocratie libérale et de capitalisme utopique. Elles se donnent même des allures de philosophie séduisant ainsi les esprits sages. L'utopie n'est pas du côté de Marcel Rioux, mais bien de celui d'hommes qui en même temps proclament le primat de l'individu et instaurent froidement le bureaucratisme totalitaire ; et qui, chemin faisant, ravalent notre nation au rang d'une éternelle minorité conditionnée à obéir aux aphorismes de lord Acton. Comment ne pas voir dans l'attitude souverainement méprisante et drôle, ironique, de Marcel Rioux, une forme de catharsis. Il semble dire : nous sommes trop sérieux, en avant la musique, répondons à l'hystérie érigée en méthode de gouvernement par le rire et les coups de caveçon. Mais Moloch sent-il les coups ? Peu importe. La leçon que je veux retenir de cette démarche est la suivante : dans le domaine de l'esprit, qui se traduit chez Marcel Rioux par le recours à l'écriture, rien ne se perd. Il faut savoir placer ses pions. Savoir attendre. Savoir durer. L'homme de tous les temps accomplit son œuvre et puis se repose. Il sait prendre congé, non seulement de quelques salauds qui, de toute façon, ont leur place retenue dans l'oubli, mais aussi de tous ceux qui ont travaillé à ses côtés pour la bonne cause, quelle qu'elle soit. D'autres ici même parleront sans doute des idées religieuses de Marcel Rioux, de sa haute conception du rôle de l'artiste dans la société, de ses errances, de son attachement à Paris la grande ville, de ses dons de professeur, de son charisme d'ami. Je me suis contenté de le suivre dans certains lieux de son esprit, en compagnon fidèle-infidèle, comme sont tous les compagnons qui accompagnent en ruminant leurs propres pensées.

BIBLIOGRAPHIE

RIOUX, M. (1980), « Ionesco devant le 3e millénaire : " Il est dangereux que l'homme ne soit qu'un être social... alors que la condition métaphysique est là " », *Forces*, n° 50, p. 24-33.

Marcel Rioux et Fernand Dumont : deux penseurs québécois de la culture (1965-1985)[1]

Renée B.-Dandurand
Institut québécois de recherche sur la culture

Dans l'histoire de la pensée sociologique et anthropologique au Québec, le domaine de la culture a toujours occupé une large place.

Ainsi a-t-on privilégié, dès les années 40 et 50, l'étude des phénomènes liés à la religion, à la famille et à la nation : par la suite, l'éducation, la langue, les idéologies et en particulier la « question nationale » ont été des préoccupations majeures, alors qu'on voyait poindre des intérêts pour la littérature, le discours politique ou technocratique, les groupes ethniques, la mythologie, les sciences et les arts. Et si, à travers le temps, les modes conceptuelles se succèdent pour appréhender ces réalités – du domaine éthéré des « représentations » et des « valeurs » à celui des « biens symboliques » ou de la « production culturelle », en passant par la « culture-code » et l' « instance idéologique » – il reste

---

1. Version abrégée et remaniée d'un article paru en anglais et consacré à un bilan de la sociologie et de l'anthropologie de la culture au Québec francophone entre 1965 et 1985. Voir « Fortunes and Misfortunes of Culture: Anthropology and Sociology in Francophone Quebec, 1965-1985 », *Revue canadienne de sociologie et d'anthropologie/Canadian Review of Sociology and Anthropology*, vol. XXVI, n° 3, 1989, p. 485-532.

que les objets d'étude liés à la culture demeurent, depuis des décennies, un angle privilégié d'observation de la société québécoise.

Faut-il lire, dans cette prédilection pour la culture, une autre affirmation de notre particularisme comme enclave minoritaire en Amérique du Nord ? Il est certain qu'en raison de notre situation comme « société distincte », culture et politique ont été des thèmes intimement liés dans nos pratiques de sociologues et d'anthropologues : n'est-ce pas dans la formulation des politiques relevant du domaine culturel que l'État nous a davantage sollicités comme experts ? Et dans les débats publics qui ont marqué l'histoire politique du Québec depuis 1960, les sociologues et anthropologues n'ont-ils pas été des participants très actifs ? On peut dire en effet que leurs discours sur la société québécoise, en particulier sur sa culture, ont contribué à alimenter les représentations de notre identité collective, et par là même, à nourrir le mouvement néo-nationaliste qui s'est développé à la même époque. Enfin, par contrecoup, la pensée des théoriciens de la culture, s'en est trouvée « in-formée ». Dans sa conclusion à l'*Essai de sociologie critique*, c'est ce qu'exprimait Marcel Rioux en 1978 : « Il y a une relation certaine entre la discussion théorique que je mène dans ces pages, l'évolution récente du Québec et mon engagement politique. »

Le présent article cherche à retracer, sur une vingtaine d'années (1965-1985), l'histoire de la pensée sur la culture qui se dégage des écrits de deux auteurs majeurs dans le domaine : Fernand Dumont et Marcel Rioux. La réflexion de ces intellectuels est non seulement associée au destin social et politique récent de la société québécoise, mais également à l'un des grands débats qui a mobilisé nos disciplines pendant la décennie 70 : débat autour de « la question nationale » et de la contestation, par de jeunes sociologues et anthropologues formés à divers courants d'idées plus ou moins inspirés du marxisme, d'une interprétation culturaliste de la société québécoise. Pour témoigner de ce débat, la pensée de Rioux et de Dumont apparaît donc ci-après entrecoupée des critiques de leurs contradicteurs et présentée en trois périodes successives de « gloire », « éclipse » puis « regain » de la culture.

LA FIN D'UNE PÉRIODE DE GLOIRE POUR LA CULTURE : 1965-1969

En 1965, pour la première fois dans nos disciplines, apparaît la dénomination *Québec* (Rioux, 1965) qui remplace *Canada français* jusqu'alors employé pour désigner notre société. Ce changement est capital : il désigne une identité qui, selon l'idéologie indépendantiste, se veut dégagée de l'ensemble canadien et, surtout, qui rejette le statut de minorité ethnique pour celui d'entité territoriale et culturelle homogène, désireuse d'assurer son émancipation. Par ailleurs, quelques années plus tôt, Fernand Dumont avait proposé une approche de la *société globale* (Dumont, 1971) ; les discussions sur le passage d'une société traditionnelle à urbaine et industrielle (continuum folk urbain, voir Rioux et Martin, 1971) sont désormais périmées : une large étude des comportements économiques des Québécois (Fortin et Tremblay, 1964) montre que, désormais, une majorité de la population a accédé de façon assez homogène à la société de consommation. D'après Fournier et Houle (1980 : 35), « la volonté d'autonomiser la société québécoise en tant qu'objet d'étude (sous le vocable de société globale) coïncide avec le développement du mouvement néo-nationaliste ».

Malgré ces changements, une vieille idée a toujours cours, qu'on a désignée sous les termes de *retard culturel*, de disjonction ou de décalage culture-société : même implantés en contexte industriel et urbain, les Canadiens français auraient conservé de façon remarquable une mentalité, des modes de vie, des croyances, des formes de sociabilité, bref une culture qui appartenait à la société traditionnelle : formulée d'abord par Everett C. Hughes, reprise par Jean-Charles Falardeau, par Gérald Fortin et par Guy Rocher, cette interprétation sera souvent reformulée par Rioux.

Différentes conceptions de la culture se côtoient pendant cette période empruntant à plusieurs sources françaises (Durkheim, Mauss, Gurvitch, Goldman, Sartre) et américaines (Parsons et l'anthropologie culturelle, en particulier à l'École de Chicago où Horace Miner et Everett C. Hughes se sont intéressés dans le passé au Québec rural et urbain) : 1) la culture comme attribut distinctif de l'être humain dans l'ordre de la nature, au sens de « superorganique » (Kroeber, Spengler) : c'est ce que Dumont développe comme *Le lieu de l'homme* (1968) ; 2) la culture comme élément distinctif d'*une* société humaine, celle de la « variabilité culturelle », de la *culture-identité*, sens auquel Rioux s'attachera davantage et qui est centrale dans le discours nationaliste ; 3) enfin la culture comme région du social, à fonction de *cohérence* (valeurs, normes et représentations en tant que supports de l'action pour les agents) et à fonction de consensus ou de *cohésion* sociale pour le système (Rocher, 1974 : 46) : la culture cohérence/cohésion est un aspect aussi privilégié par Dumont dans son interprétation de la société québécoise.

Avant 1970, on peut dire que deux concepts clés émergent de la pensée de Fernand Dumont dans le domaine culturel : idéologie et culture. Pour l'étude de la société québécoise vue comme « société globale », l'angle d'approche privilégié est celui des idéologies (1971 : 388). « Analogues aux rationalisations que doit affronter le psychanalyste », les idéologies sont une « vision cohérente » que les sociétés se donnent d'elles-mêmes. C'est pourquoi il faut commencer « l'étude systématique d'une société globale » par celle de ses idéologies. L'article sur « la représentation idéologique des classes au Canada français » est sa première contribution à cette étude systématique. Dumont y précise sa conception de l'idéologie et l'articule aux acteurs sociaux qui l'ont formulée depuis la conquête anglaise. Cette conception traduit bien sa vision de la culture : l'émergence des idéologies « se fonde avant tout sur le besoin de donner cohérence à des situations » (1965 : 85) ; projets en vue de l'action, elles ont également une « fonction intégratrice », essentielle pour « rendre compte de la cohésion qu'implique la nation » (1965 : 86).

La lecture que fait ensuite Dumont de notre histoire poursuit une pratique amorcée à la fin des années 50, notamment par Rioux et Dumont (Rioux 1971 : 173), et qui sera continuée dans la littérature sociologique des années subséquentes. Il s'agit de revoir et corriger les versions des historiens en mettant l'accent sur le rôle des entités collectives que sont les classes sociales, les institutions ou les partis politique. Dumont (1965) rappelle donc l'échec de la bourgeoisie professionnelle francophone lors de l'Insurrection de 1837 et l'instauration par le conquérant, avec l'Acte d'Union, d'un « système politique qui a pour but de diviser les allégeances politiques des Canadiens français » (1965 : 89). La stabilité de l'Église catholique et la résistance d'une bourgeoisie libérale après 1840 contribuent à l'instauration de « deux représentations antagoniques [...] de la société » : celle de la « démocratie politique », option qui comportera notamment la tentation de l'annexion aux États-Unis et qui sera portée par une « bourgeoisie libérale représentée par le politicien » (1965 : 91) ; la seconde représentation idéologique est celle de la « nation menacée », portée par l'autorité cléricale : ce sera celle qui l'emportera et dominera notre histoire, de 1850 à 1950. Affirmant de nouveau l'importance de l'idéologie dans la cohésion sociale, Dumont précise que le choix de cette option de la « nation menacée » impliquait, de la part des pouvoirs francophones autres que l'autorité cléricale, « la renonciation à la lutte contre l'Église, pouvoir oligarchique [...] mais aussi armature principale de la nation » (1965 : 91). Ainsi se serait établie, selon Dumont, l'hégémonie de l'Église au Canada français entre 1850 et 1950. L'idéologie cléricale présente une société idéale « où la primauté de l'agriculture assure la permanence des traditions, où règnent la paix sociale et des relations familiales, [...] où il n'y a pas de grandes inégalités de richesses, [...] une société sans classes » (1965 : 94). Depuis la Deuxième Guerre mondiale, « à l'unanimité a fait place la diversité des courants ». Et le néo-nationalisme qu'on observe au Québec depuis 1960, se caractérise par une « quasi-identification de la nation et de la classe prolétarienne » (1965 : 97) et par le « rôle important [qui est] accordé à l'État » (1965 : 97). Plus tard, Dumont précisera ses propres options politiques dans le sens de ce néo-nationalisme : « la solution séparatiste [mais sans] nationalisme étroit » (1971 : 64) et « un socialisme d'ici » (1971a), ce qui le situe dans ce que Rioux appellera « les idéologies du dépassement ». La tâche primordiale de ce néo-nationalisme concerne le développement culturel et le développement économique : il faut « maintenant mettre ensemble ces deux ambitions qui furent ici très longtemps étrangères l'une à l'autre » (1971a : 99).

Une « nouvelle élite [...] cherche une idéologie coordinatrice » (1971a : 34), une « conscience nouvelle », dont « la science [...] ne saurait dégager les lignes de force » (1971a : 36). Dumont envisage que « le passé en arrivera peut-être à reprendre sa valeur inspiratrice » (1971a : 38). On voit bien ici les deux volets de la contribution de Dumont au discours de ce néo-nationalisme : la conscience historique et le développement culturel.

Parallèlement à ses écrits sur le Québec, qui ne portent pas que sur les idéologies et l'histoire, mais aussi sur l'éducation et la littérature (1964a), Dumont amorce une œuvre théorique qui ne réfère généralement pas à la société québécoise et qui puise aux grandes traditions de la pensée philosophique européenne et de la sociologie française.

Le lieu de l'homme, qui paraît en 1968, est l'un de ces ouvrages. Il porte un sous-titre : « La culture comme distance et mémoire ». Sont ainsi désignées deux approches : celle de l'épistémologie (distance à l'objet) et de l'histoire (la mémoire, cette autre distance). Commentant cette parution, Nicole Gagnon (1984 : 226) rapporte qu'à l'époque, ce livre est jugé « difficile » et ne pourra « servir d'énoncé de recherche ». S'agit-il d'un ouvrage théorique sur la culture ? Selon Dumont (1968 : 12), l'étiquette conviendrait au livre, mais pour lui, cette théorie de la culture est « solidaire d'une philosophie des sciences de l'homme ».

Sont abordés des thèmes déjà énoncés à propos des idéologies. Le besoin de cohérence : « nous [...] demeurons [...] obsédés par le désir d'une unité de la culture » (1968 : 10) ; l'angoisse de l'homme moderne, qui vit une « crise » face à ce « monde fragmenté » ; l' « incertitude sur les moindres choses », « chacun recommençant de tisser à neuf le fil du destin : se croyant libre de survoler en entier l'inextricable fouillis du hasard et de proférer le sens du monde » (1968 : 20). Ici Dumont reprend une idée émise précédemment : « la culture ne fournit plus de modèles de vie ». Ce « vide » de la culture dans les sociétés contemporaines est constamment repris dans son œuvre et confère à sa pensée un caractère tragique. Si chacun, donc, doit recommencer à « proférer le sens du monde », serait-ce que la culture a disparu des sociétés modernes ? Ce n'est que partiellement le cas. Plutôt, elle est devenue un phénomène différent, complexe, dont Dumont tente une première définition. La culture, c'est :

> [...] une certaine distance entre un sens premier du monde, disséminé dans la praxis propre à son contexte collectif et un univers second où ma communauté historique tâche de se donner comme horizon une signification cohérente d'elle-même [...] [La culture] consisterait en deux fédérations opposées des symboles, des signes, des objets privilégiés où le monde prend sa forme et sa signification pour une communauté de conscience. (1968 : 11.)

Selon Dumont, cette définition « rejoint les modèles, les coutumes, les idéaux qu'étudient, sous cette étiquette, les anthropologues ». Mais « elle convient tout autant », ajoute-t-il, à ces « humanités » que nos maîtres de collège appelaient aussi la culture » (1968 : 41). Il est donc proposé que cette culture de la société moderne soit faite d'une *culture première*, ou culture commune, et d'une *culture seconde* : celle-ci « se dégage de la culture commune par des procédés de stylisation » (c'est l'*art)* ou par des procédés de connaissance (c'est la *science)*. Si l'art est « reconquête du sens », la science est « réduction du sens à des procédés de rationalisation et de calcul » (1968 : 44-45). Ce dédoublement de la culture présente aussi des caractéristiques de « différenciation sociale » : l'une est culture populaire ou de masse, l'autre est dite aristocratique (au sens de « culture savante »).

Cette distinction entre culture première et seconde sera sans doute l'apport conceptuel le plus retenu de cet ouvrage dense, qui emprunte à

Gaston Bachelard, notamment, un mode de connaissance par analogies et homologies ainsi qu'une écriture qui s'apparente davantage au texte poétique qu'au langage formaliste, plus caractéristique de nos disciplines. Analogies mais aussi méthode comparative : à l'aide des références historiques, ethnologiques, sociologiques ou philosophiques, sont mises constamment en parallèle, en opposition ou en liaison, les sociétés dites archaïques, traditionnelles et modernes pour tenter de cerner l'objet culture.

La suite de l'ouvrage approfondit donc ces modes de dédoublement de la culture ; sont aussi abordés les modes de participation auxquelles la culture convie ainsi que les voies proposées pour pallier à la « crise de l'homme moderne ».

L'ouvrage se termine sur deux voies, « Politique » et « Mémoire », qui devraient permettre de résoudre :

> [...] la crise de la culture actuelle : dans la recherche des médiations inédites entre le tissu quotidien de la vie et les objets culturels qui nous interrogent de leur magnifique distance, entre nos actions ordinaires et la science qui les remet en question, [...] il nous faudra une Politique. Et plus encore : une Mémoire. (1968 : 227.)

Tout en réitérant, à travers la « Mémoire », l'importance de la « conscience historique » pour donner un « sens au monde », Dumont évoque pour la première fois la nécessité d'une « Politique » de la culture. Ainsi sont réaffirmés deux volets essentiels de sa pensée : *conscience historique* et *développement culturel*. Ce dernier volet trouvera un aboutissement dans sa participation à l'élaboration de la politique culturelle du Parti québécois, après la prise de pouvoir de 1976.

En 1965, Marcel Rioux (qui a derrière lui une expérience d'anthropologue de terrain) reprend pour « la préciser et la nuancer, l'hypothèse de classe ethnique » formulée quelques années auparavant avec Jacques Dofny. Rappelons que cette hypothèse, qui s'appuyait sur des données canadiennes de recensement comparant les élites francophones et anglophones, proposait de considérer la société québécoise comme « une minorité ethnique reconnue qui, à l'intérieur du Canada, envisagé à son tour comme société globale, joue le même rôle que celui d'une classe sociale à l'intérieur d'une société globale » (Dofny et Rioux, 1962/1971 : 316). Dans « conscience nationale et conscience de classe au Québec » (1965), Rioux précise que chez les jeunes Québécois, interrogés l'année précédente avec Robert Sévigny (1964), « la conscience nationale est beaucoup plus vive que la conscience de classe » (1965 :

107). Il prévoit que ces deux appartenances pourraient susciter un mouvement qui, à l'instar des visées du groupe de jeunes intellectuels réunis autour de la revue *Parti Pris*, permettrait d'atteindre des objectifs d'implantation à la fois du socialisme et de l'indépendance : « Comme nous sommes dans une période chaude de l'histoire du Québec, il n'est pas impossible que les contestations nationales et sociales ne soient pas en train de s'imbriquer et de s'activer réciproquement. » (1965 : 108.)

C'est en 1968 que Rioux présente une « évolution des idéologies » dans l'histoire de notre société. Prolongeant ses propres travaux et empruntant à Dumont (1965), il propose une catégorisation qui sera ensuite largement reprise par la littérature sociologique québécoise. Après la défaite de l'Insurrection de 1837, le peuple québécois s'est replié autour de son Église sur une *idéologie de conservation* jusqu'après la Seconde Guerre mondiale, où les anciennes idéologies et structures de pouvoir sont mises en cause et considérées comme « anachroniques » : il faut alors « mettre à jour cette culture » (1968 : 112). Une *idéologie de contestation et de rattrapage* est formulée dans les années 50 par des syndicalistes, intellectuels, journalistes, artistes, étudiants et quelques professionnels, et elle s'exprime notamment au sein de la revue *Cité Libre*. On trouve ici mention du « retard culturel » : « [Il fallait que] fût comblé l'écart qui s'était formé entre la culture québécoise (idées, valeurs, symboles, attitudes, motivations) et la société québécoise (technologie, économie, urbanisation, industrialisation). » (1968 : 116.) Après 1960, les porte-parole de l'idéologie du rattrapage se scindent en deux groupes : ceux qui, notamment avec Pierre Trudeau, considèrent que « ce Québec, retardataire à cause de ses élites, [devrait] acquérir une idéologie plus ouverte et s'intégrer à la société canadienne » (Rioux, 1968 : 118) ; d'autres (dont Rioux), qui joindront le néo-nationalisme, considèrent que le Québec « est non seulement une culture [...] mais [...] une société qui doit s'autodéterminer et conquérir son indépendance [...] pour contrôler son économie et sa politique » (1968 : 119). Ce mouvement néo-nationaliste comporte à son tour deux ailes, précise Rioux, l'une conservatrice, l'autre socialiste, inspirée des « idées de décolonisation et de libération nationale » (1968 : 121) : c'est cette dernière qui formule une *idéologie de développement et de participation*.

La question du Québec, publiée l'année suivante (et en version anglaise dès 1970 sous le titre *Quebec in Question*), est un ouvrage qui reprend l'histoire du Québec et de ses idéologies mais surtout les enjeux politiques du projet indépendantiste. L'idéologie du rattrapage, défendue par les fédéralistes réunis derrière Pierre Trudeau, est, selon Rioux, la seule parmi les idéologies des francophones depuis les deux derniers siècles qui n'ait pas été nationaliste. Elle eut comme objectif « l'intégration pure et simple de la nation québécoise dans le grand tout américain, en passant par le Canada » (1977 : 109). En complément à ce qu'il avait déjà souligné dans son article avec Dofny (1971), Rioux voit dans la dernière tranche (1968) du *Rapport de la Commission d'enquête sur le bilinguisme et le biculturalisme*, la confirmation flagrante de la relégation économique et sociale des francophones au Canada. Dans ce contexte, l'indépendance apparaît, soutient Rioux, comme la seule issue qui s'offre aux Québécois. C'est dans le chapitre 9, intitulé « Vers un Québec libre ? » que Rioux présente l'argumentation la plus nouvelle de son ouvrage et qui caractérise le mieux le rôle qu'il a joué dans l'élaboration du discours néo-nationaliste québécois.

Il est à noter que l'idéologie de ce néo-nationalisme, définie précédemment comme celle du développement et de la participation, reçoit dans *La question du Québec* une autre dénomination, celle de *dépassement* : ce thème demeure jusqu'aux années 80 dans l'œuvre de Rioux, où il voisine celui des pratiques émancipatoires. Pour atteindre cet objectif de dépassement, Rioux emprunte à Veben et à Trotsky une théorie qui, développée dans des contextes différents, tend à présumer du « privilège du retard historique ». En l'occurence, le « retard historique » est une version du « retard culturel » du Québec, évoqué précédemment à plusieurs reprises et qui amène Rioux à considérer que les Québécois « n'étaient pas allés aussi loin dans les processus socioculturels qui accompagnent l'urbanisation : individualisation, impersonnalité, sécularisation et atomisation » (1977 : 169). D'où, « parce qu'il était moins lié à l'ancien ordre des choses que ses voisins nord-américains, [le Québec] pouvait plus facilement trouver des solutions appropriées aux nouveaux problèmes qui se posent à l'humanité » (1977 : 170).

Le Québec est donc une société en transition dont, notamment, la culture traditionnelle est en déclin (1977 : 236). Mais la spécificité québécoise n'est pas pour autant en péril :

> Ce qui disparaît, ces années-ci, ce n'est pas l'ensemble de la culture des Québécois, ce sont d'abord certaines institutions et pratiques, certaines idées et certaines valeurs mais non l'ensemble structuré qui caractérise la culture québécoise ; il y a des déplacements d'accents, des transformations de contenus, mais à juger par les aires où se produisent des innovations nombreuses, il continue d'exister une façon

distinctivement québécoise d'appréhender et de vivre le monde. (1977 : 238.)

S'il y a déclin de la culture traditionnelle, il y a également déclin de la « mentalité coloniale » et Rioux estime qu'il perçoit des « mouvements de re-construction culturelle ». Ainsi, l'extrême vitalité de la vie artistique et intellectuelle des Québécois dans divers domaines (littérature, arts visuels, chanson, cinéma et autres mass média) démontre à quel point :

> [...] les créateurs québécois ont puissamment contribué à transformer l'imaginaire social [...] C'est là un phénomène qui peut, à la longue, transformer une société de fond en comble. Hegel disait que si vous révolutionnez l'imaginaire, la réalité ne tiendra pas longtemps. Peut-être est-ce bien ce qui est en train de se produire ici ? (1977 : 243.)

Le dernier chapitre, ajouté à l'édition de 1977, laisse déjà préfigurer la déroute du projet indépendantiste. Rioux se demande s'il sera possible de résister à la « classe dirigeante canadienne » et à l' « élite américaine au pouvoir » ; il émet l'opinion que la peur du socialisme est, chez les Anglo-Canadiens et les Américains, plus grande que celle de l'indépendance (1977 : 256).

La question du Québec est un ouvrage qui prend ouvertement le parti de l'engagement :

> Sociologue de métier, j'ai étudié quelques aspects de la culture et de la société québécoise. On retrouvera, dans certaines pages, le point de vue du sociologue. Dans d'autres, c'est celui du Québécois qui opte pour l'indépendance de son pays. Nul ne peut rester sur la clôture quand il s'agit de questions qui engagent la vie ou la mort de son pays. Un temps vient où il faut prendre publiquement parti. (1977 : avant-propos.)

L'année de la parution de *La question du Québec*, Rioux formule, auprès du milieu académique, sa position engagée comme sociologue critique, qui se réclame de Marx et récuse dorénavant la sociologie dite « aseptique », née avec Weber et consacrée dans la sociologie positiviste des fonctionalistes. Il s'agit de ce courant sociologique des « techniciens de l'empirisme abstrait », que C. Wright-Mills fustigeait pour sa « limitation d'esprit mortelle » et pour son « indifférence et son mérpis pour la philosophie sociale », jugée trop spéculative. La problématique de Rioux n'est certes pas étrangère aux quelques courants radicaux de la sociologie américaine, notamment à celle de Gouldner et

Marcuse auxquels il est fait référence, outre C. Wright-Mills. En plus, le propos central de cet article s'applique bien à la pratique de la sociologie de Rioux : « il y a une relation entre la théorie et la pratique de la sociologie et les périodes historiques dont elles sont partie » (1969a : 54).

Or, à la fin des années 60, la conjoncture socio-politique est, on s'en souviendra, fort turbulente. Des mouvements sociaux fleurissent en Occident et, au Québec, les jeunes contestent dans les collèges et les universités pendant qu'un parti indépendantiste s'affirme. La « sociologie critique », dont se réclame Marcel Rioux, est donc bien accordée avec le temps et elle augure des débats qui s'en viennent.

UN DÉBAT ET UNE ÉCLIPSE DE LA CULTURE : 1970-1977

Si la période précédente a révélé peu de contradicteurs, c'est sur une polémique à propos de l'approche dite « idéaliste » des aînés que s'ouvre cette seconde période. Sous l'influence du néo-marxisme, en particulier de son école structuraliste française (Althusser et Poulantzas) et des autres courants qui émergent en France autour de Touraine et Bourdieu, les jeunes sociologues et anthropologues formés dans les années 60 vont soumettre la culture à ce qu'on pourrait appeler une double « disqualification » : souvent réduit à l'« instance idéologique » ou aux « appareils de la reproduction », le domaine du culturel et du symbolique sera soumis à la « détermination en dernière instance par l'économique », procédure qui déplace l'accent mis précédemment sur les « représentations » ou la « conscience » vers les phénomènes de domination et d'exploitation, en l'occurence vers les classes, l'État et les mouvements sociaux. Ce qui n'empêche pas Rioux, Dumont et d'autres, de poursuivre leurs analyses du domaine culturel ; mais, pendant cette période, les études sur le sujet sont moins nombreuses et, chez Rioux et Dumont, on remarque un emploi « pudique » du terme culture, pendant que le débat est vif sur la détermination du socio-historique par l'infrastructure, le remplacement du sujet par l'agent, la fonction de masque de l'idéologie, son caractère imaginaire, etc.

Une première tentative de définir le domaine culturel dans les termes d'une approche néo-marxiste en restera à un énoncé rudimentaire : c'est l'article de Bourque, Racine, Pizarro et Pichette, « Productions culturelles et classes sociales au Québec » (1967), largement inspiré de

Goldmann. Cet article aura moins d'écho cependant que celui que signeront Gilles Bourque et Nicole Laurin-Frenette au début de la décennie 70. Dans « La structure nationale québécoise », « la problématique idéaliste », telle que développée par Dumont, Rioux et Dofny est très explicitement mise en cause : illustration de la « problématique bourgeoise », « version québécoise de la théorie fonctionnaliste de la nation », « voile idéaliste » qui masque la réalité et rend l'analyse floue et incertaine. Par exemple, les dichotomies classes sociales/classes ethniques et conscience sociale/ethnique sont des notions qui « [nient] la spécificité des intérêts et de la lutte des classes, justifiant directement l'idéologie petite-bourgeoise du front uni pour la lutte hégémonique de la bourgeoisie » (1971 : 111). En plus de nier l'antagonisme des classes et le caractère hégémonique de l'idéologie nationaliste, le concept de nation est défini par la « problématique idéaliste » comme « la théorie que ses membres s'en font » et non par « un ensemble de faits objectifs » (1971 : 111). Ainsi l'histoire de la nation devient seulement celle de ses « représentations, [...] donc rapports éthérés existant au niveau de la conscience » (1971 : 111). On critique également la position de Rioux qui place au niveau du « système de valeurs » (plutôt que de la domination/exploitation) l'élément central de différenciation entre le Canada français et anglais. Est donc récusée à la fois une approche qui « [utilise] la culture ou l'idéologie comme critère unique ou principal [de définition] » (1971 : 120), à la fois une approche qui omet de souligner que « l'idéologie nationaliste, [...] sous le couvert d'une conscience nationale, est toujours portée par une classe sociale », généralement bourgeoise ou petite-bourgeoise.

D'autres « contradicteurs » remettront en question les conceptions reçues de la culture, mais ils le feront moins explicitement dans le cadre d'une polémique mettant en cause Dumont et Rioux. Ainsi, Bernard Bernier critique l'approche idéaliste du courant « culture de la pauvreté » (1974) et plus largement le concept même de culture (1979). Il rappelle que la transmission culturelle n'est qu'un aspect de la reproduction d'une société. D'autre part le concept de culture postule une non-détermination, soit « une équivalence de chaque aspect [du socio-historique], chacun contribuant au maintien du tout, [ce qui ne] permet pas de comprendre la spécificité de chaque élément du social » (1979 : 130). Enfin B. Bernier n'évacue pas complètement la culture au profit de l'idéologie. Si cette dernière est conçue comme « ensemble de représentations [qui] veut masquer la réalité et la justifier » (1979 : 136), « le concept de culture garde néanmoins un certain contenu car la vision que les gens ont de leur univers est actualisée et transmise à travers des moyens tels la langue, les coutumes populaires, les rituels » (Bernier, 1979 : 138). Ce sont surtout ces « moyens » qui portent l'identité du groupe.

De tels débats qui remettent en cause non seulement le concept mais tout le paradigme de la culture ne sont pas sans se répercuter sur les pratiques de recherche.

Au début de la décennie 70, Marcel Rioux fait un retour à la recherche de « terrain » mais dans une autre perspective que précédemment : il s'agit d'allier micro et macro-approche, en somme d'étudier un objet particulier dans son rapport avec une totalité socio-historique. C'est l'ambition qui animait le collectif de Recherche en sociologie urbaine (CRESU), dirigé par Rioux et le psycho-sociologue Robert Sévigny (Lamarche, Rioux et Sévigny, 1973) dans une étude sur *Alinéation et idéologie dans la vie quotidienne des Montréalais francophones*. Cette recherche est largement liée au débat du temps, en particulier sous deux aspects : les rapports culture/idéologie et la problématique de l'aliénation.

Déjà dans sa monographie de *Belle-Anse* (1957 : 71), Rioux avait fait une distinction importante entre idéologie et éthos à propos de l'influence américaine sur le Québec : si le discours idéologique des élites cléricales avait fustigé l'influence américaine depuis un siècle, cette résistance à l'américanisation n'était pas observable dans la vision du monde (éthos) des villageois de l'*Île Verte* (1954), de *Belle-Anse* (1957) ou de Saint-Denis de Kamouraska (Miner), observés dans les années 30 et 50. On peut affirmer que cette distinction n'est jamais absente de l'œuvre de Rioux, qui semble à la recherche d'une sorte de pont, de lien entre l'approche particulariste de l'anthropologie culturelle, développée pour appréhender des sociétés pré-industrielles, et une macro-approche tel le marxisme, système de pensée élaboré pour saisir le capitalisme et les sociétés industrielles. Dans l'étude du CRESU, par exemple, le concept d'idéologie est relié à celui de culture (et non d'éthos) : mais le premier n'évacue pas entièrement le second, qu'il s'agisse de rendre compte du Québec d'autrefois ou d'aujourd'hui.

> Entre 1760 et 1867, le rôle de l'idéologie ne se confond pas avec celui de culture et [...] à cause de la très grande homogénéité culturelle qui existe et de l'absence d'antagonismes de classes, le rôle de l'idéologie – véhiculée surtout par le clergé – se borne à occulter certains phénomènes – domination et colonisation de la formation sociale – et à cimenter une culture qui existe et possède ses propres principes de

structuration. [...] Même aujourd'hui – nonobstant la grande diversité socio-économique qui existe – on continue d'observer une homogénéité culturelle relativement grande. (Lamarche, Rioux et Sévigny, 1973 : 34-35.)

Si l'idéologie, même dominante, n'oblitère pas la culture, il s'opère plutôt une « retraduction, réinterprétation de cette idéologie, provoquées par des traits structurels et des structures mentales qui continuent d'exister dans les diverses classes sociales » (Lamarche, Rioux et Sévigny, 1973 : 944). (En 1984, dans *Le besoin et le désir*, Rioux intègre ces structures mentales à une définition de la culture.)

L'étude du CRESU permet également à Rioux de se familiariser avec le concept d'aliénation, qui deviendra central dans sa sociologie critique (1978, 1984). La problématique de l'aliénation (développée au CRESU, surtout par Sévigny) permet notamment de soulever la question du sujet.

[dans] la sociologie des structures et des rapports sociaux, le sujet s'évanouit [...] On peut valablement se demander comment le sujet est justement déterminé par les structures et non pas se contenter de le faire disparaître [...] il faut insérer ce vécu dans une sociologie du sujet, quitte à montrer en quoi et comment il est ce que les structures l'ont fait. (Lamarche, Rioux et Sévigny, 1973 : 24.)

C'est en partie à l'extérieur des discussions académiques (et dogmatiques) qu'en 1974, Rioux publie aux Éditions du Seuil, à Paris, un ouvrage qui a pour titre *Les Québécois*. Inséré au numéro 42 d'une collection sur les « civilisations », après les Tsiganes et les Hébreux, et avant les Aztèques, le livre affiche clairement son intention, au coin d'une photo « gros plan » d'une cabane de bois rond : brosser un « portrait ethnographique du Québécois ». À mi-chemin entre une certaine folklorisation et l'esquisse d'une société vivante, à l'image des Québécois que Rioux décrit comme « empreints à la fois d'archaïsme et de futurisme » (1974 : 150), on pourrait qualifier ce bouquin de « plaisant ouvrage de la maturité ». Rioux s'y adonne en effet, avec un bonheur évident, à cette recherche des caractères distinctifs de la société québécoise, à l'esquisse de cette culture-identité qui a marqué ses premiers ouvrages ethnographiques et n'a pas cessé de l'intéresser.

Le premier chapitre porte d'ailleurs sur l'identité. Les Québécois sont définis comme « un groupe ethnique dont la personnalité collective s'est tissée au cours de l'histoire et dont la trame se compose de traits français, américains et canadiens » (1974 : 13). Ainsi s'est formée la

« québécité », cet ensemble de caractères qui vont « distinguer de plus en plus la société québécoise des autres sociétés » (1974 : 15). Cette identité n'est pas faite de composantes culturelles mais d'aspects « idéologiques » qui ont varié à travers l'histoire. « [...] les composantes objectives de l'identité québécoise ont été différemment valorisées selon les classes et les situations, [...] définies et interprétées en fonction des perceptions et des intérêts des groupes dominants de la société québécoise. » (1974 : 21.) Il est à noter que le terme culture n'apparaît à peu près pas, ni dans ce chapitre sur l'identité ni dans aucun des titres et sous-titres du livre. Pourtant cet ouvrage est tout entier consacré à la culture. Qu'on en juge par les sujets traités : outre l'identité, trois chapitres portent sur la langue, la religion, la tradition orale ; ensuite sont abordés les saisons, notre « caractère national », la poésie, la chanson, etc.

Ce « portrait ethnographique » se termine sur une description du « Québécois d'aujourd'hui et de demain ». Si l'ouvrage offre « une image [...] teintée d'amitié pour l'habitant et empreinte de quelque nostalgie envers un passé de simplicité et de frugalité » (1974 : 149), il importe de souligner, estime Rioux, que le Québec est « aujourd'hui industrialisé et urbanisé, [...] il se distingue par la langue et la religion [mais] c'est davantage au niveau de l'ensemble que constitue la société globale qu'il faut chercher [sa] spécificité [...] Son visage actuel [...] [est marqué] par la dépendance » (1974 : 150). Cette dépendance est liée à la « domination socio-économique du Québec par les Canadiens et les Américains » ; ces derniers exercent d'ailleurs une « attraction de plus en plus grande » sur les Québécois (1974 : 156). Si « la lutte des classes » est également une facette majeure du Québec moderne, Rioux la situe dans l' « hégémonie capitaliste continentale » (1974 : 170). Il constate qu'avec la baisse du sentiment religieux, « les Québécois cessent de nier leur américanité et se reconnaissent de plus en plus comme Nord-Américains à part entière » (1974 : 173). Un aphorisme célèbre de Rioux (1968 : 119), le Québec est « non seulement une culture mais une société qui doit s'autodéterminer », trouve ici sa démonstration.

Cette influence des États-Unis (et c'est la première fois qu'il traite aussi longuement de la question) lui inspire des sentiments contradictoires : espoirs que le développement d'une « nouvelle culture » chez les jeunes réussisse à « corroder le système » (1974 : 175) ; inquiétude devant la force des « appareils idéologiques [qui] réussissent à manipuler l'opinion et à récupérer toutes les tentatives pour détruire ce système » (1974 : 74). Les derniers paragraphes de l'édition de 1974 portent donc les développements à venir de la pensée de Rioux : c'est du côté des jeunes que désormais il attendra une « révolution culturelle » : ce « nouveau code de conduites », cette « sensibilité nouvelle », ce « nouvel art » laissent entrevoir, selon Rioux, que « la contestation de la société se [déroulerait] moins dans la sphère politique et sociale que dans la vie quotidienne et s'exprimerait plutôt par des œuvres culturelles [...] des nouvelles valeurs [...] un nouvelle innocence [qui s'opposerait] à la rationalité traditionnelle des sociétés industrielles » (1974 : 175-177). Cet espoir que suscite la génération nouvelle n'est pas un intérêt nouveau pour lui (1969b) et se rapproche de ce qu'exprimait Herbert Marcuse dans un entretien avec Rioux (1973 : 55-56) :

> [Les jeunes] forment aujourd'hui [...] une sorte « d'avant-garde ». À cause de leur degré d'intégration relativement faible dans la société organisée, leur conscience et leurs besoins sont en opposition radicale avec l'ordre établi. Et ceci les conduit à une certaine séparation avec les « masses », séparation qui [...] a été un facteur de toutes les révolutions historiques.

Si, entre temps, à l'Université Laval de Québec, la culture est toujours un paradigme important qui guide plusieurs travaux, elle n'y est pas complètement à l'abri des polémiques montréalaises. Fernand Dumont publie plusieurs ouvrages au début de la décennie 70. Il poursuit ses intérêts pour la philosophie des sciences sociales dans *La Dialectique de l'objet économique* (1970) et dans *Chantiers. Essais sur la pratique des sciences de l'homme* (1973) ; l'Assemblée des évêques québécois lui a confié la présidence d'une Commission sur le rôle des laïcs et de l'Église (1971b) ; avec le sociologue Jean-Paul Montminy et l'historien Jean Hamelin, il commence à recueillir et publier des études monographiques sur les *Idéologies au Canada français* : quatre tomes paraîtront en 1971, 1974, 1978 et 1981, couvrant quatre périodes depuis 1850 à 1976 et présentant des analyses de revues, périodiques, journaux et livres rapportant divers courants idéologiques.

Si la polémique montréalaise est présente dans l'introduction du tome II de *Idéologies au Canada français* (« l'idéologie ne plane jamais au ciel des sociétés. Elle est une procédure de la convergence qui sourd des autres pratiques sociales », 1974a : 2) ; si elle est présente également dans l'introduction d'un numéro de *Recherches sociographiques* sur le vécu, que Dumont signe avec Nicole Gagnon (1973 : 153), elle apparaît surtout dans *Les idéologies* (1974b), ouvrage qui est autant l'aboutissant d'un intérêt majeur de la pensée de Dumont (l'idéologie comme approche privilégiée pour « l'étude systématique d'une société globale » [1971]) qu'elle est sa participation au grand débat du temps.

Dans le langage commun, l'idéologie, « c'est la pensée de l'autre » (1974b : 6), c'est « la société comme polémique [...] tâchant de se définir dans des luttes et des contradictions internes » (1974b : 6-7). L'idéologie, cette « sociologie d'avant la sociologie », est, selon une expression empruntée à la pensée de Bachelard, le « repoussoir de l'intention scientifique » (1974b : 7). Quand elles considèrent les idéologies seulement comme « un résidu de leur propre initiative », les « sciences de l'homme [prolongent] des attitudes suggérées par la culture occidentale moderne » (1974b : 8) ; de même qu'en traitant les idéologies « d'une façon négative », c'est-à-dire seulement comme connaissance fausse de la société et non comme connaissance partielle ou « relative », « la science se trouve tout naturellement à écarter les sujets historiques concrets, qu'ils soient individuels ou collectifs » (1974b : 8). Dumont proposera donc, en fin de compte, une sociologie qui soit « une science de l'idéologie et du sujet historique », une science qui soit à la fois celle des conflits, de la totalité et de la médiation.

Voilà la visée globale de l'ouvrage. Voyons-en quelques aspects davantage liés à la polémique du temps entre « idéalistes et « matérialistes ».

C'est d'abord à la conception des néo-marxistes sur le caractère plus ou moins imaginaire de l' « idéologie » que Dumont s'en prend. L'idéologie n'est pas simple représentation ou illusion. Rappelant la dialectique entre l'idéologie et les rapports sociaux, Dumont affirme : « [...] on ne saurait ranger d'une part, des rapports réels, et d'autre part, des rapports imaginaires. Toute pratique, quelle qu'elle soit, comporte l'imaginaire, sans quoi elle ne pourrait se construire comme pratique. » (1974b : 48.) Ainsi, peut-on dire que « le langage est aussi réel que le travail » (1974b : 157).

Si les néo-marxistes en arrivent à concevoir les idéologies comme illusion, c'est en partie, considère Dumont, parce qu'ils ont évacué le sujet historique. Ils ne sont pas les seuls d'ailleurs : d'autres penseurs du temps, Touraine et Lévi-Strauss notamment, ne font pas autrement que mettre le « sujet entre parenthèses » (1974b : 31,34) : « [...] au lieu de dénoncer les illusions du sujet humain [la science de l'homme] élimine le sujet lui-même. » (1976b : 37.)

L'objet de *L'Anthropologie en l'absence de l'homme* (1981b) est ici esquissé et rejoint un thème développé dans *Le lieu de l'homme* (1968), celui de la culture contemporaine « déréalisée », fragmentée, très souvent « subordonnée à la technique », ce qui contribue aussi à « dissocier le sujet de son espace » (1974b : 16,60).

En évacuant le sujet, les néo-marxistes ont-ils trahi la pensée de Marx ? « Il serait ridicule d'affirmer que Marx ignore le sujet humain [mais] on ne peut pourtant manquer de constater que sa pensée est ambivalente » (1974b : 29). Dumont donne une lecture de l'œuvre de Marx, qui exprime cette ambivalence :

> À partir du modèle d'intelligibilité fourni par l'industrie, la société tout entière, y compris la culture, sera conçue comme production [...] La fonction première de la critique sera d'analyser les représentations inscrites dans la culture non plus comme des données mais comme des produits [...] De ce précepte d'analyse, Marx sera constamment tenté de glisser à la discréditation de la culture [...] Le domaine de la réalité sociale qui servait d'abord de modèle d'analyse devient la cause des autres secteurs. (1974b : 22, 23.)

Pourtant l'importance du symbolique chez Marx est attestée, souligne Dumont, par le caractère heuristique que revêt, dans son œuvre, le fétichisme de la marchandise : « [...] cette analyse du phantasme qui est le fondement du système (capitaliste), il en fait le fil conducteur pour discerner la pensée historique du système. » (1974b : 164.)

Dumont considère d'autre part qu'en posant la superstructure comme déterminée par l'infrastructure, les néo-marxistes trahissent également la complexité de la détermination dans la pensée de Marx : ce dernier « a voulu dialectiser les systèmes sociaux [et ce faisant] il a été soucieux de les rendre à leur genèse [il a] ramené ces systèmes non seulement à la réalité de leur constitution mais aussi des interrelations humaines c'est le marxisme qui a réduit bien vite cette histoire à un système » (1974b : 161-162).

Dans le dernier chapitre de son ouvrage, Dumont relie les pratiques idéologiqes au pouvoir et propose un mode d'appréhension du socio-historique basé sur les idéologies et le sujet. Est reprise ici une position déjà avancée (1971) : « En partant de l'idéologie, on n'opte pas fatalement [...] pour une vue idéaliste des phénomènes sociaux. Au contraire, on se trouve ainsi renvoyé aux enracinements d'une société qui avant d'être une chose est un débat. » (1974b : 138.) Cette perspective n'est pas idéaliste mais totalisante, selon Dumont. Il considère en effet que les grandes pensées théoriques se fondent toutes, au départ, sur une

« expérience du social » qui « varie selon les sociologies : le travail, la contrainte, la communication par exemple » (1974b : 168).

Ce ne sont pas des partis pris arbitraires. « [Les expériences] doivent être jugées à la fécondité des analyses qu'elles permettent [...] Voilà bien ce qu'un certain positivisme méconnaît d'essentiel, [récusant] le problème des totalités sociales pour ne retenir que des problèmes particuliers. » L'approche du social peut donc se faire selon plusieurs totalités, dont celle que Dumont a privilégiée, autour du concept d'idéologie.

À travers la raison polémique qui amène ce débat, on aura noté que Dumont ne répond pas à une position fondamentale des néo-marxistes : le fait de considérer les idéologies comme un *masque*. On peut proposer que si ce point n'est pas abordé dans *Les idéologies*, c'est que les classes sociales n'y sont traitées qu'avec réticence : d'une part Dumont exprime un doute sur leur existence, mais il en affirme la réalité culturelle par le biais des « réseaux de signes [...] qui forment et désignent ces classes » (1974b : 143). « S'il y a telle chose que des classes sociales, on ne doit pas commencer par se demander quels en sont les facteurs sous-jacents, mais plutôt comment on en parle. » (1974b : 137.) Il sera plus explicite par la suite, affirmant qu' « il n'y a pas de sujets collectifs antérieurs aux débats de signes [...] pas plus qu'il n'y a de pouvoirs qui se cacheraient sous les discours et qu'un époussetage théorique suffirait à nous révéler » (1974b : 147). Omettant de considérer les classes sous l'aspect des *intérêts* qui en sous-tendent la constitution (ce que l'idéologie chercherait à cacher selon les néo-marxistes), Dumont ne peut donc faire qu'une allusion très évasive à l'idéologie-masque.

À mesure qu'avance la décennie 70, la conjoncture politique et académique va se transformer peu à peu et, à travers le retour du sujet, la réhabilitation du sens, la critique de l'économisme ambiant et même des approches macro-sociologiques, le champ du culturel trouve à nouveau une légitimité théorique et politique. On peut dire cependant que, de leur passage par le néo-marxisme, les champs liés à la culture auront gagné le souci de traiter leurs objets dans le contexte d'une totalité et surtout d'une nécessaire articulation aux rapports sociaux : classes, sexes, âges et ethnies.

UNE RÉSURGENCE DE LA CULTURE : 1978-1985

C'est vers la fin de la décennie 70 qu'on assiste à un « regain » (Rioux, 1979b : 49), à une résurgence de la culture : elle est marquée très nettement dans les écrits de Dumont et Rioux qui, tous deux, délaissent le concept d'idéologie et reviennent à l'emploi du terme culture, en présentant de nouvelles définitions, en soulignant des objets privilégiés (développement culturel, art, imaginaire) ; ce regain apparaît également dans la réhabilitation du sens et de l' « idéel » chez les jeunes contradicteurs de la période précédente ainsi que dans l'émergence, chez d'autres, d'un intérêt manifeste pour le domaine culturel ; on en voit enfin la trace dans cette « efflorescence » de travaux, variés et nombreux, qui prennent pour objet d'étude différents secteurs du culturel. Selon la formule de Marcel Fournier (1982 : 119), « à la question de la diversité de culture des sociétés [...] s'est substituée ou superposée [...] celle de la diversité culturelle au sein même de chacune des sociétés ». À la problématique de la variabilité culturelle et de la culture-identité a succédé celle des « cultures plurielles ».

Les jeunes néo-marxistes qui avaient questionné l'idéalisme de leurs aînés en début de décennie ont à leur tour évolué et leur pensée va se nuancer. Ils prendront parfois des chemins différents : ainsi, pendant que Gilles Bourque réaffirme en 1977 une position toujours teintée d'économisme et qu'il présente, avec Anne Légaré en 1978, une version néo-marxiste de l'histoire de la société québécoise, Nicole Laurin-Frenette (1978) revient pour sa part sur ses positions exprimées en début de décennie. Son ouvrage qui porte sur la question nationale s'inscrit très clairement dans la polémique traitant du statut de l'idéologie ou de la culture dans l'analyse du socio-historique. Récusant l'interprétation économiste qui, selon elle, trahit la pensée de Marx et rejette dans l'imaginaire ce qui n'a pas la réalité étroitement matérielle du salaire ou du travail concret, elle rappelle que :

> [...] le caractère matérialiste de la théorie marxiste ne tient pas au prétendu postulat selon lequel la vie économique déterminerait la culture et l'idéologie et en rendrait compte [...] L'intuition originale de Marx, c'est que les hommes produisent leur vie et du même mouvement, la conscience qu'ils en ont. » (1978 : 27.)

Laurin-Frenette s'en prend à ces deux interprétations de la question nationale, celle de l'idéalisme chez Fernand Dumont et celle de l'économisme chez Gilles Bourque : selon elle, chacune de ces positions est tronquée et inacceptable, l'une étant « l'exact contraire de l'autre » (1978 : 21). Elle se tourne vers les approches de Reich et de Gramsci qui tous deux « reconnaissent la réalité de l'idéologie et [...] l'analysent dans sa matérialité sans pour autant la réduire à l'économie » (1978 :

37). Elle retient la conception gramscienne de l'idéologie : « une vision, une conception du monde, [...] articulée dans le discours des appareils de l'économie, de la politique, de l'éducation, de la religion, de l'art » (1978 : 37). Aussi propose-t-elle un modèle théorique où « aucun aspect [n'est] premier, principal, déterminant » (1978 : 29), où s'imbriquent des procès multiples qui permettent de prendre en compte aussi bien les classes que les groupes ethniques et sexuels, aussi bien le travail que le contrôle politique et le sens, aussi bien la production économique que celle de l'organisation sociale et des agents eux-mêmes, aussi bien la production que la reproduction. Elle applique ce très complexe schéma théorique à six périodes de l'histoire du Québec, sommairement présentées pour illustrer l'articulation de ces multiples procès. Avec *Les idéologies* de Dumont, *Production de l'État et formes de la nation* de Laurin-Frenette, peut être considéré parmi les ouvrages qui font le mieux écho au débat du temps entre « culturalistes » et « matérialistes ».

Pour Dumont, comme pour Rioux, les années 1978-1985 sont l'occasion d'une sorte de synthèse des grandes tendances de leur pensée. Si la réflexion de Rioux paraît davantage réorientée que celle de Dumont, c'est peut-être que ce dernier dirige de plus en plus ses intérêts vers d'autres disciplines que la sociologie : voici en quels termes il l'exprimait lui-même lors d'un colloque de la revue *Recherches sociographiques* (XXVI, 3, 1985 : 479) : « J'étais dans ma jeunesse un positiviste. J'ai suivi la loi des trois états d'Auguste Comte, mais j'ai procédé à l'envers, c'est-à-dire que j'ai commencé par être positiviste, et ensuite, sans doute, métaphysicien, et puis je sens très bien que je vais finir par la théologie. »

L'ouvrage majeur de Dumont dans cette troisième période, *L'Anthropologie en l'absence de l'homme* (1981b) paraît en effet procéder d'une démarche décrite comme celle du philosophe des sciences sociales. Contrairement au scientifique, qui cherche à cerner son objet, Dumont considère que :

> [...] c'est bien plutôt dans la dispersion des objets que le philosophe trouve sa condition de possibilité. Dénoncer la réification des références est sa tâche. Souligner que ces références ne sont que des horizons [...] en institutionaliser la critique [...] telle est son intention radicale. (1981b : 18.)

Paraît ainsi confirmée l'influence du projet philosophique de Gaston Bachelard sur la pensée de Dumont, filiation intellectuelle reconnue explicitement en 1981 (Dumont 1981a : 17-18).

Je ne reprendrai pas ici l'ensemble de L'*Anthropologie en l'absence de l'homme*, qui réfère à l'acception philosophique du terme anthropologie, englobant à la fois toutes les sciences humaines, la philosophie et les idéologies, tous « produits de la défection de la culture » (1981b : 12). Si l'argument central du livre est que la science est partie de la culture et en procède, je m'arrêterai à l'un des thèmes majeurs abordés, celui de l'idéologie de la production, et à son corrolaire, l'absence du sujet, thèmes déjà esquissés dans *Les Idéologies* (1974b).

La science moderne, pense Dumont, « réduisant les concepts à leur teneur opératoire, est amenée à viser les objets par-delà les représentations communes [...] Il s'agit de chercher une vérité que, par principe, ne connaît pas le sujet » (1981b : 213). C'est ainsi que, par exemple, la science présente les conditions objectives, puis les représentations que s'en fait le sujet, ou encore les structures du langage puis la conscience linguistique. Décomposant la réalité et le sujet toujours en « deux morceaux », la science en vient à considérer l'une et l'autre uniquement comme des objets, des productions (1981b : 214). Est ici repris et développé le thème du dédoublement de la culture en une connaissance, cette « réduction du monde » par « la fragmentation qu'opère la science » (1968 : 89).

Dénoncer l'idéologie de la production est un thème déjà esquissé précédemment (1974b), qui revient aussi dans un article publié en 1979 sur « L'idée de développement culturel : esquisse d'une psychanalyse ». L'une des tâches qui s'impose au sociologue, c'est d'être « critique », c'est-à-dire de « placer au début le travail idéologique » (ici on reconnaît le « programme » tracé près de 20 auparavant, qui donnait la priorité à ce domaine) : « poursuivre l'analyse des phantasmes sans cesse renaissants du progrès [dont] le dernier avatar [est] la généralisation de l'idée de production [...] L'idéologie de la production est l'univers méta-social que notre temps nous propose » (1979 : 24-25). Ici les pensées de Dumont et de Rioux se rejoignent, ce dernier amorçant à la même époque (1978b) une critique de l'approche économiste des sciences humaines, achevée dans *Le Besoin et le désir* (1984). Remarquons également, dans ce début des années 80, l'usage fréquent chez Dumont du terme *avatar* (1979 : 11 et 1985 : 86) : ayant le sens autant de transformation ou métamorphose que de malheur ou mésaventure, on pourrait dire qu'avatar est l'expression, moins d'une « modernité inaccessible », selon une expression de Fournier, que d'une modernité malheureuse et de la nostalgie d'un autre monde (on trouve aussi ce point de vue chez Colette Moreux).

Dumont reprend également le terme culture pour le définir à nouveau, pour raffiner les distinctions déjà énoncées entre culture première et seconde et pour préciser les articulations entre ces diverses composantes. Le sens accordé à la culture en 1979 (culture-code) est un prolongement de la culture-cohérence élaborée dans *Le lieu de l'homme* (1968 : 41) : « ce qui confère signification au monde » (1979 : 21). Il emprunte une formule au philosophe Canguilhem : « un code d'interprétation pour l'expérience humaine ». C'est un code à double versant : « un milieu », pour désigner le langage, les relations sociales de l'enfance ; « un horizon » (voir aussi 1981a : 27), pour traduire l'art, la science, l'action de conférer un sens, de formuler un projet, une identité. Elle est donc un « donné » (au sens de transmis) et une construction, celle des savants et des artistes qui appartiennent généralement à l'élite bourgeoise. Pour cette dernière, la « culture des autres [est] une curiosité », culture des primitifs ou des milieux populaires, et donne naissance à l'anthropologie et au folklore (idée reprise et développée dans 1982a) ; elle est alors culture seconde qui s'impose comme « juge de l'autre » (la culture première) et qui « tire du peuple, critique et poésie » (1979 : 23). C'est ainsi que la « culture vécue », expulsée du travail, séparée des pratiques quotidiennes par les média :

> [...] se déréalise [...] se vide de ses ressources au profit de la culture prescrite, [...] du savoir des experts, [...] du loisir, [...] de l'école. [...] En somme, la culture a quitté l'existence commune ; on ne lui reconnaît plus formes et structures que dans les enceintes où des organisations la planifient et la produisent. (1979 : 24.)

Il nuance cette pensée en 1982 quand il introduit la distinction entre culture « dispersée » et « institutionalisée » (1982c). D'un autre côté, la culture devient savante « quand elle cesse de se référer au réel communément reconnu et se prend elle-même de plus en plus carrément comme référence » (1981a). C'est pourquoi les sciences sont « les produits de la défection de la culture [vécue] » (1981b : 12).

Cette conception de la culture et des relations entre ses composantes sera commenté par Marcel Fournier autour des années 80. À la fois contradicteur et disciple de Dumont, Fournier emprunte à ce dernier plusieurs de ses postulats et cherche à leur conférer ce qu'on pourrait appeler un supplément de « matérialité ». Ainsi, il insiste sur l'importance qu'il faut accorder à « l'analyse externe » des productions culturelles : leurs « fonctions pratiques » (1979 : 78) et leurs « conditions d'apparition, de diffusion et d'appropriation » (1981a : 132).

C'est dans le contexte de la circulation des biens symboliques (une notion empruntée à la sociologie de la culture de Bourdieu) que Fournier retient et révise trois concepts de Dumont pour définir le domaine du culturel : culture première, culture seconde et idéologie.

Si la culture première est « le système de catégories perceptuelles et conceptuelles par lesquelles les gens codent, à travers le langage, leurs expériences et organisent, en l'étiquetant, leur milieu [ce système] n'est jamais indépendant des pratiques qu'il engendre et par lesquelles il est constitué » (Fournier 1979 : 78). Pour appuyer ses définitions, Fournier réfère notamment au concept d'habitus de Bourdieu et plus tard (1981a) à la définition de la culture de Cicourel : un « raisonnement pratique quotidien ».

Quant à la culture seconde, Fournier croit que Dumont a raison d'estimer qu'elle se constitue au détriment de la culture première (1979 : 79), en un mouvement de disqualification des savoirs traditionnels ; mais il considère que ce dédoublement est « moins l'effritement de la culture première que l'éclatement du système culturel vers une plus grande différenciation, [...] [éclatement] lié à la dissociation du travail manuel et intellectuel » (Fournier 1979 : 70). S'il arrive que « les effets de la connaissance scientifique » se traduisent chez plusieurs par un rapport de dépendance face aux experts, un « effritement du sens commun », un « sentiment d'aliénation » même (1981 : 164-165), chez d'autres, ces connaissances sont « intégrées au sens commun et deviennent connaissances sociales » (1981a : 165) communes, étant ainsi incorporées à l'expérience et au vécu. Fournier conteste donc partiellement l'idée que « la culture a quitté l'existence commune » (Dumont, 1979 : 24). Dans un article publié par la suite (Fournier, 1981a : 135), la culture seconde chez Dumont est perçue comme ayant une « fonction spéculative » et Fournier estime qu'il faut distinguer nettement connaissance scientifique et culture savante. Si cette dernière est à la fois mode de connaissance, capital culturel *et* style de vie (1981a : 133), les connaissances, comme tous les produits symboliques, sont « socialement distribuées et appropriées » et leur circulation est l'objet de « stratégies » de classes et suppose parfois des « reconversions » (voir Bourdieu). Les connaissances et autres biens symboliques sont donc conçus comme « capital culturel », et on peut en observer les processus d'institutionnalisation et d'autonomisation.

Sur l'idéologie, est également reprise la conception de Dumont : « définition de la situation en vue de l'action ». Et Fournier ajoute : « enjeu et instrument de la lutte des classes » (1979 : 81). Signalons que Fournier illustre ses énoncés théoriques d'une démonstration historique, empruntée à l'institutionnalisation du champ scientifique, intellectuel ou artistique dans le Québec de la première moitié du XXe siècle, ce qui par ailleurs le place tout à fait dans la continuité de l'approche historique que Dumont a toujours préconisée (voir Fournier, 1986a et 1986b).

Au fil des années 80, pour des raisons qui tiennent sans doute autant aux aspects tragiques de sa pensée qu'à la conjoncture socio-politique (notamment la défaite du référendum en mai 1980), la réflexion de Dumont se révèle empreinte de désenchantement et même de pessimisme. Par exemple, en 1979, le « développement culturel » est encore un projet auquel Dumont croit : il invite les sociologues à y participer, pour « contribuer à l'élaboration d'une nouvelle philosophie de l'histoire où l'engagement reprendrait sa place légitime à côté de la production [en un] mouvement de renverse [...] contre la tyrannie d'une vision du monde conçue en termes de rationalisation » (Dumont 1979 : 27). Mais quand, plus tard dans les années 80, vient l'époque des bilans, on voit poindre des éléments de désillusion chez lui (1981c et 1985), dont on peut donner quelques exemples. La Révolution tranquille n'a été qu' « une révolution culturelle où l'*intelligentsia* a essayé de mettre en scène une révolution sociale » (1981c : 30). De cette longue recherche sur les idéologies québécoises (voir Dumont, Hamelin et Montminy, 1971, 1974, 1978 et 1981), il est conclu que « la compilation est disparate » et qu'il s'agit « d'études qui se sont maintenues au niveau de la description empirique » (Dumont et Harvey, 1985 : 89).

Des « changements dans la vie quotidienne [depuis 1960], nous savons peu de choses » (1981c : 30), et après tant d'analyses sur la culture, l'identité québécoise est toujours dite « incertaine » (Dumont et Harvey 1985 : 86). Enfin, pour traduire globalement le bilan de la recherche sur la culture au Québec depuis 20 ans, il est noté que s'il y a peut-être une « science de l'économie québécoise », il ne s'est pas dessiné une « science de la culture québécoise » ; l'emploi des notions de « défection » et de « vide » suggèrent une vue pessimiste :

L'histoire de la culture québécoise et des études qui ont porté sur elle depuis 1960, se ramène à la défection de la référence. Dans cette défection, les investigations ont trouvé le vide propice à leur essor ;

en retour, ce vide, elles ont contribué Harvey l'élargir et elles ont tenté de le combler à leur façon. (Dumont et Harvey, 1985 : 86.)

Ce tableau rejoint celui que dresse Nicole Gagnon à la même époque : se prononçant sur « les sociologues de [l'Université] Laval et les questions de culture », elle écrit que :

> [...] mis à part Gérald Fortin, [...] [ils] sont mal parvenus à tracer, sous mode objectif, un portrait de la culture québécoise et de ses transformations. L'idée de culture, pourtant présente dans leur réflexion, semble désigner l'expression d'un « vide » et le lieu d'une interrogation. (Gagnon, 1984 : 229.)

Est-ce au « vide » de la « culture première » dans le Québec d'aujourd'hui qu'il est fait allusion ? Ou aux difficultés de la sociologie et de l'anthropologie, ces disciplines de la « culture seconde », à saisir la culture québécoise ? Ce diagnostic est ambigu et gagnerait à être élaboré.

Chez Marcel Rioux, la période qui s'étend de 1978 à 1985 peut être considérée, à l'encontre des tout derniers bilans de Dumont et N. Gagnon, comme étant d'une facture dite alors « optimiste » (1978 : 13), sinon carrément utopiste, selon l'expression de Duchastel (1981). Si dans sa pensée politique, Rioux opte désormais pour l'autogestion, dans sa vie intellectuelle, c'est un retour déterminé à la culture et à l'anthropologie. Il développe son approche de sociologie critique esquissée en 1969, l'axant autour des pratiques émancipatoires, d'une nouvelle définition de la culture et de la conception de l'aliénation comme contradiction principale des sociétés du capitalisme avancé. S'il y a regain et continuité au plan de la culture, il y a discontinuité évidente sous un autre aspect primordial de sa pensée : le Québec n'est plus envisagé sous l'angle de son histoire (société) et de son caractère distinctif (culture), mais surtout comme l'une des « sociétés industrielles en crise », à l'instar des autres sociétés nord-américaines. Ce n'est plus le passé, c'est le présent et l'avenir qui, estime Rioux, l'intéressent désormais.

Dans son *Essai de sociologie critique*, Rioux précise qu'il adopte le sens donné par Habermas au « point de vue critique » : par opposition aux points de vue « positif » et « herméneutique », qui ont pour but, respectivement, de « décrire » et de « comprendre », la sociologie critique cherche pour sa part à « élucider » le social-historique et « les conditions de l'émancipation » (1982 : 50). À cette fin, le sociologue critique poursuit une double démarche : « [il] utilise des jugements de valeur pour critiquer l'existant et, d'autre part, s'intéresse en gros à l'auto-création de l'homme et de la société. » (Rioux, 1978 : 12.)

Parallèlement à l'articulation de cette sociologie critique, résolument axée sur un intérêt émancipatoire, Rioux va prendre certaines distances face au marxisme. Il est amené à constater que même si Marx a bien spécifié que le travail humain est indissociable de la conscience, il n'a pas discuté « la relation des deux dimensions de l'activité de l'homme : production et communication symbolique » (1978 : 45). C'est pourquoi, dans *le Capital*, « le travail est au centre de [la] conception de l'humanité et de l'histoire » (Rioux, 1978 : 43). Par son combat pour le prolétariat (1984 : 79), Marx en est venu à écarter la dimension symbolique et à développer une vue économiste, qui privilégie l'exploitation comme contradiction principale, au détriment de l'aliénation et de la praxis (1978 : 65). Dans *le Besoin et le désir* (1984), les marxistes économistes et les néo-capitalistes sont dorénavant placés dans le même camp : Rioux rejoint ainsi l'autre camp, celui des « marxistes culturels » qui, tels Castoriadis, Baudrillard, Bauman et Geertz, ont alimenté sa pensée récente au moins tout autant que Marcuse et Habermas.

On aura déjà saisi sous quels thèmes majeurs seront construits les fondements de la sociologie critique de Rioux : rapports entre théorie et pratique, aliénation, culture et pratiques émancipatoires.

Dès 1978, Rioux institue *la pratique comme souveraine* par rapport à la théorie. Adoptant les vues de Cornelius Castoriadis, notamment ses concepts principaux d' « instituant » et d' « institué » dans l'auto-création de l'homme et de la société, Rioux affirme que « la déterminité [...] s'applique partiellement à l'institué [...] [mais] ne s'applique pas à l'instituant et très mal et bien imparfaitement à l'instituant historique » (1978 : 23). Ce n'est pas tout le social-historique qui est indéterminé, mais c'est « dans la mesure où [il] est avènement, dépassement, création [qu'] il n'est pas théorisable puisque indéterminé » (1978 : 58). C'est donc à cette pratique « créatrice et novatrice » (et qui est nommée dorénavant « praxis ») que Rioux accorde un primat sur la théorie et marque sa dissidence face à l'École de Francfort qui, malgré le « désenchantement » de leurs aînés (marxistes occidentaux qui n'ont pas vu le prolétariat accéder à la révolution), ont tout de même continué de croire, et Habermas également, que « la théorie demeurait souveraine » (Rioux, 1978 : 35).

Dès lors, Rioux s'écarte des vues de Marx dans *le Capital* et propose que *l'aliénation* soit « une *forme distinctive du capitalisme* » contemporain : il entend « donner un statut théorique à cette notion et [...] la dépouiller de ses ambiguïtés » (1978 : 84-87). Il insiste pour en conserver les deux volets, « séparation objective et sentiment d'étrangeté » (1978 : 88) et considère que ces mouvements et ces pratiques nouvelles, observés notamment chez les jeunes (que « les sociologies traditionnelles n'expliquent pas de façon satisfaisante » [1978 : 4]) s'éclairent dans le contexte de l'aliénation : « la nouvelle culture et l'autogestion [...] sont des phénomènes qui obéissent aux réactions de rejet qui se manifestent dans la société capitaliste d'aujourd'hui contre l'aliénation généralisée » (1978 : 161). C'est dans la société américaine actuelle que l'aliénation atteint son paroxysme : « Examinant [...] l'aliénation, nous croyons que c'est là [aux États-Unis] que ce phénomène, comme le travail pour Marx en 1857, s'est déployé le plus. » (Rioux, 1978 : 117.)

L'aliénation, cette contradiction de l'ordre du culturel, ne peut être considérée sans faire référence à la *culture*, qui *fonde théoriquement la « spécificité humaine »* que Rioux entend conférer à son point de vue critique. Il marque ainsi sa divergence face à Habermas qui, à son avis, axe trop exclusivement sa démarche sur le langage et verse dans l'herméneutique.

Selon Rioux le concept de culture a d'abord été développé dans le contexte des disciplines positives (celles qui « décrivent », selon la typologie d'Habermas). Dans ces premières définitions, « chaque culture était tenue pour unique » et l'accent était mis sur la « diversité des sociétés, leur filiation, leurs caractères communs et leurs différences » (1979 : 50). Au-delà de cette culture-contenu, Lévi-Strauss, et après lui Piaget, ont recherché « derrière les relations concrètes, [...] la structure sous-jacente et inconsciente [qui ne pouvait] être atteinte que par la construction déductive de modèles abstraits » (1979 : 51). S'accordant avec Piaget sur le fait que ces schémas ne sont pas permanents, comme le prétend Lévi-Strauss, mais en « continuelle autoconstruction », Rioux considère que l'approche de la culture par la structure et la praxis est encore incomplète car elle « laisse de côté le point de vue d'une diachronie générale, c'est-à-dire celle où est introduite la comparaison entre les « structures » du passé, de celles d'aujourd'hui et de celles qui sont possibles dans l'avenir » (1979 : 51-52).

Pour désigner ce troisième niveau, Rioux emprunte, notamment à Zigmunt Bauman, le terme de « forme culturelle ». Il s'agit de « montrer les postulats culturels qu'il y a derrière les contenus et les structures [d'un] mode de production – son institution imaginaire – pour parler comme Castoriadis – et [...] comment il est possible que s'instaure un autre type de formation culturelle qui structurera une nouvelle « formation sociale et économique » (Rioux, 1979b : 53).

Rioux postule donc l'existence d'une « institution imaginaire » qui « forme le cœur de la société et en est le moteur caché et déterminant » (1984 : 115). Cette culture de troisième niveau ou « structure culturelle » est à la fois « voie royale vers la compréhension du social-historique » et voie de « sortie de l'aliénation » (1984 : 54). La dernière définition qu'il en donne apparaît dans *Le Besoin et le désir* (1984 : 71) :

> Un ensemble de structures mentales et affectives qui se traduisent en instances et en artefacts de toute nature [...] [qui commandent] les structures sociales, non seulement leur contenu mais leur ordonnance, c'est-à-dire qu'ultimement, ce sont elles qui vont décider de l'importance de l'économique, du politique et de tout autre secteur de la vie en société.

Cette définition de la culture, qu'on peut qualifier d'universaliste, ne l'amène cependant pas à récuser le caractère distinctif de chaque société humaine (« l'arbitraire culturel », selon son expression [1984 : 71]), qu'il affirme encore en 1984, attestant de l'*Homo symbolicus* contre l'*Homo faber* : « Chaque culture donne sens et signification à la nature et à la société environnante et les structure de façon originale. » (1984 : 24.)

Pour cerner les « formes culturelles » des sociétés contemporaines, Rioux propose que « les objets de recherche [soient] construits autour des ruptures significatives » qui prennent place dans ce processus de « l'institution de la forme culturelle du capitalisme ». Trois pistes sont à privilégier : du côté de la *culture populaire* et d'une « certaine mémoire collective » (c'est ce qu'il a cherché à faire avec une étude sur « la fête populaire » : voir Rioux, Garon-Audy et Radja, 1979 et Rioux, 1981 et 1982a) ; du côté de « ceux qui [...] sont en rupture de ban avec la forme culturelle dominante » (1979 : 54) (c'est la recherche sur les *pratiques émancipatoires* dans les groupes autogestionnaires, Rioux, 1982b) ; enfin les formes culturelles seraient également décelables dans l'*art* où il est possible de repérer une « nouvelle sensibilité », qui annonce une « nouvelle société » (Rioux, 1985).

Les données théoriques sur les pratiques émancipatoires, ces lieux privilégiés d'observation des sociétés industrielles en crise, sont donc opérationnalisées dans un article (1982b) qui sert de « cadre conceptuel à une étude de terrain » sur des pratiques autogestionnaires. Rioux y reprend quelques concepts déjà explicités : praxis, dialectique, contradiction, rupture, aliénation et définit les *pratiques émancipatoires* comme visant à « rassembler ce qui se donne comme séparé et isolé et qui, de ce fait, présente une contradiction [et] d'une façon négative, à dissocier ce qui se donne comme unité et qui n'est envisagé comme telle que parce que cette unité est imposée par les grandes machines » (1982 : 56). En rappelant la centralité de l'alinéation dans les sociétés contemporaines, en particulier aux États-Unis, Rioux évoque deux ouvrages à l'appui de ses vues : celui de Daniel Bell sur les contradictions culturelles des sociétés contemporaines et celui de George Lodge qui entrevoit pour sa part l'émergence d'une « nouvelle idéologie ». Rioux considère que le nouveau modèle culturel, tel qu'exposé par exemple par Lodge, perceptible en milieu populaire et dans la « nouvelle culture », est un reliquat de la révolution culturelle des années 60 qui, loin de s'être résorbée complètement, comme on le croit souvent, est plutôt « entrée dans la vie quotidienne et publique, de façon plus ou moins accentuée et détournée selon les milieux et les catégories d'âge » (1982b : 61). Rioux expose une dizaine d'hypothèses qui désignent « les ruptures qui paraissent les plus significatives et qui, si elles devaient s'élargir et se diffuser, annonceraient de profondes transformations dans nos sociétés » (1982b : 63) : rupture à propos des relations avec la nature (non plus exploitation mais harmonie), à propos de la conception de l'être humain (non plus hétéronomie mais autonomie) ; « rupture de consensus » à propos de l'État (crise de légitimation), du travail, de la famille, du gigantisme des villes, bureaucraties, écoles et usines ; l'émergence des mouvements féministe (« de loin le plus important des mouvements sociaux », 1982b : 65), environnementaliste, pacifiste ou d'autonomie culturelle ; la prolifération des groupes d'entraide et de ces mouvements « qui s'intitulent auto-quelque-chose » (1982b : 67), qui surgissent de l'opposition aux experts. Rioux qualifie ces groupes de porteurs de « l'utopie autogestionnaire » (1982b) ; ce sont ces groupes (et pas nécessairement le prolétariat) qui opéreront les transformations de la société post-industrielle.

C'est à propos de ces « hypothèses » concernant les nouvelles ruptures culturelles des sociétés avancées que Nielsen (1985 : 23) exprime certaines réserves, les désignant comme « le maillon faible » de la sociologie critique de Rioux. C'est davantage le caractère utopique des récents développements de la pensée de Rioux qui frappe Jules Duchastel, biographe de Rioux. À l'inquiétude que Duchastel exprime face à cette utopie (Rioux ne va-t-il pas « vers l'utopie à l'état pur ? »), la réponse suivante est donnée : « Il faut montrer où on va [...]. Il faut que ceux d'en bas veuillent "autre chose" car sans l'image de ce possible, la révolte ne débouche sur aucun changement positif. » (Rioux cité par

Duchastel, 1981 : 174.) Duchastel peut être considéré à la fois comme un contradicteur et un disciple de Rioux : en témoigne l'évolution de sa réflexion sur la contre-culture. Celle-ci est envisagée à la fois comme « discours idéologique et mouvement social », à la fois comme « rupture ou alternative au consensus social ». D'abord qualifiée d'idéologie de l'apolitisme et de tendance qui « renforce le fonctionnement idéologique dominant », la contre-culture « exerce [tout de même] des effets critiques réels, sur un plan intermédiaire », s'opposant par exemple à l'idéologie technocratique (1982 : 149) dont le caractère aliénant est souligné, s'infiltrant dans la population et le champ scientifique par l'élaboration « d'un discours singulier dont les retombées excèdent l'espace de sa production » (1982 : 141). On est très près, ici, des pratiques émancipatoires.

* * *

À travers la pensée de Fernand Dumont, de Marcel Rioux et de leurs contradicteurs, ont été examinées trois périodes de l'évolution de la sociologie et de l'anthropologie au Québec : gloire, éclipse, puis regain de la culture. On a pu constater que cette pensée n'a pas été sans lien avec un contexte socio-politique turbulent, et que le tout s'est répercuté, au sein même de nos disciplines, dans un débat sur la « question nationale » et les perspectives « matérialiste » vs « culturaliste » dans l'étude des phénomènes socio-historiques.

Cet article n'avait pas pour objectif de dresser une comparaison entre les parcours intellectuels de Rioux et Dumont, mais seulement d'en inscrire le déroulement et la continuité dans un chapitre de ce qu'on pourrait appeler l'histoire intellectuelle de nos disciplines. Mais il est difficile en terminant de ne pas souligner, même de façon impressionniste, les divergences et convergences qui se dégagent de ce double profil.

Dès le départ, on est en présence de deux conceptions de la culture. Chez Rioux, anthropologue de « terrain » avant de professer la sociologie, la culture c'est d'abord l'identité d'une société ; même si la conception élaborée par la suite est plus large et rejoint celle de Dumont, la culture-identité, de même que la culture populaire, sont toujours présentes dans ses préoccupations, de *Belle-Anse* à l'étude de la *Fête populaire* (1979). Chez Dumont, sociologue partagé entre l'histoire (comme inspiration) et la philosophie (comme réflexion), la culture est abordée sous son angle le plus vaste, comme le propre de l'humain ; homme de « bibliothèque » plutôt que de « terrain » sous divers aspects, Dumont s'intéresse surtout à la culture dite savante, qu'il s'agisse de littérature, de philosophie, de théologie ou de tout autre production de la pensée ; c'est d'ailleurs dans la foulée de cette préoccupation qu'il sera amené à formuler l'un de ses projets majeurs, une épistémologie des sciences humaines.

À ces vues contrastées de la culture, s'ajoutent des conceptions divergentes face au temps. Si, avant les années 70, la référence au passé et à la société traditionnelle est présente aussi bien chez Dumont que chez Rioux, ce dernier s'oriente autrement par la suite, vers le présent et l'avenir selon ses propres termes. Y a-t-il un lien entre cette divergence face au temps et les sentiments contradictoires qui marquent leur pensée pendant les années 80 : pessimisme et désenchantement chez Dumont, qui souligne les « vides » et « défections » de la culture, optimisme (est-ce bien le cas ?) et utopie chez Rioux, qui se dit toujours à la recherche des « possibles » ? Si de telles attitudes ne sont sans doute pas étrangères à la conjoncture sociopolitique, notamment au déclin du mouvement néo-nationaliste brutalement inscrit dans la défaite référendaire, elles réfèrent certes plus globalement à la vision du monde qui se dégage de chacun de ces parcours d'intellectuels et qui serait à explorer plus à fond.

Au chapitre des convergences, certains éléments ont déjà été notés au cours de l'article. Rioux et Dumont sont l'un et l'autre fort négatifs à l'endroit du positivisme et de tout autre regard « fragmenté » sur le socio-historique : dénonciation de l'économisme, du technicisme, et même chez Dumont, de l' « idéologie de la production » et du scientisme. Tous deux partisans d'une approche holistique de la réalité sociale, leur interprétation du fonctionnement de la société demeure, ainsi que l'ont souligné leurs contradicteurs, plutôt culturaliste : c'est nettement le cas chez Dumont, qui propose une analyse de la société articulée autour de l'*idéologie* comme « expérience du social ». Alors que chez le Rioux des années 80, malgré l'affirmation d'une perspective dialectique (instituant/institué), la position affichée est celle du « marxisme culturel » : l'*aliénation* est ainsi désignée comme contradiction majeure des sociétés actuelles.

Enfin, chacun de ces penseurs a été associé au courant de la sociologie critique. Rioux se place lui-même, dès 1969, dans la filiation de cette tradition de pensée, alors que Dumont, réfractaire aux étiquettes, est rattaché a posteriori à ce courant dans un ouvrage récent consacré à son œuvre (Weinstein, 1985). Si, chez Rioux, on décèle une influence manifeste et reconnue de certains penseurs de l'École de Francfort (en particulier de Marcuse et Habermas), chez Dumont, la parenté avec la tradition de la sociologie critique émane davantage de sources communes (notamment la philosophie allemande) que d'influences directes. Cependant, on ne peut s'empêcher de relever le parallélisme de certains thèmes chez Dumont et chez Lukacs, ce dernier lui-même très proche de l'École de Francfort : importance de la perspective holistique, nostalgie des sociétés du passé, vide et non-sens du monde actuel, intérêt pour la culture savante. Mais ce qui rattache avant tout Dumont et Rioux aux courants de la sociologie critique, c'est la nécessité, fortement affirmée dans leur œuvre, de réintroduire la pensée philosophique (Dumont) et des préoccupations morales, émancipatoires (Rioux) dans les démarches de connaissance des sciences humaines. Ce sont là deux desseins assez discordants par rapport aux courants majeurs de la sociologie et de l'anthropologie en Amérique du Nord, où le pragmatisme, le positivisme et l' « asepsie » impriment encore un accent dominant à nos disciplines. Voilà une autre expression sans doute de notre particularisme.

ÉPILOGUE

« Le deux février 1988, à la Chandeleur, j'ai pris conscience, et d'une façon qui m'a presque terrassé, que j'étais devenu un vieil homme que l'espérance avait quitté. Non pas à cause de mon âge ni de quelque malheur subit, mais parce que les deux causes auxquelles j'ai consacré une bonne partie de ma vie me sont soudain apparues irrémédiablement perdues. »

Ce paragraphe d'introduction du livre que Marcel Rioux publie à Montréal en 1990, *Un peuple dans le siècle*, traduit une transformation soudaine de la pensée de son auteur, dès lors teintée de « mélancolie et de cynisme » (p. 14). Pourquoi ce projet d'un Québec indépendant *et* socialiste s'est-il évanoui ? Pourquoi la sociologie critique n'a-t-elle « même plus de légitimité théorique » (p. 114) ? Pourquoi les Québécois, de plus en plus tournés vers l'économie, ont-ils donné si largement leur adhésion au libre-échange avec les États-Unis ? Pouvions-nous « résister au mal américain », nous moderniser sans aller jusqu'à nous américaniser (p. 53, 76) ? Les réponses à ces questions apportent peu de développements nouveaux à la pensée de Rioux. La seule différence avec les écrits du passé, c'est le *mea culpa* : « la gauche nationale et sociale [dont j'étais, précise-t-il] a fait preuve de provincialisme, [...] d'étroitesse de vue » (p. 78) ; « la naïveté, l'innocence » seuls expliquent cette « utopie », cet « optimisme [maintenant] défunt » (p. 160, 168) ; mais également, la société a changé et « le possible s'est rapetissé comme une peau de chagrin » (p. 222).

Les années qui se sont écoulées depuis l'achèvement du présent article ont vu se poursuivre un certain chassé-croisé de la pensée de Fernand Dumont et de Marcel Rioux : si Rioux partage maintenant avec Dumont une vue pessimiste du sort de la société québécoise et une mise en question de la Révolution tranquille, de son côté, Dumont s'est intéressé aux jeunes et aux rapports de génération. Pour lui, la société québécoise actuelle est « en panne d'interprétation » et, outre une « société éthique », il préconise de se mettre « à la tâche de s'interpréter à nouveau et de se redonner des projets d'avenir ». Nous attendons maintenant de lui un ouvrage majeur, annoncé il y a déjà une quinzaine d'années, « le projet d'une histoire de la pensée québécoise ».

Après avoir commenté et analysé pendant plus de 30 ans notre vie collective, s'efforçant de lui donner sens aussi bien par la relecture du passé que par l'observation du présent et le décodage de l'avenir, ces deux penseurs arrivent-ils encore à lire la société québécoise et sa culture dans sa réalité actuelle et future ? Peut-on penser que l'impasse de l'espoir traduit chez eux l'impasse de l'interprétation ? Ou est-ce plutôt l'inverse ? À n'en pas douter, au Québec comme ailleurs en Occident, cette fin de siècle apparaît aux intellectuels, déconcertés, de plus en plus comme une époque de grands bouleversements, comme celles qui ont marqué, dans le passé, la transition vers un type inédit de société.

BIBLIOGRAPHIE

BERNIER, B. (1974), « Culture de la pauvreté et analyse des classes », *Anthropologica*, vol. XVI, n° 1, p. 41-58.

BERNIER, B. (1979), « Production, culture et idéologie : approche marxiste », collectif d'anthropologues, *Perspectives anthropologiques*, Montréal, Éditions du Renouveau pédagogique, p. 129-141.

BOURQUE, G. et N. FRENETTE (1971), « La structure nationale québécoise », *Socialisme québécois*, n° 21-22, p. 109-155.

DANDURAND, R.-B. (1989), « Fortunes and Misfortunes of Culture: Anthropology and Sociology in Francophone Quebec, 1965-85 », *Revue canadienne de sociologie et d'anthropologie/Canadian*

Review of Sociology and Anthropology, vol. XXVI, n° 3 , p. 485-532.

DUCHASTEL, J. (1981), *Marcel Rioux. Entre l'utopie et la raison*, Montréal, Nouvelle Optique.

DUCHASTEL, J. (1982), « Milieux contre-culturels, culture et transformation sociale », dans G. Pronovost éd., *Cultures populaires et sociétés contemporaines*, Sillery, PUQ, p. 141-156.

DUMONT, F. (1964a), « La sociologie comme critique de la littérature », *Recherches sociographiques*, vol. V, n° 1-2, p. 225-244.

DUMONT, F. (1964b), *Pour la conversion de la pensée chrétienne*, Montréal, HMH.

DUMONT, F. (1965), « La représentation idéologique des classes au Canada français », *Cahiers internationaux de sociologie*, n° 38, p. 85-98.

DUMONT, F. (1968), *Le lieu de l'homme. La culture comme distance et mémoire*, Montréal, Hurtubise HMH.

DUMONT, F. (1970), *La dialectique de l'objet économique*, Paris, Anthropos.

DUMONT, F. (1971), « L'étude systématique de la société globale canadienne française », dans M. Rioux et Y. Martin éds, La société canadienne-française, Montréal, Hurtubise HMH, p. 389-404.

DUMONT, F. (1971a), *La vigile du Québec*, Montréal, Hurtubise HMH.

DUMONT, F. (1973), *Chantiers : essais sur la pratique des sciences de l'homme*, Montréal, HMH.

DUMONT, F. (1974a), « Du début du siècle à la crise de 1929 : un espace idéologique », dans F. Dumont *et al.*, *Les idéologies au Canada français : 1900-1929*, Québec, Presses de l'Université Laval, p. 1-14.

DUMONT, F. (1974b), *Les idéologies*, Paris, Presses universitaires de France.

DUMONT, F. (1979), « L'idée de développement culturel : esquisse pour une psychanalyse », *Sociologie et sociétés*, vol. XI, n° 1, p. 7-31.

DUMONT, F. (1981a), « La culture savante : reconnaissance du terrain », *Questions de culture*, n° 1, p. 17-34.

DUMONT, F. (1981b), *L'anthropologie en l'absence de l'homme*, Paris, Presses universitaires de France.

DUMONT, F. (1981c), « Une révolution culturelle », dans F. Dumont *et al.*, *Les idéologies au Canada français : 1940-1976*, Québec, Presses de l'Université Laval, p. 5-32.

DUMONT, F. (1982a), « Sur la genèse de la notion de culture populaire », dans G. Pronovost éd., *Cultures populaires et sociétés contemporaines*, Sillery, PUQ, p. 27-41.

DUMONT, F. (1982b), « La raison en quête de l'imaginaire », *Recherches sociographiques*, vol. XXIII, n° 1-2, p. 45-64.

DUMONT, F. (1982c), « Pour situer les cultures parallèles », *Questions de culture*, n° 3, p. 15-34.

DUMONT, F. (président) (1971b), *L'église du Québec : un héritage, un projet*, Montréal, Fidès, Commission d'étude sur les laïcs et l'Église.

DUMONT, F. et N. GAGNON (1973), « Le vécu : présentation », *Recherches sociographiques*, vol. XIV, n° 2, p. 153-155.

DUMONT, F. et F. HARVEY (1985), « La recherche sur la culture », *Recherches sociographiques*, vol. XXVI, n° 1-2, p. 85-118.

DUMONT, F., HAMELIN J. et J.-P. MONTMINY, éds et F. HARVEY pour le tome II (1971), *Idéologies au Canada français*, I. *1850-1900* ; II. *1900-1929* ; III, Québec, Presses de l'Université Laval.

DUMONT F., HAMELIN J. et J.-P. MONTMINY, éds, et F. HARVEY (1974), *1930-1939* ; IV, V, VI, *1940-1976*,. Québec, Presses de l'Université et Laval.

FORTIN, G. et M.-A. TREMBLAY (1964), *Les comportements économiques de la famille salariée au Québec*, Québec, Presses de l'Université Laval.

FOURNIER, M. (1979), « Discours sur la culture et intérêts sociaux », *Sociologie et sociétés*, vol. XI, n° 1, p. 65-84.

FOURNIER, M. (1981a), « La culture savante comme style. Les intellectuels dans le Québec de naguère », *Questions de culture*, n° 1, p. 131-166.

FOURNIER, M. (1981b), « Postface », *Questions de culture*, n° 1, p. 183-187.

FOURNIER, M. (1982), « Culture, style de vie et classes sociales : distinction ou mobilisation ? », dans G. Pronovost éd., *Cultures populaires et sociétés contemporaines*, Sillery, PUQ, p. 119-126.

FOURNIER, M. (1986a), *Les générations d'artistes*, Québec, Institut québécois de recherche sur la culture.

FOURNIER, M. (1986b), *L'entrée dans la modernité*, Montréal, Éditions Saint-Martin.

FOURNIER, M. et G. HOULE (1980), « La sociologie québécoise et son objet : problématiques et débats », *Sociologie et sociétés*, vol. XII, n° 2, p. 21-44.

GAGNON, N. (1984), « Les sociologues de Laval et les questions de culture : quelques jalons historiques », G.-H. LÉVESQUE *et al.*, *Continuité et rupture. Les sciences sociales au Québec*, Montréal, Presses de l'Université de Montréal, p. 221-231.

LAMARCHE, Y., RIOUX M. et R. SÉVIGNY (1973), *Aliénation et idéologie dans la vie quotidienne des Montréalais francophones*, Montréal, Presses de l'Université de Montréal.

LAURIN-FRENETTE, N. (1978), *Production de l'état et formes de la nation*, Montréal, Nouvelle Optique.

NIELSEN, G.M. (1985), « Communication et esthétique culturelle dans deux sociologies critiques : J. Habermas et M. Rioux », *Sociologies et sociétés*, vol. XVII, n° 2, p. 13-26.

PRONOVOST, G., éd. (1982), *Cultures populaires et sociétés contemporaines*, Sillery, Presses de l'Université du Québec.

RIOUX, M. (1954), *L'Île-Verte*, Ottawa, Musée national du Canada.

RIOUX, M. (1957), *Belle-Anse,* Ottawa, Musée national du Canada.

RIOUX, M. (1965), « Conscience nationale et conscience de classes au Québec », *Cahiers internationaux de sociologie*, n° 38, p. 99-108.

RIOUX, M. (1968), « Sur l'évolution des idéologies », *Revue de l'Institut de sociologie*, vol. 14, n° 1, p. 95-124.

RIOUX, M. (1969a), « Remarques sur la sociologie critique et la sociologie aseptique », *Sociologie et sociétés*, vol. I, n° 1, p. 53-67.

RIOUX, M. (1969b), *Jeunesse et société contemporaine*, Leçon inaugurale prononcée en 1965, Montréal, Presses de l'Université de Montréal.

RIOUX, M. (1971) (1959), « Notes sur le développement socio-culturel du Canada français », dans M. Rioux et Y. Martin éds, *La société canadienne-française*, Montréal, Hurtubise HMH, p. 173-187.

RIOUX, M. (1974), *Les Québécois*, Paris, Seuil, réédition en 1980.

RIOUX, M. (1977) (1969), *La question du Québec,* Montréal, Parti Pris ; édition revue et corrigée de l'ouvrage paru d'abord à Paris, Seghers (1969) et traduit à Toronto, Lorimer (1971, 1978).

RIOUX, M. (1978), *Essai de sociologie critique,* Montréal, Hurtubise HMH.

RIOUX, M. (1979), « Pour une sociologie critique de la culture », *Sociologie et sociétés*, vol. XI, n° 1, p. 49-55.

RIOUX, M. (1981), « Fête populaire et développement de la culture populaire au Québec », *Loisir et société*, vol. 4, n° 1, p. 55-79.

RIOUX, M. (1982), « Remarques sur les pratiques émancipatoires dans les sociétés industrielles en crise », dans J.-P. DUPUIS *et al.*, *Les pratiques émancipatoires en milieu populaire*. Québec, Institut québécois de recherche sur la culture, p. 45-78.

RIOUX, M. (1982a), « Le développement culturel et la culture populaire », dans G. Pronovost éd., *Cultures populaires et sociétés contemporaines*, Sillery, PUQ, p. 159-164.

RIOUX, M. (1984), *Le besoin et le désir*, Montréal, L'Hexagone.

RIOUX, M. (1985), « Sociologie critique et création artistique », *Sociologie et sociétés*, vol. XVII, n° 2, p. 5-11.

RIOUX, M. (1991), *Un peuple dans le siècle*, Montréal, Boréal.

RIOUX, M. (président) (1968-1969), *Rapport de la Commission d'enquête sur l'enseignement des arts au Québec,* Québec, Éditeur officiel du Québec.

RIOUX, M. et J. DOFNY (1971) (1962), « Les classes sociales au Canada français » dans M. Rioux et Y. Martin éds, *La société canadienne-française*, Montréal, Hurtubise HMH, p. 315-324.

RIOUX, M. *et al.* (1975), « Rapport du tribunal de la culture », *Liberté*, vol. 17, n° 5, p. 3-85.

RIOUX, M., M. GARON-AUDY et Z. RADJA (1979), *Fête populaire et développement de la culture populaire au Québec : approche de sociologie critique,* Département de sociologie, Université de Montréal, 78 p.

RIOUX, M. et H. MARCUSE (1973), « Une entrevue du professeur Marcel Rioux avec Herbert MARCUSE », *Forces*, n° 22, p. 46-63.

RIOUX, M. et Y. Martin éds (1971), *La société canadienne française*, Montréal, Hurtubise HMH, paru d'abord en anglais en 1964.

RIOUX, M. et R. Sévigny (1964), *Les nouveaux citoyens*, Montréal, Éditions de Radio-Canada.

ROCHER, G. (1973), *Le Québec en mutation*, Montréal, Hurtubise HMH.

ROCHER, G. (1974), *Talcott Parsons and American Sociology*, Londres, Nelson.

WEINSTEIN, M.E. (1985), *Culture Critique. Fernand Dumont and New Quebec Sociology*, Montréal, New World Perspectives.

Le Rapport Rioux et les pratiques innovatrices en arts plastiques

Francine Couture et Suzanne Lemerise
Université du Québec à Montréal

En août 1968, Marcel Rioux, président de la Commission d'enquête sur l'enseignement des arts, remet son rapport au gouvernement du Québec, soit deux ans et demi après l'institution de ladite commission, le 31 mars 1966[1] ; les trois tomes du rapport qui contiennent près de 900 pages sont rendus publics en avril 1969[2].

Par l'ampleur de son contenu, ce document déborde largement le domaine spécifique de l'enseignement des arts. Dans l'ensemble des événements et des publications ayant marqué les années 60, il occupe une place prépondérante, car il propose une vision unifiée d'un projet de société auquel participent activement l'art et l'éducation artistique. Or, plusieurs des idées véhiculées par le rapport Rioux sont aussi celles d'artistes qui, au milieu des années 60, souhaitent une redéfinition de la fonction sociale de l'art.

L'année 1964-1965 marque, dans l'art québécois, le moment d'une rupture réalisée par une nouvelle génération d'artistes qui prend ses dis-

---

1. Arrêté en Conseil, Chambre du Conseil exécutif, n° 600, Québec, le 31 mars 1966.
2. *Rapport de la Commission d'enquête sur l'enseignement des arts au Québec,* 3 volumes, Québec, l'Éditeur officiel du Québec, 1969 ; vol. 1, 298 p. ; vol. 2, 382 p. ; vol. 3, 203 p.

tances par rapport aux courants du post-automatisme et du formalisme géométrique définissant alors la scène artistique montréalaise. Les artistes sont à la fois préoccupés par l'effet de la culture de masse sur les individus et par les effets de la récente consolidation du champ artistique sur leurs propres pratiques qu'ils jugent exercer dans un espace social de plus en plus restreint. Ces artistes soulèvent l'épineuse question de la frontière séparant la sphère artistique de celle de la production de masse. Soucieux de valoriser la dimension collective de la pratique artistique, ils veulent redéfinir le rôle social de l'art en revendiquant une place pour celui-ci dans le monde de la culture industrielle tout en s'adressant à un public élargi qui n'est pas celui des musées et des galeries d'art.

Cette réflexion surgit à un moment où des sociologues et des philosophes examinent les récents développements de la technologie sur l'organisation de la société, sur l'environnement, mais aussi sur les modes de connaissance (Marcuse, 1968). Mais cette réflexion est aussi contemporaine, sur la scène occidentale de l'art, de la réactualisation d'idées et de valeurs propres aux avant-gardes historiques européennes qui, dans les années 20, avaient remis en question la marginalisation de l'imagination artistique imposée par la rationalité technologique (de Laurentis *et al.*, 1980). Réactivant cette critique, des artistes québécois des années 60 veulent rétablir le lien entre l'art et la vie et ils investissent la démarche artistique du rôle de sauver la culture qu'ils comprennent dans son sens anthropologique.

Le milieu de l'éducation est également concerné par une réflexion sur le rôle de la science et de la technique dans le développement de la société. La Commission Parent, qui consacre la démocratisation complète du système scolaire québécois (1963-1966)[3], s'interroge sur l'apport essentiel de la science et de la technique dans le développement de la société industrielle et questionne l'ancienne culture humaniste, fondement de la formation des élites, à la lumière des nouvelles valeurs de la culture contemporaine que les commissaires appellent indifféremment « culture populaire » ou « culture de masse ». Le principal effet de cette commission est la rationalisation institutionnelle, organisationnelle et administrative du système scolaire québécois sous la juridiction d'un ministère de l'éducation. Cependant, les arts, comme mode de

---

3. Rapport Parent, *Rapport de la Commission royale d'enquête sur l'enseignement dans la province de Québec*, 5 vol., gouvernement du Québec, publication échelonnée entre 1963 et 1966.

connaissance spécifique ou comme orientation professionnelle, n'occupent pas une place prioritaire dans l'ensemble des recommandations. Dans le remue-ménage occasionné par la réorganisation du système scolaire, les écoles des beaux-arts, nouvellement intégrées au ministère de l'Éducation, et les conservatoires de musique et d'art dramatique, rattachés au ministère des Affaires culturelles sont laissés pour compte, c'est-à-dire que l'on assiste, dans les institutions à vocation artistique, à une série d'ajustements administratifs qui n'ont pas de cohérence ni de perspectives de développement à long terme. Le Rapport Rioux tente de corriger ces lacunes et examine principalement les effets de l'industrialisation sur les arts, la culture et l'éducation.

L'ÉCOLE DES BEAUX-ARTS DE MONTRÉAL ET LA FORMATION DE LA COMMISSION RIOUX

Les revendications des étudiants de l'ÉBAM

À l'automne 1965, les élèves de l'École des Beaux-Arts de Montréal (l'ÉBAM) déclenchent une grève. Cette grève dénonce d'abord les conditions d'enseignement qui prévalent dans l'institution. Très tôt, les étudiants lient leurs problèmes internes à la place occupée par les arts dans le système scolaire et dans la société québécoise : « Que l'artiste commande autant de respect que l'universitaire gradué ou non », réclament-ils, et ils ajoutent : « Que la révolution tranquille devienne réaliste envers l'artiste, artiste à part entière dans l'évolution du Québec, qu'il soit peintre, sculpteur, graveur, comédien, professeur, écrivain, etc.[4] ». Soutenus par leurs collègues de l'École des Arts appliqués et de celle des Beaux-Arts de Québec, ils interpellent publiquement le ministre de l'Éducation (dont le ministère vient d'être créé) en réclamant à grands cris un comité d'étude sur l'enseignement des arts. Le mandat de ce comité serait le suivant :

> 1) étudier le problème de la formation artistique à tous les niveaux et dans toutes les disciplines [...] ; 2) étudier le problème de toute production directement ou indirectement reliée à l'art [...] ; 3) enquêter

---

4. Mandat présenté par l'Association des étudiants de l'ÉBAM au sous-ministre Gilles Bergeron, 10 déc. 1965, *Québec Underground, 1962-1972*, tome 2, Les Éditions Médiart, 1973, p. 38.

sur les besoins actuels et futurs de notre société dans le domaine de l'art. (idem)

Cette proposition illustre bien l'ampleur du questionnement qui préoccupe les étudiants. Des négociations extrêmement difficiles s'engagent entre les élèves de l'ÉBAM et les ministères de l'Éducation et des Affaires culturelles. Les dissensions, portant sur le type de comité, la portée du mandat et la présidence, sont telles qu'une deuxième grève se déclenche en mars 1966 ; elle regroupe cette fois plusieurs institutions vouées à la formation professionnelle en art : écoles des beaux-arts et des arts appliqués, conservatoires de musique et d'art dramatique. Les positions se durcissent ; le gouvernement suggère un comité ministériel qui réglerait cas par cas les destinées des différentes institutions liées à la formation en arts (Leblanc, 1965) ; les étudiants réclament une commission d'enquête. La suggestion de nommer Marcel Rioux comme président du comité indispose particulièrement Pierre Laporte, ministre des Affaires culturelles (Duchastel, 1981 : 116).

Pour mieux comprendre les réticences gouvernementales, il faut donner quelques indications sur Marcel Rioux, professeur de sociologie à l'Université de Montréal. Réputé pour ses études anthropologiques sur des micro-milieux de la société québécoise, Marcel Rioux affiche, à l'aube des années 70, des convictions socialistes et rompt avec le Parti libéral. Il s'engage dans le Mouvement laïque de langue française ; en 1964, au congrès de l'Association internationale des sociologues de langue française (Duchastel, 1981 : 107), il se déclare indépendantiste ; il donne des cours sur le marxisme et conduit avec Robert Sévigny, en 1964, une importante étude sur les jeunes Québécois (*Ibid.* : 120). Sympathique aux étudiants, Marcel Rioux inquiète le pouvoir public.

La composition et le mandat de la Commission

En mars 1966, le gouvernement libéral de l'époque cédera en tous points aux pressions des étudiants juste avant de perdre le pouvoir aux mains de l'Union nationale en juin. Le mandat de cette commission est « d'étudier toutes les questions relatives à l'enseignement des arts » (*Rapport de la Commission d'enquête...*, vol. 1, 1969 : p. liminaire) et Marcel Rioux préside la docte assemblée. Outre son président, cinq personnalités siègent à cette commission. Lors des premières négociations avec le gouvernement, on note le nom de Martin Krampen, professeur à l'École des Arts appliqués, mais la liste officielle des membres ne comptera plus aucun professeur du secteur de l'enseignement des arts : Réal Gauthier est étudiant et leader à l'ÉBAM, Jean Ouellet est architecte, Fernand Ouellette est réalisateur à Radio-Canada, Andrée Paradis est directrice de la revue *Vie des Arts* et Jean Deslauriers est chef d'orchestre. Mis à part l'étudiant, les commissaires sont des figures connues du milieu culturel et leurs activités professionnelles garantissent le caractère non révolutionnaire de la Commission. L'absence de professionnels de l'enseignement laisse songeur et, à cet égard, la Commission Rioux se distingue de la Commission Parent. Cette distance des commissaires par rapport aux milieux concernés garantissait sans doute une plus grande objectivité, mais elle aura un effet négatif après le dépôt du rapport, puisque personne ne sera présent dans le système éducatif pour en soutenir les recommandations.

L'ÉBAM, le mouvement étudiant et le champ de l'art

En 1991, la lecture de ces données a de quoi surprendre : une école des Beaux-Arts de moins de 250 élèves réussit à obtenir une commission d'enquête avec un mandat très lourd suite à deux grèves d'une semaine. Il faut se replacer dans le climat général de l'époque pour saisir la logique de ces événements. L'École des Beaux-Arts de Montréal assume un rôle de leadership dans ce cas précis, mais son initiative pour faire changer les choses s'inscrit dans le mouvement plus global des activités et des revendications étudiantes de l'UGEQ (Union générale des étudiants du Québec), mouvement contemporain de la syndicalisation des enseignants au sein de la fonction publique. Dès le début du mouvement de grève, l'ÉBAM est appuyée et aidée par les dirigeants de l'UGEQ. « L'UGEQ appuie officiellement les 3 écoles en cause et celles qui sont solidaires entre elles. Notre façon d'agir est neuve. Le syndicalisme étudiant est neuf. » (*Québec Underground*, 1973 : 34.)

De plus, les étudiants de l'ÉBAM n'ont pas limité leurs contacts à l'UGEQ. Certains d'entre eux favorisaient l'intervention active des étudiants dans le champ de l'art, dont Michel Faubert et son groupe, fondateur de la galerie d'art expérimental La Galerie de La Masse, en février 1966 (Jasmin, 1966). Dans le manifeste accompagnant les festivités d'ouverture, on pose d'emblée la nécessité pour l'artiste de participer à une société « en train de faire son unification sociale en assimilant la technique et la science. L'artiste contemporain s'efforce de s'identifier aux problèmes de cette société et de l'exprimer dans ce qu'elle a de plus contemporain » (*Québec Underground* : 1973 : 64). On veut, entre autres objectifs, élargir le registre des moyens d'expression et définir l'artiste comme un intervenant actif dans les différentes sphères de l'activité intellectuelle et sociale.

Ainsi, la Commission d'enquête exigée par les étudiants et l'ampleur du mandat proposé s'inscrivent dans un ensemble d'événements, de circonstances et d'attentes qui sont clairement formulés par des acteurs, principalement regroupés dans la discipline des arts plastiques : « La réussite de la lutte des étudiants serait l'étape première menant, à plus ou moins longue échéance, à la disparition des éternels préjugés de la société vis-à-vis des artistes et des artistes sur (sic) la société. » (*Ibid.* : 35.)

À première vue, on peut penser que le gouvernement a cédé devant les pressions, car il craignait l'agitation étudiante à la veille d'élections provinciales. Mais une telle interprétation limite les perspectives. Avec la création du ministère des Affaires culturelles en 1961, l'État québécois reconnaît que l'art contribue à définir la société québécoise (Couture, 1988 : 153) et qu'une des responsabilités sociales de l'État est d'aider les artistes à réaliser la dimension collective de leur engagement.

Par la fondation du ministère de l'Éducation, en 1965, le gouvernement a également accepté de jouer un rôle déterminant dans les destinées de l'éducation au Québec. Les récriminations du milieu des arts ne laissent pas les responsables ministériels indifférents. Les besoins exprimés dans ce secteur s'inscrivent dans la logique de la rationalisation complète de la réforme de l'éducation. De plus, sur le simple plan administratif, il est évident que les fonctionnaires du ministère de l'Éducation sont débordés par les exigences de la refonte complète des structures et des programmes scolaires. Ainsi, acquiescer aux demandes des étudiants en art fait taire les mécontents et accorde un répit aux décideurs.

L'ART, LA CULTURE ET LA SOCIÉTÉ VUS PAR LA COMMISSION RIOUX

Afin d'étayer leurs recommandations sur toutes les questions relatives à l'enseignement des arts au Québec, les commissaires ont développé une solide réflexion sur la société, la culture, l'art et l'éducation liée à la question d'un Québec en mutation. Études sociologiques, anthropologiques, philosophiques, essais sur l'homme et sur l'art s'interpellent et se bousculent pour mieux soutenir le propos de la Commission.

Il est important de cerner la finalité ultime du Rapport Rioux avant de présenter les détails de l'argumentation : « Il ne s'agit pas d'aller diffuser le bon message à des masses considérées comme incultes, mais de mettre tous les citoyens en mesure de participer à la création de la bonne vie et de la bonne société de notre époque. » (*Rapport de la Commission d'enquête...*, vol. 1 : 57.)

Pour expliciter cette finalité, la Commission définit la société québécoise, la culture, l'éducation et les arts tels qu'ils sont et tels qu'ils devraient être. La Commission Parent avait dégagé certains traits de la société industrielle : rationalisme, individualisme et spécialisation fonctionnelle ; la Commission Rioux questionne davantage les effets de la société industrielle (Rioux, 1969) ; que s'est-il passé réellement « depuis les nombreuses décennies que dure la société industrielle ? Les processus cumulatifs (économie, science, technique) [...] ont pris tellement d'importance qu'ils ont érodé la culture première (les traditions ou culture code) des classes sociales et renvoyé à la vie privée tous les processus non cumulatifs (sensorialité, sensibilité, sensualité, spontanéité) » (*Ibid.* : 305).

Que propose la Commission ? « À l'homme extéro-dirigé de nos sociétés industrielles avancées devra succéder l'homme autonome qui *saura* [italique de la Commission] fonder sa personnalité et sa conduite sur des valeurs qu'il *saura* créer et assumer » (*Idem.*). À l'homme normal, souhaité par la société de consommation, on oppose l'homme normatif, « qui pourra créer et assumer des normes », lui permettant ainsi de bénéficier des acquis de la technologie sans être dominé par elle.

L'éducation, la société, la culture

Après avoir défini la société industrielle et post-industrielle, la Commission décrit ce qu'était et ce que devrait être l'éducation. Les systèmes d'éducation ont eu tendance à définir leurs finalités uniquement en fonction des impératifs de la société industrielle, soit former des jeunes en vue de la production de biens et de richesses. Seule une petite élite recevait un enseignement moins utilitaire et qualifié d'humaniste.

Dans le Rapport Rioux, on propose une nouvelle définition de la culture qui se démarque largement de la culture humaniste traditionnelle ; on veut donner à l'éducation en général et à l'éducation artistique en particulier la fonction de « former des hommes qui puissent retrouver un sens à leur vie et contribuer à créer une nouvelle culture, un nouveau code de mise en ordre de l'expérience humaine. Il s'agit de passer de la culture humaniste, culture de l'élite dans la société industrielle, pour en arriver à une *culture ouverte* [en italique dans le texte] qui sera mieux adaptée à la société post-industrielle » (*Ibid.* : 306). « Cette culture ouverte serait une nouvelle culture : si culture veut dire relations avec le monde extérieur, il est de toute nécessité d'équiper l'homme pour qu'il puisse vraiment entrer en relation avec le monde, non seulement par l'entremise des mots, mais à travers tous ses sens, à travers tous les modes de connaissances. » (*Rapport de la Commission d'enquête...*, vol. 1 : 41.) L'avènement de cette culture ouverte marquerait la réconciliation de la vie quotidienne et de ses traditions avec les univers technologique, scientifique et artistique.

La question est la suivante : « Comment réinsérer des significations et des symboles (culture ouverte) dans une culture qui est devenue un sous-produit du système technique ? Comment parvenir à resémantiser notre univers ? Comment arriver à faire participer le plus grand nombre à cette tâche ? Il a semblé à la Commission que l'éducation artistique détient l'une des clefs principales de la solution. » (Rioux, 1969 : 306.)

L'art, mode de connaissance et fonction sociale

La Commission Rioux entreprend la tâche difficile de définir l'art comme mode de connaissance et comme fonction sociale. La démarche est complexe : on remonte à la préhistoire de l'homme et de l'art : « l'homme du commencement possède, d'une certaine façon, la pensée ouverte par excellence, pensée qui se rétrécira graduellement par la mort des symboles pour aboutir à l'esprit expérimental de la science d'aujourd'hui. » (*Ibid.* : 307.) Se réappropriant les réflexions d'Eco, Moles, Piaget, Bachelard et Freud, le Rapport Rioux démontre l'importance de l'art comme fonction symbolique et critique dans la société actuelle : « L'art, par définition est liberté. Il est une ouverture sur l'imaginaire, une réorganisation des symboles revivifiés [...]. L'œuvre d'art, dans son action profonde, traumatise la société et la défie, en l'obligeant à se remettre en question, ou à se remettre en relation avec de nouvelles valeurs [...]. La société industrielle a en quelque sorte sécrété son propre anticorps. » (*Ibid.* : 308.) Pour conclure son argumentation, la Commission Rioux estime que « la créativité artistique développe toutes les formes de créativité, en ce sens, nous croyons qu'elle est la forme de créativité le plus englobante, celle qui engage le plus totalement l'homme (comme l'art, d'ailleurs, est pour nous l'activité la plus totale) » (*Ibid.* : 312).

Le projet de la Commission est de faire saisir la double fonction de l'art dans la société actuelle : l'art permettrait à l'homme de renouer avec une globalité perdue, consécutive à l'hégémonie de la rationalité scientifique et technologique érodant l'expérience sensible et la pensée symbolique. De plus, l'art défini comme liberté, ouverture et transgression assume une fonction à la fois critique et instauratrice soit de créer une nouvelle culture (culture ouverte) qui donnera un sens au devenir sociétal de l'humanité.

L'art et les pratiques artistiques professionnelles

Dans cette présentation portant sur les liens existant entre la société, la culture, l'éducation et l'art, une dimension a échappé à notre réflexion : nous croyons qu'il faut clarifier la définition donnée à l'art comme pratique professionnelle dans la société. La Commission Rioux a fait sien cet objectif en élargissant considérablement la définition traditionnelle de l'art ; l'art savant, mais marginalisé, serait le fruit d'un processus historique et une catégorie de la première étape de la société industrielle : « Il nous faut de toute évidence changer de concepts opératoires. Nous ne pouvons plus ni sacraliser la fonction de l'artiste ni hiérarchiser les arts. Il nous semble impossible de soutenir les anciennes catégories d'art pur et d'art appliqué. » (*Rapport de la Commission d'enquête...*, vol. 1 : 76.) « Désormais, ce n'est plus seulement dans les musées que les œuvres d'art sont rassemblées, mais dans tout ce qui nous entoure ; l'environnement lui-même se confond avec le musée qui devient "un mécanisme de communication populaire". L'Exposition universelle de Montréal, en 1967, a bien mis en lumière le fait de l'environnement global qui tend à intégrer tous les média et dans lequel les arts sont eux-mêmes des média. » (*Ibid.* : 47.)

Si les commissaires résistent à l'idée de hiérarchiser les arts, ils n'en distinguent pas moins des différences de signification selon le degré de « socialisation » de l'objet : « Il y a dans le poème plus de pensée totalisante, plus d'ouverture sur l'homme dans sa totalité ; le bel ustensile lui, demeure un objet beau et, comme tel, il est objet de l'expérience esthétique. » (*Ibid.* : 81.) Ainsi, l'intentionalité esthétique inhérente à la production des objets les plus divers permet à la Commission d'élargir le champ de la production artistique. Quand elle s'attache à décrire les « Arts en eux-mêmes » (*Idem* ; voir aussi : 117-179), tout y est : aux arts traditionnels s'ajoutent les arts de l'environnement et le design, les arts audio-visuels, les arts du son et de l'image, les arts audio-visuels et la communication de masse.

La Commission Rioux ne résiste pas au besoin de créer des catégories permettant de regrouper les pratiques professionnelles. Lorsque sont discutées les modalités de la formation artistique professionnelle, on propose « de considérer l'art dans ses relations avec la société » et de distinguer «deux grands secteurs d'activités artistiques reliés et sous-tendus, l'un par le phénomène de la communication, l'autre par le phénomène de l'environnement d'où une classification des pratiques dans l'un des deux secteurs» (*Ibid.* : 256). Les pratiques artistiques sont insérées dans le réseau sociétal des professions et non plus situées dans l'aire du ludique ou du superflu.

Procédant à l'inverse des croyances officielles selon lesquelles seuls les beaux-arts, dans leur marginalisation, pouvaient définir l'aire de l'art et assurer le salut de l'homme, on propose que toute pratique esthétique porte en elle – à des degrés divers certes – la possibilité de signifier et de définir une culture ouverte dans la sphère même de la production industrielle.

Le rôle de l'État

Comme nous l'avons signalé dans les pages qui précèdent, l'argumentation globale de la Commission confie à l'art la fonction de redonner un sens au monde. Le système d'éducation, en assurant une formation artistique adéquate, ne doit plus se contenter d'adapter ses objectifs à des besoins immédiats et cumulatifs, il doit former un citoyen pour une société en devenir. Conformément à son mandat, la Commission décrit en détail les objectifs et les structures devant permettre cette intégration de l'art dans le réseau de l'éducation : «Nous avons démontré *la nécessité d'une formation artistique pour tous*. [En italique dans le texte.] Nous avons mis en évidence la *complémentarité des diverses disciplines* de l'art. Nous constatons enfin que les arts, disciplines de synthèse par nature, sont à divers degrés *reliés à tous les autres domaines de la connaissance et de l'activité humaine.*» (*Ibid.* : 258.) À la lumière de ces données théoriques, l'État est responsable de l'intégration adéquate des arts dans ses finalités éducatives.

Le rôle de l'État ne se limite pas au secteur de l'éducation ; la Commission mandate un futur «ministère du développement culturel» (*Rapport de la Commission d'enquête...*, vol. 2 : 367-371) de faire la jonction entre les artistes et le public par l'animation culturelle. «La notion de démocratie politique, de démocratie économique, de démocratie sociale s'est étendue à celle de démocratie culturelle. En certains de ses aspects, la démocratie culturelle sous-tend tous les autres aspects de la démocratie parce qu'elle a trait au sens et aux finalités de l'activité humaine (culture-code) et au désir de création qui est apparu sur terre avec l'homme (culture dépassement).» (*Ibid.* : 369.)

Il est donc essentiel que le Conseil des ministres veille à l'application des recommandations proposées par la Commission afin que chaque personne, chaque artiste et l'État puissent collaborer ensemble à définir « la bonne vie et la bonne société » dans une économie de création et de solidarité.

Marcel Rioux et le Rapport Rioux : les entretiens

De nombreux articles de journaux ont soutenu l'intérêt du public pendant la rédaction du Rapport de la Commission et lors de sa diffusion. Nous avons retenu quelques entretiens que Marcel Rioux a accordé aux journalistes. Ils permettent de spécifier des enjeux qui sont implicites dans le document officiel, particulièrement en qui concerne la culture québécoise.

Ainsi, Luc Perreault publie dans *La Presse* un entretien avec Marcel Rioux, qu'il intitule : « Le but du Rapport Rioux : désacraliser l'art pour le rendre accessible à tous » (Perrault, 1968). Si le titre attire l'attention sur la démocratisation de l'art, le contenu du texte concerne surtout la question du Québec et le rôle joué par des leaders novateurs dans la société québécoise. Marcel Rioux décrit les enquêtes entreprises pour soutenir les travaux de la Commission et il considère la recherche sur les leaders novateurs dans le milieu comme la plus enrichissante. À l'inquiétude du journaliste se demandant comment le milieu allait accueillir le Rapport, il répond : « De ce côté, il y a de quoi être très optimiste ; il existe au Québec un nombre considérable de leaders novateurs, très dynamiques et à la fine pointe non seulement de leurs créations artistiques mais également [...] à la fine pointe de leur collectivité. [...] Ils veulent créer dans la mesure où en créant, ils créent le pays. Il y aura un art québécois dans la mesure où il y aura un Québec. » (*Idem.*)

Ces déclarations nous éclairent sur deux enjeux contenus dans la philosophie générale de la Commission : le Québec pourra se libérer des effets négatifs de la société technicienne à la condition de définir une culture typiquement québécoise. La Commission Rioux propose la philosophie générale mais le programme est confié à des leaders novateurs, ces créateurs qui, par leur pratique innovatrice et leur activité d'animation auprès du public, définiront eux-mêmes, dans le temps et dans l'action, la culture québécoise.

On trouve la confirmation de cette interprétation dans un autre article : Marcel Rioux y clôt l'entretien en citant la recherche de Dumazedier-Laplante qui démontre que les poètes québécois « montrent un attachement profond à la société dans laquelle ils vivent et ce, même au stade de la création. [...] Je ne peux qu'espérer un art québécois de plus en plus présent, sinon on pourrait se demander à quoi aurait servi la Commission. Et les structures que nous avons proposées l'ont été dans cette optique. » (*Idem.*)

Dans un texte inédit (White, 1969), le critique d'art anglophone Michael White saisit bien cette dimension culturelle nationaliste implicite dans le Rapport : selon lui, la Commission Rioux réussit à interpréter philosophiquement et spirituellement la nature de la société québécoise, et à proposer des solutions qui lui permettraient d'échapper aux coûts sociaux et culturels attribuables à l'influence des États-Unis.

À la mi-octobre 1968, Marcel Rioux est conférencier au Congrès des coordonnateurs de l'enseignement des arts plastiques du Québec. Dans un compte rendu de cette conférence, Jean Basile retient que Marcel Rioux a entretenu son auditoire de « révolution culturelle » envisagée comme « vision prospective » qui veut dépasser la fonction de rattrapage dans laquelle le Québec risque de se maintenir ; la révolution culturelle, c'est de rebâtir un code : « La tâche qui s'offre à cette nouvelle société est donc de rebâtir un code, des traditions ; il ne s'agit pas de changer une forme mais bien de refaire complètement un code de vie, tout ça au moyen des arts qui permettent de préserver "la fonction d'imagination" dans une société dirigée par des technocrates. » (Basile, 1968.)

LE RAPPORT RIOUX ET LES PRATIQUES INNOVATRICES EN ARTS PLASTIQUES

La pensée de la Commission Rioux est en harmonie avec celles de plusieurs artistes qui, durant les années 60, quittent l'intimité de leurs ateliers et revendiquent des changements majeurs pour l'art. En 1965, un an avant la constitution de la Commission, le groupe Fusion des Arts[5], exprime dans un Manifeste (*Québec Underground*, 1973 : 204-211) des idées qui sont aussi celles du Rapport Rioux. Le groupe souhaite la réhabilitation de l'activité artistique au même rang que les pratiques les plus socialement valorisées, soit celles de la connaissance et de la production de marchandises. Le caractère critique de ce programme se

---

5. Fusion des Arts est un groupe d'artistes qui proviennent de disciplines différentes. En 1965, le groupe est composé de François Soucy, sculpteur, Henri Saxe, peintre, Richard Lacroix, graveur, F.-M. Rousseau, architecte et Yves Robillard, historien d'art.

manifeste aussi dans le choix du lieu social de l'intervention artistique qui n'est plus le champ artistique mais celui de la sphère des loisirs de masse. Le groupe Fusion des Arts est alors préoccupé de l'effet de la culture de masse sur les modes de vie de ses consommateurs. C'est pourquoi il situe son intervention artistique dans le secteur de la consommation et non dans celui de la production de biens industriels. Fusion des Arts privilégie la fonction ludique de l'art et revendique ainsi une redéfinition du loisir en faisant valoir que par le jeu, l'art doit favoriser le développement des capacités perceptuelles du spectateur. L'intervention de l'art sur le terrain du divertissement devra combattre l'effet aliénant des produits de masse sur les individus et sauver la culture. Différemment des modernistes (Greenberg, 1965) qui ont choisi de construire l'espace social de l'institution artistique où l'art pourrait exercer cette fonction à l'abri de la culture de masse, Fusion des Arts revendique une place pour l'art sur le terrain de la culture industrielle.

Durant l'été 1967, le groupe Fusion des Arts présente, dans un lieu de loisirs populaire, le Pavillon de la jeunesse de l'Exposition universelle, un spectacle intitulé « Les Mécaniques ». Cet événement nécessite la participation du public qui est invité à manipuler des instruments de musique fabriqués à partir d'objets de la vie quotidienne et du travail. La manipulation de ces instruments est présentée comme une activité ludique, spontanée, ne nécessitant aucun apprentissage, aucun savoir, afin que chacun prenne conscience de son potentiel créateur et améliore ainsi sa qualité de vie.

À partir de 1967, cet idéal de démocratiser l'accessibilité à l'expérience artistique guide de plus en plus les activités de Fusion des Arts (Desrosiers, 1967 : 86-89). Le groupe souhaite que l'artiste s'approprie les moyens de la technologie moderne – procédés techniques, lieux et moyens de communication – et puisse communiquer avec un public élargi, tout en conservant son indépendance et sa position critique. Cette adhésion à la fonction émancipatoire de l'art s'affirme de plus en plus explicitement à mesure que le groupe Fusion des Arts développe sa réflexion pratique et théorique. De plus, conscient que la culture de masse est américaine, le groupe élargit à un projet de société l'application de cet effet émancipatoire qui doit atteindre autant l'individu que la nation québécoise dans son ensemble. Alors que le mouvement de contestation sociale pénètre la société québécoise en 1968, les artistes de Fusion des Arts se définissent de plus en plus comme des animateurs capables d'exprimer les besoins des individus, de les aider à prendre conscience de ce qu'ils sont et de faire l'apprentissage de la liberté (Robillard, 1968).

Cette définition du rôle social de l'artiste comme animateur est aussi celle qu'évoque l'artiste Maurice Demers, dans de nombreux textes qu'il a écrits suite à sa production d'œuvres qu'il appelle «environnements intégraux», réalisés en 1968 et 1969. Le premier environnement, intitulé *Futuribilia*, est exposé dans l'atelier de l'artiste transformé en un lieu imaginaire tandis que le deuxième, *Les Mondes parallèles*, a été réalisé à Terre des Hommes en 1969. L'un représente une planète à l'intérieur de laquelle le visiteur est appelé à circuler, l'autre est constitué de cellules, où les spectateurs sont conviés à s'engager dans des expériences sensorielles provoquées par différents dispositifs techniques. Ces environnements traduisent la fascination de Demers pour les découvertes de la science et de la technologie lesquelles, selon l'artiste, transformeront les modes de vie. Se sentant projeté vers le futur, Demers veut participer en tant qu'artiste à la définition de ce monde neuf qui est perçu et présenté comme une nouvelle mythologie et un lieu de sensations inédites.

À la fin des années 60, Maurice Demers affirme que l'œuvre d'art, comme objet destiné au collectionneur, est une idée dépassée ou inadéquate pour rendre compte de cette nouvelle réalité de la technologie dont l'artiste, mais aussi le public, font l'expérience. L'institution artistique n'offre pas à l'artiste un contexte satisfaisant pour jouer son rôle d'animateur auprès d'un public élargi.

L'environnement intégral est par ailleurs, pour lui, le lieu d'exercice de la fonction émancipatoire de l'art où, par le jeu, le public apprivoise l'objet technique et prend conscience de ses propres capacités expressives, ce qui l'inciterait peut-être à vouloir transformer ses propres conditions de travail souvent fortement déterminées par le développement technologique. L'idée de jeu évoque aussi l'univers référentiel de l'enfance, comme si les environnements intégraux de Demers traduisaient une volonté de retrouver un état perdu d'avant la socialisation de l'individu par le développement technologique qui a eu pour effet de parcelliser l'expérience humaine. Les environnements, selon Demers, deviennent le lieu où l'individu se réapproprie ou reconstitue son unité ; ils sont le moment où tous les sens, et non pas seulement la raison, interviennent dans l'expérience du réel.

Les environnements de Maurice Demers (Couture, 1992), mais aussi ceux d'Irène Chiasson (Arbour, 1988), d'André Fournelle, de Jean-Paul Mousseau, de Marc Lepage, les événements de Serge

Lemoyne[6], les manifestations de Fusion des Arts font appel à tous les sens et sollicitent la participation du public à qui ils s'adressent. Ils visent ainsi à refaire le lien entre l'art et la vie, ou à faire en sorte que la vie soit guidée par l'imagination et le plaisir qui sont les valeurs de l'art. En accordant la primauté au public au détriment de l'objet d'art ou de la personne de l'artiste, ils remettent en question tant les règles du champ artistique que celles de la culture de masse. De plus, leurs manifestations sont critiques des valeurs de productivité, d'efficacité et de spécialisation propres à la société technicienne qui avaient guidé la Révolution tranquille.

Les prises de position de ces artistes et les œuvres présentées qui engagent de nouvelles relations sociales, participent donc étroitement à la vision renouvelée du rapport de l'art à la société préconisé dans le Rapport Rioux. Nous devons reconnaître le caractère novateur de cet ouvrage qui, malgré son mandat tout officiel, a su être au diapason de ceux et celles qui ont voulu des changements culturels et sociaux en visant l'insertion des arts dans l'expérience quotidienne de chacun. Le point de vue de ces artistes, que Marcel Rioux appellerait sans doute les leaders novateurs, est aussi celui d'autres artistes ayant participé à cette vaste discussion sur les arts qu'a été l'Opération-Déclic où l'on a pu lire la déclaration suivante : « On s'est vite rendu compte que dans la société actuelle, l'artiste n'avait pas à être intégré mais qu'il devait plutôt être un agent actif qui ferait évoluer à la longue la société avant finalement de la transformer. L'artiste doit travailler contre une société que les participants ont définie de "consommation" pour en établir une autre où tout le monde serait créateur. » (Thériault, 1968.)

LE RAPPORT RIOUX ET L'ENSEIGNEMENT DES ARTS PLASTIQUES

Dans le milieu de l'éducation, le mouvement de contestation étudiante de 1968 suscite là aussi des remises en question du statut de l'artiste particulièrement à l'ÉBAM, pendant l'occupation de l'École à l'automne 1968 (Couture et Lemerise, 1980) : on attaque le mythe de l'artiste et le cloisonnement du système artistique ; on revendique à la fois un élargissement de la pratique professionnelle et une formation intellectuelle sur le modèle scientifique ; on réclame des outils à la mesure de l'univers technologique. Chez les occupants, les tendances ne sont pas nécessai-

---

6. M. Saint-Pierre, Serge Lemoyne, Musée du Québec, Québec, 1988.

rement homogènes ; les uns aspirent à une expérience communautaire et libératrice de tous les interdits, d'autres visent une préparation adéquate dans les arts intégrés et de l'environnement tandis que certains, beaucoup plus près du mouvement de mai 1968 en Europe, orientent leur réflexion et leur action vers la dénonciation de la société dans son ensemble.

Il est difficile de retrouver ailleurs dans le système scolaire une aussi grande intensité dans les demandes de réformes pédagogiques, les conditions normales de fonctionnement des institutions n'autorisant pas les ruptures brusques (Lemerise, 1988). L'insertion du secteur des communications, dans le champ de la pratique artistique, est cependant très marquée dans le nouveau programme d'art plastiques du cours secondaire, avec le volet intitulé : « Moyens de communications de masse ». Directement influencé par les considérations du Rapport Parent, qui souhaite revitaliser la culture humaniste par le cinéma et l'audio-visuel, Wim Huysecom, dès 1966, expérimente ce programme dans quelques écoles avant son approbation officielle par le MEQ en 1968.

Il faut préciser ici que toute l'idéologie de l'enseignement des arts plastiques au Québec, tributaire de la pensée américaine des années 40 et 50, baigne dans la croyance en une vision salvatrice de l'art pour lutter contre le matérialisme des sociétés industrielles et le rationalisme étroit des programmes scolaires. Les réflexions de la Commission Rioux sur l'imagination créatrice et la fonction symbolique de l'art, sur la nécessité d'une formation artistique pour tous à tous les niveaux scolaires sont déjà largement véhiculées dans le milieu des spécialistes de l'enseignement des arts. Ce en quoi les perspectives de la Commission Rioux se distinguent des discours courants, c'est que cette mission de développement de la personne par l'art engage un projet de société, et que ce projet est appliqué à la société québécoise.

* * *

Dans ces pages, nous avons tenté de saisir les relations que le contenu du Rapport Rioux entretenait avec le milieu des arts plastiques du Québec dans les années 60 ; or, le projet de société soutenu par la Commission correspond à celui qui engage la réflexion et les pratiques de plusieurs intervenants du milieu de l'art. De plus, la Commission Rioux partage avec des artistes, mais aussi avec des écrivains, des gens de théâtre et de cinéma, une même vision utopique de la culture devant favoriser l'expression du potentiel créateur des individus et la prise de conscience d'une identité nationale.

Finalement, les recommandations visant une réforme globale et profonde de l'enseignement des arts à tous les niveaux connaîtront un destin peu glorieux. Au sein de l'appareil gouvernemental, particulièrement dans les ministères de l'Éducation et des Affaires culturelles, personne n'entérinera le modèle culturel et éducatif proposé par la Commission. Même si le gouvernement n'a pas supporté la philosophie générale du Rapport et ses recommandations, le Rapport Rioux demeure un document majeur de la décennie 60, car il propose une vision unifiée de l'art et de la société qui apparaît encore aujourd'hui comme un idéal à atteindre. Ayant développé l'articulation étroite qui peut exister entre les changements sociaux, les activités, les innovations artistiques et les aspirations québécoises, ce Rapport a inspiré et influencé les pratiques d'un nombre considérable d'intervenants dans le domaine de la culture, de l'art et de l'enseignement. En 1991, il constitue encore un modèle pour quiconque souhaite ou entend proposer une politique du développement des arts et de la culture au Québec.

BIBLIOGRAPHIE

ARBOUR, R.-M. (1988), « Art public et technologie. Michelle Beauchemin, Marcelle Ferron, Irène Chiasson », *Technologies et art québécois, 1965-1970*, Cahiers du Département d'histoire de l'art, UQAM, p. 43-66.

BASILE, J. (1968), « Congrès : Marcel Rioux avant le Rapport Rioux », *Le Devoir*, 15 octobre.

COUTURE, F. (1988), « Projet politique, projet artistique », dans J.-F. Léonard éd., *Georges-Émile Lapalme*, Montréal, PUQ.

COUTURE, F. (1992), « Art et technologie, repenser l'art et la culture », dans *Les arts visuels au Québec : les années 60*, Montréal, VLB (à paraître).

COUTURE, F. et S. LEMERISE, « Insertion sociale de l'EBAM : 1923-1969 », dans *L'enseignement des arts au Québec*, UQAM.

de LAURENTIS, T. *et al.* (1980), *The Technological Imagination : Theories and Fiction*, Wisconsin, Coda Press.

DESROSIERS, P. (1967), « Fusion des arts », *Culture vivante*, n° 5 , p. 86-89.

DUCHASTEL, J. (1981), *Marcel Rioux, entre l'utopie et la raison*, Montréal, Nouvelle Optique.

GREENBERG, C. (1965), « Avant-garde and Kitsch », dans *Art and Culture*, Boston, Beacon Press, p. 204-211.

JASMIN, C. (1966), « Visionnaires ? Non, lucides », *La Presse*, 19 février.

LEBLANC, J. (1965), « Québec offre un comité d'étude sur tout l'enseignement des arts », *Le Devoir*, 26 novembre.

LEMERISE, S. (1988), « L'enseignement des arts : liens avec la technologie post-moderne, 1965-1970 », dans *Technologies et arts québécois, 1965-1970*, Cahiers du Département d'histoire de l'art, UQAM, p. 67-98.

MARCUSE, H. (1968), *L'Homme unidimensionnel*, Paris, Éditions de Minuit, coll. « Points ».

PERRAULT, L. (1968), « Le but du Rapport Rioux : désacraliser l'art pour le rendre accessible à tous », *La Presse*, 3 février.

RIOUX, M. (1969), « L'éducation artistique et la société post-industrielle », *Revue d'esthétique*, n° 3, Paris, Klincksieck , p. 301-312.

ROBILLARD, Y. (1968), « Fusion des arts in Montréal », *Arts Canada*, n° 120-121, p. 25-28.

WHITE, M. (1969), « Liberal-democratic. Rioux Probe of Arts Given Quebec Another Headache », 28 juin.

Braconnages

Andrée Fortin
Université Laval

Quand on parle « d'art », la plupart du temps, on fait référence aux Beaux-Arts, c'est-à-dire, ce qu'on peut voir dans les musées, dans les galeries ; à ce dont traitent les revues spécialisées et les cours d'histoire de l'art à l'Université.

Ce faisant, on oublie facilement que le marché de l'art (environ 55 000 personnes au Québec[1]) ne regroupe qu'un peu moins de 1 % de la population. Bien sûr, le public des musées et galeries est beaucoup plus considérable ; cependant c'est moins de 25 % de la population qui fréquente ces établissements au moins une fois l'an (Baillargeon, 1985), et ce, toutes catégories confondues : art moderne, contemporain ou traditionnel. De plus, quand on avance des chiffres sur la fréquentation des musées, désormais il faut compter avec la nouvelle vague des expositions estivales, alors que le musée d'art se transmute en musée des sciences ou ethnographique. De Tintin à Léonard de Vinci, on y attire des « clients » sous de « faux prétextes », au sens où ils n'y viennent pas d'abord pour l'art.

---

1. Voir l'étude de Couture, Gauthier et Robillard, 1984.

OÙ L'AUTEURE POSE UNE HYPOTHÈSE
ET SE RÉVÈLE FONDAMENTALEMENT
POPULISTE OU OPTIMISTE, AU CHOIX

Les Beaux-Arts ne rejoignent donc pas la majorité de la population. Qu'en est-il alors « des autres », les 77 % qui ne vont jamais au musée[2] ? Il serait surprenant qu'ils soient insensibles à l'art, au beau, que toute expérience esthétique leur soit refusée. D'où peut bien leur venir l'expérience esthétique ? De l'art de masse, du bricolage, de l'artisanat ? ! Toutes choses facilement amalgamées sous la rubrique fourre-tout « d'art populaire ». C'est ainsi, soit dit en passant, qu'on oppose l'art populaire, dont l'épithèthe plutôt que de révéler un surplus reflète ici un manque, à l'art-tout-court, celui qui n'a a pas besoin de qualificatif, sous-entendu « le vrai ».

Mon pari, ici, c'est de me pencher sur l'art populaire, jusque et y compris l'art de masse, et d'y repérer une dimension émancipatoire. Je poserai l'hypothèse que non seulement cet art peut être émancipatoire, mais qu'il peut parfois l'être autant sinon davantage que l'art d'avant-garde. Pour défendre cette hypothèse, il faudra d'abord réfléchir sur la notion d'art populaire, ses différences, ses ressemblances et ses liens avec l'art d'avant-garde, puis en un deuxième temps, se pencher sur la définition de l'art et de l'émancipation.

Pourquoi ce souci ? Pour trois raisons. Tout d'abord, mon populisme inné m'empêche de croire que la majorité de la population, insensible aux charmes des Beaux-Arts institutionnels, soit privée de l'accès à de nouvelles visions du monde, à de nouvelles images, au nouveau, au pas-encore-pensé, bref à l'imaginaire radical pour parler comme Castoriadis. Deuxièmement, le foisonnement des travaux sur l'institution artistique, dans la lignée des Bourdieu et Dubois, a bien mis en évidence les rouages de « la tradition du nouveau », comme la qualifiait déjà Rosenberg en 1959. La rupture formelle et discursive de l'avant-garde fait système, s'enfle, mais ne s'accompagne pas nécessairement d'un renouvellement de la vision du monde[3]. Troisièmement enfin, en ce qui

---

2. Les statistiques culturelles compilées à l'IQRC (Baillargeon, 1985) révèlent que pour l'année 1982-1983, parmi les Québécois de 15 ans et plus, 77 % ne sont pas allés au musée et 80 % ne sont pas allés dans des galeries d'art. De plus, 71 % n'ont pas acheté d'œuvre d'art ni d'artisanat ; parmi les acquéreurs, seulement 26 % ont acheté une œuvre dans une galerie d'art. On peut remarquer cependant que c'est seulement 54 % qui n'a visité ni exposition d'art, ni salon d'artisanat, et que 50 % ne lit jamais.

concerne l'imaginaire radical, il ne loge pas toujours où l'on pense ; rien ne l'exclut a priori d'aucun lieu. Si, en particulier, on ne prête plus automatiquement foi au discours des artistes et des critiques, et si on ne croit plus que l'art d'avant-garde soit forcément porteur de nouveau, d'imaginaire radical, il reste à se demander à quelles conditions cet imaginaire radical peut être véhiculé dans une œuvre. Bref rien ne garantit que l'art d'avant-garde soit émancipatoire ni que l'art populaire ne le soit pas.

OÙ L'AUTEURE DISPOSE CAVALIÈREMENT DE QUELQUES THÉORIES

Tout d'abord, de quels outils dispose-t-on pour parler de l'art populaire ? En fait pour en parler véritablement, de bien peu (Durand, 1976 ; de Grosbois *et al.*, 1978) ; la plupart servent plutôt à « disposer » de cet art, à l'évacuer ! Précisons tout d'abord que sous la rubrique art populaire, ce sont essentiellement trois choses que l'on range, chacune assortie de sa théorie privilégiée, de son analyse.

Ainsi l'art des « patenteux », qualifié sous d'autres cieux « d'art naïf », est assimilé au folklore ou au bricolage ; les analystes y voient une prise de parole mais qui relève davantage de l'artisanat ou de la décoration que de l'Art (avec un grand A) qui lui, serait création de formes et d'imaginaire radical. Ils insistent sur l'a-historicité de cet art naïf, sur la répétitivité de ses thèmes et de ses formes, ce qui implicitement, dans notre société obsédée par le nouveau (souffrant de néopathie pour employer un néologisme), est l'insulte suprême. Comment une « authentique » démarche créatrice peut-elle rester à l'écart de l'évolution artistique, de Lascaux à Buren ou Penck en passant par Picasso ? Comment ne converge-t-elle pas vers l'avant-garde ? C'est sympathique, dira-t-on, mais...

Au moins c'est sympathique ! N'aura pas droit à cet épithète l'art de masse, péjorativement qualifié d'« art commercial », parfois amal-

---

3. Ce système qui fonctionne à la rupture systématique a été analysé par Ellul (1980) d'une façon qui curieusement enchante les sociologues alors qu'elle fait rager les artistes et historiens de l'art.

gamé sans autre forme de procès au kitsch, au quétaine[4]. Les travaux de Bourdieu et de ses émules – nombreux par les temps qui courent – sur les deux sphères de la production, ont mis en évidence le caractère mercantile de cet art, ses liens plus qu'intenses, congénitaux même, avec la société de consommation, ses pompes et ses tentations. Tournons la page.

Reste l'art « primitif » des sociétés « primitives », autrefois appelé « art nègre », qui entraîne hors des sentiers battus jusqu'à l'exotisme. Malheureusement les anthropologues qui l'analysent n'arrivent pas à formuler une définition transculturelle et transhistorique de l'art (ni de l'objet esthétique, ni de l'activité artistique). Ils dérivent soit vers la sémiologie ou encore vers l'art religieux, le mythe et le rite, choses extrêmement intéressantes par ailleurs il va sans dire, mais qui n'éclairent pas nécessairement le paysage de l'art populaire[5].

OÙ TOUT S'EMBROUILLE ALORS QUE LE LECTEUR AURAIT PU ESPÉRER, ENFIN, COMMENCER À Y VOIR CLAIR

Reprenons tout par le début et réfléchissons sur le qualificatif « populaire ». Robert Laplante s'étant déjà livré à un tel exercice dans le cadre d'un projet auquel j'étais moi-même associée (Laplante, 1982), on ne se surprendra pas que j'adhère à sa conclusion. Selon lui, cet objet est piégé car le populaire est toujours l'envers, le repoussoir de ce qui ne l'est pas, de la « vraie » culture, du « vrai » art. L'art populaire, c'est aussi bien l'art produit par le peuple : « patentes », folklore, que celui qu'il consomme : art de masse, quétaine, sans oublier celui qu'étudie l'anthropologue. Dans tous les cas il peut s'agir d'un art « vivant »,

---

4. L'expression « quétaine », traduction exacte de kitsch, fait trop quétaine aux yeux de plusieurs Québécois qui emploieront plutôt l'expression kitsch, laquelle fait plus cultivé et indique qu'on a peut-être aperçu en librairie l'excellent livre de Moles, *Psychologie du Kitsch* ; si on l'avait lu, on saurait que ce concept n'existe qu'en trois langues : en allemand, en portugais et en québécois ! Aussi je n'hésite pas à l'utiliser, et sans guillemets.

5. L'exposition *Magiciens de la Terre*, présentée au Centre Georges Pompidou à l'été 1989 souffrait de cette ambiguïté de la définition de l'art populaire ; y voisinaient, sans qu'il soit toujours possible de les démêler autrement que par le recours au catalogue, l'art des sociétés non occidentales et l'art naïf d'une part, et les œuvres d'artistes occidentaux s'en inspirant d'autre part.

c'est-à-dire dont les producteurs et les consommateurs sont bel et bien en chair et en os, ou d'un art « mort », c'est-à-dire celui d'une époque révolue qui intéresse avant tout des spécialistes. Le trait commun ? « Populaire » est une étiquette attribuée par des élites intellectuelles, par de savants spécialistes ; c'est la marque d'une altérité, et qui plus est, d'une altérité dominée. Toute tentative pour mieux cerner ce concept, renvoie nécessairement à son mode de constitution, « à l'acte politique qui l'a constitué comme objet de connaissance » (Laplante, 1982 : 29). Si donc, comme Laplante l'a montré, l'expression « culture populaire » est piégée, celle « d'art populaire » ne l'est pas moins. Mais ce n'est pas tout.

Si le terme « populaire » peut jouer le rôle de fourre-tout auquel j'ai fait allusion tout à l'heure, regroupant des choses aussi différentes que les « patentes des patenteux » et l'art de masse, ce n'est pas seulement qu'il se situe à un carrefour ; c'est qu'il constitue un enjeu. « Populaire », c'est encore ce dont se réclament à la fois les radios communautaires, donnant la parole « aux sans voix » et les radios ordinaires, qui diffusent le *hit-parade*, les nouvelles du sport... L'art populaire ne l'est pas « en soi », c'est toujours celui dont on essaie de se démarquer, de se distinguer, quand on appartient à l'élite ou, inversement, auquel on cherche à se rattacher si on a quelque chose à vendre au peuple, que ce soit le *hit-parade*, le patrimoine ou la révolution[6].

La recherche d'une définition de l'art populaire est d'autant plus difficile, que nul objet ne relève « en soi », par essence, de l'art populaire ; Bourdieu parlerait de fluctuations du capital symbolique. Il ne s'agit pas d'un phénomène occasionnel, mais très systématique. En effet il y a va-et-vient entre l'art tout court, l'art populaire et le non-art. Ainsi des compositeurs empruntent le thème de leurs symphonies à la musique traditionnelle ; des peintres, dont le plus célèbre est Lichtenstein, introduisent la bande dessinée sur la toile, sans oublier Picasso qui s'inspire de l'art « nègre », et la néo-trans-je-ne-sais-quoi qui emprunte à la fois à Lascaux et aux graffitis du métro new-yorkais. La vieille « commode » du régime français a perdu sa fonction de « commodité[7] » ; c'est pour ses pointes de diamant qu'on l'admire dans

---

6. Le catalogue de l'exposition *Art et société*, tenue au Musée du Québec en 1981, retrace l'aventure des groupes d'artistes d'extrême-gauche des années 70.

7. Ou de *commodity*, c'est-à-dire de marchandise, de bien de consommation.

les musées. On collectionne les bandes dessinées pour leur qualités graphiques ; on est loin des « petits miqués[8] » achetés et lus en cachette. D'ailleurs les « petits miqués » vont au Musée ; deux fois ils ont été reçus au Musée des Beaux-Arts de Montréal.

L'art tout court se nourrit donc de l'art populaire. Vampirisme ? Emprunts ? Remarquons qu'en changeant de sphère, un objet change de fonction. Ce qui entre dans la collection sort de la valeur d'usage pour devenir « sémiophore », comme dirait Pomian (1987), pure signification. Une fois que la bande dessinée a séjourné au musée, peut-elle retourner dans la poche de ses lecteurs, dans l'autobus ou le métro ? Comment exposer aux intempéries les « patentes » ou l'art « nègre » une fois qu'ils ont connu le climat bien tempéré des musées où lumière et humidité sont scientifiquement dosées. Les vêtements ne sont pas à leur place entre les pointes de diamant, ni l'armoire dans la chambre : la boule à mites pourrait abîmer les pointes, tout comme les enfants en courant après le chat qui va toujours se réfugier derrière l'armoire... Le passage d'un objet au statut d'œuvre artistique correspond à sa mort, en tant que valeur d'usage ; et comme toute mort, le passage semble irréversible.

Le trajet peut aussi s'effectuer en sens inverse, et l'art d'avant-garde se muer en art de masse. L'impressionnisme n'a plus besoin du Salon des Refusés ; il ne choque plus le bourgeois, il fait sa joie et sa fortune ; des queues se forment aux portes des musées qui l'exposent, et tous peuvent l'admirer à loisir, en reproduction, dans les anti-chambres des dentistes et des gérants de caisses populaires. La rupture formelle est dissoute depuis belle lurette, ce qui n'altère pas pour autant la qualité esthétique... Cette « vulgarisation » artistique, à l'instar de la vulgarisation scientifique, emprunte plusieurs canaux ; dans une société de consommation, cela devient un *must* de connaître telle ou telle œuvre. Par effet de distinction, bien entendu, l'élite artistique affectera de ne pas apprécier ces œuvres « dépassées », ce qui ne l'empêchera nullement, soit dit en passant, de bien les connaître et d'en discourir à loisir.

---

8. Autrement dit des bandes dessinées publiées sous formes de brochures ; l'étymologie de cette expression renvoie à *Mickey Mouse*.

OÙ RENONÇANT PROVISOIREMENT À LA THÉORIE, L'AUTEURE SE TOURNE VERS L'EMPIRIE ET FAIT PREUVE D'IMPERTINENCE

À ce stade, assommé par la polysémie du concept – trop de sens, n'est-ce pas comme pas de sens du tout ? – la tentation est forte d'abandonner à jamais ce concept d'art populaire. Cependant, ne conserve-t-il pas une certaine valeur heuristique, pratique ? Nul doute qu'un portrait d'Elvis Presley sur velours fasse partie de ce qu'on appelle couramment art populaire et une murale de Daniel Buren de l'art « d'élite ». Ces concepts sont donc, jusqu'à un certain point, opérationnels. Mais où passe la frontière ? On dira spontanément que c'est une question de « valeur esthétique », mais le jugement porté sur une œuvre varie dans le temps et l'espace. De plus se pose ici la question du « faux » qui pourrait nous entraîner très loin. Depuis quelques années, dans la foulée des travaux de Jauss (1978) fleurit l'histoire de la réception, et à la suite de ceux de Bourdieu sur la distinction (1979), la sociologie des goûts ; cela oblige à remettre en question le concept de valeur esthétique, ou à tout le moins, à le relativiser. Un exemple : Bougereau et Renoir ; de la fin du siècle dernier au milieu de celui-ci, la valeur esthétique de l'un et de l'autre, telle que reconnue par les spécialistes et le public, a varié de façon inversement proportionnelle : de leur vivant Bougereau était l'académicien, Renoir l'inconnu, puis Bougereau, qualifié de « pompier » a été oublié alors que Renoir a été porté aux nues ; désormais il semble que leurs œuvres puissent cohabiter au panthéon artistique. Cherchons donc une différence plus « objective » que celle de la valeur esthétique.

Malheureusement cette recherche se complique du fait que les deux sphères artistiques, celle de l'art populaire et celle de l'art d'élite, ne sont pas si étanches et hermétiques l'une à l'autre qu'on peut le croire a priori.

Des deux côtés on peut retrouver la circulation marchande ou la circulation non marchande. D'un côté : galeries d'art, foires d'art contemporain, encans ; l'art est un investissement sûr en temps de crise garantissent les conseillers fiscaux ; c'est même souvent un abri fiscal. De l'autre côté : chromos et art produit en série. Les acheteurs et les montants en jeu ne sont pas les mêmes, ce qui n'empêche pas que l'art se vende. Tout art cependant n'est pas à vendre, ce qui est vrai aussi des deux côtés ; pensons aux installations et performances de l'art d'élite, et aux « patentes » de l'art populaire. Où logerait donc la différence ?

Si elle ne se situe pas dans les objets, puisque comme je l'ai montré plus haut, ils peuvent circuler d'un champ à l'autre, serait-ce dans le rapport entretenu avec eux ? Mais on peut collectionner aussi bien les Renoir que les portraits d'Elvis. L'aura de cet Elvis sur velours est-elle différente de celle d'un Renoir ? Notons en passant que l'acheteur d'un portrait d'Elvis aura possiblement l'occasion de rencontrer l'artiste, de discuter avec lui, de lui serrer la main, ce qu'il n'est plus possible de faire avec Renoir, hélas. Par ailleurs, cet Elvis est à la portée de plusieurs bourses, alors qu'on doit se contenter le plus souvent de reproductions de Renoir. L'aura de l'original à cet égard ne joue-t-elle pas en défaveur du « grand » Art ?

Est-ce l'artiste qui fait la différence ? Mais quelle est la différence profonde entre celui qui prépare une installation dans une galerie et celui qui redécore son appartement ; entre l'esthétique de l'*arte povera* où on travaille avec le matériau brut et la vogue du décapage ?

La différence, c'est peut-être le public ? Celui de la *Chambre nuptiale* de Francine Larrivée ne ressemble guère à celui du *Cyclorama* de Sainte-Anne-de-Beaupré. Remarquons toutefois qu'il s'agit de deux environnements circulaires, multi-média, pédagogiques, réalisés par un collectif sous la direction d'un maître d'œuvre... et fort encombrants. De même, on repère dans la littérature d'expression française deux ouvrages parus la même année (1980), s'adressant à des publics très différents, mais qui présentent plusieurs ressemblances : les mémoires de Paolo Noël (qui ont remporté en 1985 le prix Biblio de l'ouvrage le plus emprunté dans les bibliothèques publiques du Québec) et *la Chambre claire* de Roland Barthes ; voilà deux témoignages de fils qui ont beaucoup aimé leur mère, et où la photographie sert de support à la mémoire filiale. Si donc le public n'est pas le même, ce n'est pas – pas seulement – parce que les œuvres diffèrent. Est-ce une question de marketing et de la recherche de nouvelles cibles ? Notons également que le public de l'art populaire ce sont, entre autres, les spécialistes qui l'étudient, et que le public en général est exposé au « grand art » dans les médias et via l'intégration des arts à l'environnement (le fameux 1%[9]).

---

9. Pas celui du budget du ministère des Affaires culturelles, mais celui qui, dans tout projet architectural financé par le gouvernement du Québec doit être consacré à la réalisation d'une œuvre originale et « intégrée », ce qui donne régulièrement lieu à des controverses ; pensons à la murale du Grand Théâtre de Québec ! Mais ceci est une autre histoire (voir Durand, 1992).

Si ce n'est ni l'artiste ni le public, serait-ce la relation entre eux qui compte ? Mais la rencontre entre le public et l'artiste est-elle plus vraie ou plus fantasmée dans un vernissage ou sur la rue du Trésor à Québec ? Dans une discothèque ou lors d'une performance ?

Peut-être alors est-ce le commanditaire qui compte ? Ici encore tout se brouille. La ressemblance est frappante, pour ne pas dire troublante, entre le réalisme socialiste, encouragé par les commissaires du peuple, où sont représentés les vaillants travailleurs de la Révolution, et les vitraux de Sainte-Anne-de-Beaupré, financés par la diaspora canadienne-française à la suite de l'incendie de 1922. Chaque région qui a contribué à la reconstruction de la cathédrale est représentée par un travailleur : pêcheur gaspésien, bûcheron abitibien avec sa veste carreautée, « sagouine » acadienne, mineur de Sudbury, Louisianais... et l'évêque d'Ottawa. Tous ces personnages posent fièrement dans l'exercice de leur labeur quotidien. Dans ce lieu de pélerinage, les travailleurs remplacent les saints et les héros bibliques ; comme dans le mausolée de Lénine ?

Je pourrais continuer longtemps sur ce ton, produire d'autres exemples ou d'autres comparaisons, mais je crois que cela suffit à démontrer que pas plus qu'il n'est clair théoriquement le concept d'art populaire ne l'est opérationellement. À quoi sert-il donc ? Qu'on s'en réclame ou qu'on s'en défende, à poser une distinction, une frontière et une exclusion de nature politique ?

OÙ L'AUTEURE CHERCHE DÉSESPÉREMENT, MAIS EN VAIN, UNE DÉFINITION DE L'ART

Tout cela pour dire que art-tout-court et art populaire non seulement ne sont pas des catégories hermétiques, mais à la limite se recouvrent totalement ; les objets circulent d'un registre à l'autre, ils n'appartiennent pas par essence à l'une ou l'autre catégorie. L'avant-garde d'aujourd'hui c'est l'art commercial de demain ; le quétaine d'aujourd'hui sera intégré à l'avant-garde après-demain. Cela nous entraîne, bon gré mal gré, vers une question fondamentale : qu'est-ce que l'essence de l'art ? Qu'est-ce que l'art ?

La *roue de bicyclette* et la *fontaine* de Marcel Duchamp sont des repères importants dans l'art du XXe siècle. Pourtant, avant qu'il ne les expose, ce n'étaient pas des objets artistiques, et il existe de par le monde des millions d'autres roues de bicyclettes et de fontaines qui ne sont pas devenues pour autant des œuvres d'art. Qu'est-ce donc que l'art ? Il existe de belles réponses à cette question. Ma préférée est celle de Sartre, qui concerne la littérature, mais qu'on peut facilement appliquer à l'art en général. « Écrire, c'est donc à la fois dévoiler le monde et le proposer comme tâche à la générosité du lecteur. » (Sartre, 1948 : 76.) Dans le même sens, dans la présentation d'un numéro de la revue *Anthropologie et Sociétés* sur l'esthétique, Schwimmer (1986) affirme que l'objet esthétique sert à définir le monde. En même temps que sur la définition de l'art, ne viendrions-nous pas ici de mettre le doigt sur la ligne de partage que nous cherchions tout à l'heure entre deux séries d'objets esthéthiques que nous n'osons plus appeler art populaire et d'avant-garde ? Le « vrai » art est celui qui propose des visions du monde ; le « sous » art ne le ferait pas...

Mais plus les définitions de l'art sont belles, plus elles sont philosophiques... et difficilement opérationnelles, c'est-à-dire qu'elles ne permettent pas de trancher sans ambiguïté à la vue d'un objet s'il s'agit ou non d'une œuvre d'art. Sociologiquement parlant, on ne trouve pas non plus de définition de l'art autre que « l'art, c'est ce qui est socialement défini comme art », ou ce qui revient au même « l'art, c'est ce que font les artistes reconnus ». Je déclare forfait rapidement ? Hélas, je ne suis pas la seule à formuler un tel constat. Argument d'autorité ? En tout cas c'est également la conclusion à laquelle arrive Terry Eagleton, dans le chapitre intitulé « What is literature ? » (de son excellent ouvrage *Litterary Theory*, 1983). La littérature, c'est ce qui est socialement défini comme littérature. H. S. Becker, ne dit pas autre chose non plus dans *Art Worlds* (1982).

L'anthropologie ne peut pas non plus venir à notre aide. Nancy Schmitz, dans le cadre d'une réflexion transculturelle (1984) risque la définition suivante de l'art, en trois points : « 1) objets visuels (faits par des être humains) ; 2) qui témoignent d'un haut degré d'habileté technique (telle que reconnue par la société en question) ; 3) et qui répondent aux normes fixées par la société quant à la justesse de leur réponse aux besoins déterminés ». Et voilà pourquoi votre fille est muette, et la *roue de bicyclette* de Duchamp un chef d'œuvre de l'art du XXᵉ siècle !

Cette définition, ou plutôt cette non-définition, renvoie à la question de savoir comment une société en vient à définir l'art de telle ou telle façon et conduit à une sociologie de l'institution (c'est-à-dire étude des genres, du statut de l'artiste, des instances de légitimation, etc.). Une telle définition, toute en extériorité, éloigne du terrain de l'imaginaire, encore plus de celui de l'imaginaire radical, le pas-encore-advenu, pour entraîner, bon gré mal gré vers le reflet ; des œuvres le regard se déplace plutôt vers la société.

OÙ COMME ALICE, L'AUTEURE TRAVERSE LE MIROIR ET LE REFLET

Examinons de plus près l'antinomie imaginaire radical-idéologie dominante. Si l'art reflète, peut-il amener en même temps quelque chose de neuf ? Se pose en effet la question suivante : ce qui se mérite socialement l'étiquette d'art doit-il être en conformité avec l'idéologie dominante ? Jusqu'à quel point peut-il s'en éloigner et encore être reconnu par les instances de légitimation-définition de l'art ? Passons tout d'abord en revue les différentes versions de la théorie du reflet. Pour faire court, disons qu'elles s'entendent sur ce que l'art n'est pas autonome, qu'il n'est pas lieu de création, mais justement de reflet. Selon la version forte de la théorie de reflet, l'art n'est que l'expression de l'idéologie dominante ; pour la version faible, l'art donne à voir le réel et tout art relève – à des degrés divers – du réalisme ; enfin, selon la version bourdivine[10], l'art reflète et révèle la position de l'artiste dans le champ, dans l'institution artistique. La version faible est presque tautologique, dans la mesure où l'art naissant dans une société située et datée, il ne peut y échapper, et ce même tant il tente d'imaginer une utopie ; l'utopie ou la science-fiction sont toujours tributaires des catégories dont disposent leurs auteurs[11]. C'est la version forte de la théorie du reflet qui m'intéresse ici.

Le reflet de l'idéologie dominante, est pourchassé partout ; dans les œuvres « moyennes » selon Goldmann (1964) et jusque dans les chefs d'œuvre pour les marxistes plus orthodoxes comme Nicos Hadjinicolaou (1973). On le repère dans la forme et dans la technique aussi bien que dans le fond. Ainsi Marc Ferro (1977) se livre à une étude à la fois technique et thématique de différents films de propagande. Il trouve des manifestations de l'idéologie dominante d'une part dans les fondus enchaînés et, d'autre part, dans les catégories à partir desquelles se

---

10. Adjectif dérivé de Bourdieu.
11. L'auteure profite de cette note pour se départir de la modestie qui sied à l'universitaire de bon aloi, et se cite. Dans *Recherches sociographiques*, j'ai déjà eu l'occasion de réfléchir non tant sur le reflet que sur la littérature comme analyse du social, comme sociographie : « Dialogues avec Michel Tremblay et Francine Noël », *Recherches sociographiques*, vol. XXXI, n° 1, 1990, p. 73-84.

construit le récit ; des films de propagande pro et anti-soviétique des années 1918-1919, à la manière de mythes bororos, sont construits à partir des mêmes éléments reflétant, au-delà des problèmes «politiques», ceux de la vie quotidienne de la Russie post-révolutionnaire. Le reflet peut encore se loger dans la structure de l'œuvre ; comme le Dieu des Jansénistes, l'idéologie peut se cacher. Ainsi Goldmann voit dans le nouveau roman la manifestation d'une société de consommation où la réification atteint des sommets : plus de sujet, que des objets. Les sémiologues, pour leur part, diront que l'idéologie opère dans l'œuvre à la manière d'un inconscient ; on n'y échappe pas.

Ce reflet donc, il peut être dans le propos manifeste, dans le propos latent et même dans la forme ; il peut refléter la société globale et ses luttes de classes, mais il peut encore refléter l'institution artistique et ses conflits internes. Et ça marche, ces analyses d'idéologies et d'institutions ! Pire, une lecture n'épuise pas le sens de l'œuvre et on n'en finit plus de décrypter les manifestations de l'idéologie dans une œuvre. Ainsi Françoise d'Eaubonne (1977) reprend les œuvres analysées par Hadjinicolaou ; où celui-ci avait trouvé des conflits de classe, elle démasque en plus des conflits de sexes[12].

Certains genres sont davantages soupçonnés que d'autres de n'être que pur reflet. Pensons au réalisme socialisme et à ses avatars, à l'art de propagande... Pensons encore à l'art de masse, au cas bien documenté des romans Harlequin ou de la bande dessinée de superhéros, où l'idéologie dominante ne se donne même pas la peine de se maquiller un peu. D'ailleurs, diront les analystes, le vrai auteur de ces textes, c'est elle, cette idéologie ; ils créent donc des corpus indépendamment des auteurs, ce qu'ils ne feraient certes pas avec l'existentialisme, le surréalisme... mais passons[13]. Une fois établie la présence de l'idéologie dominante dans les œuvres d'art, tout a-t-il été dit ?

---

12. Par exemple, dans le *Portrait de Madame Récamier* de David ou dans *L'enlèvement de Ganymède par Zeus* de Rubens.

13. Alors que tout lecteur et toute lectrice de romans Harlequin sait reconnaître et apprécier les auteurs comme Barbara Cartland ; les amateurs n'amalgament pas ainsi les auteurs.

OÙ L'AUTEURE SE PERMET
DES COMPARAISONS IRRÉVÉRENCIEUSES

Devant l'omniprésence du reflet, on en vient à se demander quelle place il reste pour l'imaginaire radical dans l'art. Mais si, comme le yin et le yang, l'animus et l'anima, imaginaire radical et idéologie dominante pouvaient cohabiter ? Dans une analyse très fouillée sur *Donald Duck*, Armand Mattelart et Ariel Dorfman (1976) montrent comment celui-ci se fait l'ambassadeur, dans le Tiers Monde et auprès des enfants, de l'*american dream*. Que lui reprochent-ils au juste ? À peu de choses près d'évoluer dans la superstructure et d'occulter l'infrastructure... exactement ce que Auerbach, constate dans le théâtre classique français !

> Le fondement socio-économique disparaît pour faire place à l'explication psychologique. C'est dans les anormalités, les exotismes de la psychologie individuelle qu'il faut chercher les causes et les conséquences de n'importe quel phénomène social. (Mattelart et Dorfman, 1976 : 132.)

> Dans l'ensemble, la conception de la politique et du gouvernement a évolué, mais elle demeure sublime, générale, bien éloignée du domaine des affaires pratiques et concrètes. Il s'agit constamment d'intrigues de palais et de luttes pour le pouvoir, qui restent circonscrites aux plus hautes sphères, à l'entourage immédiat du prince, ce qui permet au dramaturge de contenir la politique dans le cadre de la psychologie individuelle : une telle politique n'intéresse qu'un petit nombre de personnes, que Racine étudie en moraliste. Ce qui se situe au-delà ou au-dessous de cette sphère est ou bien passé sous silence, ou bien mentionné de façon très générale ; ainsi en est-il par exemple de cette *loi qui ne se peut changer*, laquelle interdit à Titus d'épouser une reine étrangère. Lorsque Titus s'informe de l'opinion du peuple dans le conflit qui le divise, il prononce ces mots : « Que dit-on des soupirs que je pousse pour elle ? » Cette manière de présenter les événements en moraliste – ce qui exclut toute analyse objective des problèmes, toute étude concrètes des affaires du gouvernement – apparaît avec une netteté particulière dans *Britannicus*, *Bérénice* et *Esther*. (Auerbach, 1968 : 381.)

> Pas de grabuge à cause des moyens de subsistance : c'est une société qui vit sur un matelas d'où filtrent des biens [...] Donald évolue dans

un monde de pure superstructure [...] Derrière la solitude pathétique et sentimentale de Picsou, la classe à laquelle il appartient de toute évidence, cherche à se dérober aux regards. » (Mattelard et Dorfman, 1976 : 130, 135, 149.)

[...] au début d'Eugénie Grandet, où Balzac relate l'origine de la fortune de Grandet : toute l'histoire de la France, de 1789 à la Restauration, transparaît à travers ce récit ; à côté d'un tel tableau, la situation économique d'Harpagon est tout à fait générale et hors de l'histoire. Et qu'on ne objecte pas que Molière, auteur de comédie, disposait d'un cadre trop étroit pour y introduire un tableau comme celui de Balzac ; même sur la scène, il aurait été possible de montrer, au lieu d'Harpagon, un grand négociant ou un fermier général de l'époque. Mais on ne verra apparaître de telles figures que dans la période post-classique, chez Dalcourt et Lesage notamment, et même alors sans que les problèmes politiques et économiques contemporains soient sérieusement posés. (Auerbach, 1968 : 374-375.)

Le monde de Disney est un monde qui aspire à être immatériel : toutes les formes de la production (industrielles, sexuelles, historiques) ont été éliminées et le conflit n'a jamais de base sociale mais est toujours présenté comme le bien qui rivalise avec le mal, le chanceux avec le malchanceux, le sot avec le malin. Les personnages qui peuplent cet univers peuvent donc parfaitement se passer de la base matérielle qui soutend chaque action, dans le monde de tous les jours. (Mattelart et Dorfman, 1976 : 184-185.)

Je m'excuse de ces longues citations, mais je ne peux m'empêcher de me demander : 1) Si, malgré tout, les dramaturges français ont écrit des chefs d'œuvres, qu'est-ce qui nous dit que Disney n'en a pas fait autant, et de quel droit fustiger ses œuvres ? 2) En même temps qu'à travers le répertoire classique, des générations d'élèves ont été introduits aux beautés de la langue, etc., ont-ils absorbé une idéologie réactionnaire, et pour cette raison devrait-on interdire ces lectures à de jeunes esprits fragiles et influençables ?

Au-delà de ces deux exemples, ce qu'il faut retenir, c'est qu'une analyse d'un classique de la littérature de masse et de la littérature d'élite révèle la présence de la même idéologie dominante. Sauf que d'une part, on postule que l'œuvre se réduit à n'être que le véhicule de cette idéologie et d'autre part que l'œuvre s'élève au-dessus et contient bien plus.

OÙ L'AUTEURE NE RECULE DEVANT AUCUN CLICHÉ

Un autre reproche souvent formulé à l'égard de l'art de masse, c'est l'utilisation de clichés, de personnages stéréotypés ; ceci étant bien sûr supposé aplatir l'imaginaire du lecteur. Je ne conteste certes pas le premier membre de la phrase précédente : clichés et stéréotypes sont nombreux en effet ! C'est le deuxième que je soumettrai à la question. Les personnages stéréotypés de la bande dessinée, des romans Harlequin ou de la littérature policière, le sont-ils moins que 1) les héros mythiques et bibliques (Ancien et Nouveau Testaments), omniprésents dans la peinture et la littérature jusqu'au « Grand Siècle », et même au-delà ; 2) ceux repérés par Propp (1970) dans la littérature orale de son pays ? La méthode d'analyse structurale du récit s'inspire en effet largement des résultats de Propp. Remarquons cependant que ce dernier ne l'appliquait qu'à la culture orale, traditionnelle, celle-là même que par ailleurs on qualifie d'émancipatoire, de prise de parole populaire, en prise sur le monde, et qu'en ce qui concerne la littérature actuelle, on ne l'utilise que pour la littérature de masse, supposément aliénante.

Reprenons avec deux questions. D'abord, comment se fait-il que la même grille de lecture appliquée à des corpus différents, où s'observe le même phénomène, à savoir la présence de clichés, conduise à deux interprétations diamétralement opposées ? Ne sont retenus que les contraintes liées aux protocoles de rédaction des romans Harlequin, pour les fustiger. Mais ces protocoles sont-ils moins contraignants que les trois unités de temps, de lieu et d'action, que les vers en alexandrin, que les thèmes antiques avec lesquels les dramaturges classiques devaient composer ? Que penser du jeu auquel on peut livrer le cliché ? Deux poids, deux mesures ?

Ensuite, le cliché serait l'anti-imaginaire ? Comment poser une telle affirmation après les travaux des ethnologues et folkloristes, après ceux de Marcel Jousse (1969) sur la mnémotechnique et l'improvisation verbale en particulier ? Les travaux de Jousse montrent bien comment les improvisations de la littérature orale ne sont possibles que sur un répertoire de clichés ; jésuite, son exemple préféré est le message du Christ, assurément émancipatoire et radicalement nouveau au sens de Castoriadis (1975) ou de Bloch (1976). Ce message cependant n'est qu'un réarrangement de paroles, de formules bibliques (ce qui donne rétroactivement à l'Ancien Testament des allures prophétiques, mais cela est une autre histoire). Le mythe selon Lévi-Strauss (1964-1971) est une façon de penser le monde, de l'expérimenter. En ce sens, la fonction mythique ne rejoint-elle pas la fonction utopique de Bloch (1976), et le maniement du cliché pourrait-il se révéler émancipatoire ?

J'ai emprunté dans ce qui précède mes exemples à la littérature, mais je soupçonne que si sont en vigueur deux poids deux mesures en ce qui concerne le traitement de différents types de littérature, les mêmes a priori, négatif pour l'art de masse, et positif pour le vrai, le grand Art, existent dans le domaine artistique plus général. Auquel cas, il s'impose de remettre en question cette attitude. Si l'art, tout art, d'une façon ou d'une autre ne peut échapper au reflet, à l'idéologie dominante et au stéréotype, on ne peut pour autant l'y réduire. Allons plus loin. Tout n'est-il question que de niveau d'analyse ? Tout comme dans le mythe, les anthroplogues repèrent au choix les structures de l'esprit, des systèmes religieux, un savoir scientifique, sans que ces analyses s'excluent mutuellement, serait-il possible d'aborder autrement l'art de masse et l'art tout court, à différents niveaux non mutuellement exclusifs ?

OÙ L'AUTEURE, APRÈS AVOIR MIS À MAL L'ESSENCE DE L'ART, S'EN PREND À CELLE DE L'ÉMANCIPATOIRE

Si l'art n'est « que » ce qui est socialement défini comme art, pourrait-on dire paraphrasant Duchamp que tout comme l'art, l'émancipatoire est dans l'œil du regardeur ? Comment discerner d'emblée ce qui est émancipatoire ? Si on croise les concepts d'émetteur et de récepteur, d'individu et de communauté, tout se complique (encore !). L'émetteur, le producteur, l'artiste bref, s'émancipe fort probablement d'un point de vue personnel dans sa création (d'où le développement des thérapies par l'art), même si cette création ne plaît qu'à lui seul. Par ailleurs, quand les sociologues parlent d'émancipation, généralement, c'est à une émancipation collective et non simplement individuelle qu'ils songent. Les producteurs collectifs, tout comme ceux qui travaillent isolément, s'émanciperont dans leur art ; il faut remarquer en passant que plusieurs formes d'art sont en effet des « créations collectives » : c'est bien entendu le cas du théâtre, domaine auquel cette expression est empruntée, mais aussi celui de la musique, du cinéma et de la vidéo. Si les artistes en tant que groupe s'émancipent grâce à leur art, ce n'est déjà pas si mal, non négligeable, étant donné le nombre d'artistes de toutes catégories qu'une société de sept millions d'habitants comme le Québec, compte : 5 000 personnes dans les arts visuels et de l'environnement ; plus les 3 000 de la Guilde des musiciens, les 450 de l'Union des écrivains, sans parler de l'Union des artistes... Mais qu'en est-il du public ?

L'art n'est pas que l'affaire des artistes. Si l'œuvre ne s'achève que lorsqu'elle est regardée, il faut se questionner sur le processus de réception. Du côté des regardeurs, l'art peut-il être émancipatoire ? On sait que des œuvres très novatrices peuvent toucher des individus, l'avant-garde et son micro-milieu par exemple, et laisser froid l'ensemble de la population. Inversement, un discours hyper-codé peut être subverti par la population dans son ensemble ; c'est ce qu'affirme de Certeau (1980) au sujet des Indiens des Andes et de leur rapport à la religion catholique qu'ils ont transformé au nez et à la barbe des Espagnols. L'art abstrait qui a peu à peu perdu sa force de choc en Occident, la conserve toute entière en Chine communiste. Pas plus qu'un objet en soi n'est artistique, pas plus il n'est émancipatoire.

Plus on cherche la différence profonde entre ce qui est émancipatoire et ce qui ne l'est pas, moins on la trouve. Quelque chose se joue au niveau de sa circulation sociale, de la réception comme dirait Jauss (1978), mais comment mettre le doigt dessus ?

L'avant-garde, depuis son apparition vers la fin du XIXe siècle, a toujours eu l'objectif, plus ou moins explicite, de choquer le bourgeois, mais a rarement provoqué scandale ou censure. Les bourgeois se replient dans l'indifférence ou foncent dans l'investissement pour prouver qu'il ne sont pas si réactionnaires qu'on le leur reproche. « Choquer le bourgeois » n'est pas une garantie de nouveauté radicale dans l'art. De plus, l'art d'avant-garde ne pourrait-il pas être aliénant et mystifiant pour ceux qui n'en possèdent pas le code de déchiffrement et qui pourtant se le font imposer par les instances de légitimation et de consécration ?

Revenons à la question de la censure et du scandale (Durand, 1992). Quand y a-t-il censure ? Quel type d'art censure-t-on ? La réponse est : n'importe quelle forme d'art, quel qu'en soit le producteur ; l'élément clé ici est qu'il s'agit d'un art qui sort des milieux artistiques, des musées et des galeries. Bref, la censure est plus souvent une affaire de public que de contenu. Ainsi on « coffre » une sculpture de Roussil à Montréal en 1949 (on la coffre très littéralement puisque la police l'embarque dans son panier à salade !) ; l'exposition *Corridart* de Melvin Charney en 1976 demeure à l'état d'esquisses et de projet ; on ne peut mettre dans la rue ce qui est à sa place au musée. D'autres exemples : de

Certeau (1980) souligne que « l'analyse scientifique » de la littérature de colportage naît à l'occasion de sa censure ; on craint les idées subversives qu'elle « colporte » dans le peuple, mais les esthètes, eux, peuvent y prendre plaisir sans danger... Un autre exemple moins connu est la censure discrète, sous le couvert d'une pénurie de papier – dont le contrôle et la distribution, en fait, relevaient d'un monopole gouvernemental – de la bande dessinée *Los Supermachos* (est-il besoin de traduire le titre ?). Cette série mexicaine mettait en scène les habitants d'un village, passant le plus clair de leur temps à boire... et à critiquer. Très populaire, parce que c'était une des rares bandes dessinées mexicaines dans un pays où ce genre est très apprécié ; en 1968, après les « incidents » du 2 octobre où plusieurs manifestants ont été tués par les forces de l'ordre, elle devint suspecte... Une autre série a pris le relais : *Los agachados* (littéralement : Les aplatis), qui malgré un titre percutant avait un contenu très peu politique et plutôt contre-culturel.

Personnellement, en ce qui concerne le caractère émancipatoire d'une œuvre, j'aurais tendance à prendre au sérieux le jugement des censeurs (quand il ne s'agit pas que d'une affaire de sexe, et encore !), en tout cas à y accorder au moins autant de poids qu'au discours des artistes et des avant-gardes auto-proclamées, dont les incantations ont un caractère rituel. Ce critère cependant, ne saurait être le seul. Poursuivons.

OÙ L'AUTEURE S'EMPORTE

Relisons Bakhtine (1970), relisons de Certeau (1980), autrement que d'un œil d'exégète. Que découvrirons-nous ? Qu'aucune lecture n'est neutre ni passive ; pas même l'écoute de la télévision (surtout en notre ère de « pitonnage »). Regarder, lire, consommer : voilà des processus non seulement de réception, mais aussi d'appropriation. On n'entend que ce que l'on veut, on ne voit que ce que l'on regarde, on ne trouve que ce que l'on cherche dans une œuvre.

S'approprier, c'est toucher, c'est manipuler, c'est jouer. Il y a un côté très ludique dans l'art et l'esthétique populaire : on s'approprie des objets esthétiques, et on les subvertit dans la joie. Il y a souvent un clin d'œil au cœur de ce processus d'appropriation, qui signifie qu'il y a jeu[14]. Le quétaine le plus quétaine renvoie fréquemment ce clin d'œil,

---

14. Mikel Dufrenne (1974) va très loin en ce sens. Tout en insistant sur le caractère ludique de l'activité artistique, il affirme que le champ du beau devrait recouvrir celui de l'art. Une « belle » manifestation devrait à ce titre être considérée comme une œuvre d'art.

et comme le fait remarquer Moles, en toute connaissance de cause ; le quétaine s'amuse de lui-même. L'ascèse, le sérieux en art, cela relève de l'avant-garde et de l'art le plus « légitime ».

S'il fallait donner des critères de l'émancipatoire, je dirais qu'on peut en mentionner a posteriori : si une œuvre a donné lieu à une appropriation collective, sous un mode préférablement ludique (ce qui ne veut pas dire bouffon !), alors l'imaginaire se met en branle, un peu sous le mode de la fonction mythique ou de la fonction utopique (d'où l'inquiétude des censeurs).

Pour s'approprier une œuvre d'art, est-il nécessaire d'en maîtriser le code de déchiffrement comme dirait Bourdieu ? Pas si sûr. Je dirais qu'il suffit d'en maîtriser un code de détournement ! Monsieur Alfred Garceau, « patenteux » de Grand-Mère qui a sculpté un personnage manchot, raconte :

> Ça, c'est le portrait de Gélinas qui était forgeron. Mais il était pas manchot ! J'ai pris l'idée de faire un manchot dans un gros livre de la bibliothèque sur les anciennes sculptures. Il y avait des sculptures qui avaient rien qu'un bout de bras ou rien qu'un bout de jambe puis il y avait un manchot comme ça. Moi j'ai singé là-dessus. (de Grosbois *et al.*, 1978 : 85.)

Voilà un type de témoignage qu'on n'a que rarement l'occasion d'entendre. Il existe de magnifiques exemples où le détournement s'effectue même en l'absence du code de lecture, dans les religions synchrétiques, mais cela nous entraînerait fort loin ; je renvoie simplement à l'ouvrage de Lanternari : *Les mouvements religieux des peuples opprimés* (1962).

Le détournement des images, les avant-gardes ne font pas autre chose... c'est en quoi consiste essentiellement la rupture formelle ; souvent cela se fait avec un clin d'œil (comme la célèbre toile de Duchamp : *L.H.O.O.Q.*, représentant la Joconde... avec une moustache). Sauf que la plupart du temps cette rupture ne prend son sens que pour une élite artistique[15]. Or la rupture dans l'imaginaire ne peut être que formelle, elle doit aussi être contextuelle, sociale, donc collective.

Des exemples ? *Agrotexte* : détournement populaire d'un art d'avant-garde ? Je rappelle brièvement qu'il s'agit d'une des rares expériences de *Land Art* québécois : 15 maîtres-laboureurs de Saint-Ubald,

---

15. Ce serait une des caractéristiques du post-modernisme, et pas seulement en architecture ; voir Lipman et Marshall, 1978.

comté de Portneuf, ont écrit un poème dans le sol, en lettres de 72 mètres par 94 mètres. Lors du premier anniversaire de l'événement, les 15 maîtres-laboureurs ont fait imprimer un poster (à leur propre initiative) où on les voit, avec leur « sculpture agricole et textuelle ». L'idée du poète Jean-Yves Fréchette est devenue œuvre collective, objet de fierté collective[16]. La LNI : détournement avant-gardiste de notre sport national, récupéré par la télévision, ce qui a permis une appropriation « nationale » de ce sport-théâtre ? Dans ce cas, le détournement s'est fait en trois étapes, par l'avant-garde, puis par les mass média, et enfin, par la population. Autre exemple d'appropriation collective d'un art : dans les pays totalitaires, il est banal que des chansons d'amour deviennent politiques et vice-versa. Je pense entre autres à Mercedes Sosa, la grande chanteuse argentine qui, en exil dans les années 70, chantait : « On retourne toujours sur les lieux où on a aimé » (traduction libre), dans l'exil cette chanson d'amour prenait une couleur très politique ; de même quand elle chantait « J'ai reçu une lettre ; mon frère est en prison, ils n'ont pas dit pourquoi ils l'avaient arrêté... » (traduction libre), ce n'était plus de politique qu'il s'agissait, mais d'amour. Le public ne s'y trompait pas, la censure non plus, qui interdit sa chanson La cigale, un hymne au printemps...

Une œuvre peut encore être appréciée pour la mauvaise raison, être appropriée par le public d'une façon inattendue. Ainsi *Don Quichotte*, personnage ridicule et inadapté, tourné maintes fois en ridicule par Cervantès même, est devenu un modèle, un héros... Qui peut dire que *Violence et Passion* de Visconti n'est pas un film sur la crise du logement en Italie ?

Le public peut s'approprier des œuvres par des moyens détournés. La consommation, pardon, la plume m'a fourché, l'appréciation des œuvres classiques se fait le plus souvent à travers des reproductions. Au risque de verser dans l'hérésie, on pourrait faire l'éloge de la reproduction des œuvres, même de piètre qualité, même de la facture la plus commerciale. S'il est certain, comme le faisait remarquer Walter Benjamin (1983), que quelque chose, l'aura comme il l'appelle, se perde entre l'original et sa reproduction, il faut remarquer que c'est grâce à la reproduction que plusieurs découvrent l'art et ses chefs d'œuvre et prennent le goût de voir les originaux. Combien d'artistes, d'historiens de l'art et de critiques ont vu, assez paisiblement pour les étudier, les

---

16. Voir Jean-Yves Fréchette, 1983, p. 38-39. Ici le concepteur a été presque débordé par ses collaborateurs.

œuvres de Picasso, de Renoir, de Goya ou de Rembrandt ? Tous, cependant, ont pu les examiner, les scruter, les analyser et même les admirer dans d'excellentes photos ou diapositives. Si on pense à un des chefs d'œuvres incontestés de l'art occidental, *La Joconde*, il est sûr que l'aura de la Mona Lisa n'est pas le même dans un album, fut-il en quadrichromie de luxe, qu'elle l'était dans l'atelier du peintre. Cependant, on en appréciera davantage les détails, la manière ou la texture dans un album qu'au Louvre où la foule et la vitre protectrice s'interposent entre le regardeur et l'œuvre ; d'ailleurs, avec cette vitre protectrice, même si la foule n'est pas au rendez-vous, la lumière l'est tout le temps, et *la Joconde* renvoie leur sourire à ses admirateurs comme dans un miroir. *La Joconde* c'est moi, se dit donc le regardeur ; voilà comment on démystifie et on popularise les chefs d'œuvre du passé ? ! Est-ce cela la vocation pédagogique des musées souvent soulignée tant par les conservateurs que les sociologues (par exemple, Bourdieu et Darbel, 1969) ?

Poursuivons l'hérésie anti-Benjamin et notons que les moyens de reproduction des œuvres d'art permettent cette appropriation et ce détournement des œuvres. Traitement de texte, photocopie, magnétophone à cassettes, voilà des techniques à la portée d'un nombre croissant de personnes, et qui peuvent aussi bien servir à reproduire des œuvres, à les modifier, qu'à en produire de nouvelles. La possible multiplication des discours génèrera-t-elle une prise de parole généralisée et une libération encore jamais vue de l'imaginaire, ou au contraire une tiédeur semblable à celle de la « soupe originelle des océans » où tout coexiste, tout est possible et tout s'annule ? La place publique se dissolvra-t-elle ou se recomposera-t-elle[17] ?

MOTS DE LA FIN

Si la guerre est trop importante pour être laissée aux généraux, de même l'art n'est-il pas trop important pour être laissé aux artistes ? Parler de l'art comme si c'était la chasse gardée d'un groupe bien particulier, c'est occulter l'expérience esthétique de la majorité de la population.

---

17. L'auteure, décidément, exagère et se cite à nouveau ; elle promet de ne plus recommencer... du moins dans cet article. Depuis la rédaction de la première version de ce texte en 1987, j'ai consacré une année sabbatique à l'analyse des revues et de la place publique qu'elles forment : « Les intellectuels à travers leurs revues », *Recherches sociographiques*, vol. XXXI, n° 2, 1990, p. 169-200 ; et à paraître, *Passages de la modernité*.

Mais sortir du territoire bien balisé de l'histoire de l'art et de l'avant-garde, oblige non seulement à une relecture de cet art, mais à celui de l'art en général. En effet, mis à part l'exclusion politique dont il fait l'objet, le concept d'art populaire ne signifie rien ; on ne parvient à mettre le doigt sur sa spécificité ni en ce qui concerne les œuvres, ni les artistes, ni le public, ni dans l'utilisation de clichés, ni dans le rôle de véhicule de l'idéologie dominante, ni même dans le caractère plus ou moins émancipatoire. Comment se surprendre alors que le débat sur l'art populaire et l'art de masse n'ait pas avancé d'un iota depuis la fin de la Deuxième Guerre mondiale[18] quand on s'inquiétait de l'effet de la télévision sur l'imaginaire ; auparavant ce fut la radio, le cinéma, la bande dessinée... avant encore la littérature de colportage ; il y avait eu aussi la querelle des Anciens et des Modernes...

Je ne suis pas en train de parler de neutralité des genres littéraires ou artistiques. Ellul (1978) a assez fait la critique de la technique qui s'emballe et contient sa propre logique... de façon analogue, on ne peut nier que les différents genres artistiques comportent leur logique propre. Mais en art, on ne peut pas tenir compte que de la production des œuvres : un objet n'est pas en soi œuvre d'art, il le devient grâce à une opération de reconnaissance sociale, de légitimation. Et si, la fabrication d'une œuvre relève tout autant de sa création que de sa circulation, de sa réception, n'est est-il pas de même de sa dimension émancipatoire ?

Le moment est venu de boucler la boucle et de conclure. Si l'art populaire n'est pas un concept opérationnel, si même celui d'art-tout-court renvoie à la société qui accorde ce titre, si aucun objet ne mérite en soi ce titre, si l'art donc est dans l'œil du regardeur, qu'est-ce qui fait qu'une œuvre d'art puisse renouveler la vision du monde, porter l'imaginaire radical ? Ce que j'ai tenté de montrer ici, c'est que c'est au

---

18. À cet égard, il est très édifiant de lire l'ouvrage de Rosenberg et White (1957). On y découvre que depuis « toujours, » semble-t-il, extrême-gauche et extrême-droite ont été opposées à l'art populaire sous toutes ses formes. À droite, on déplore la perte des « vraies valeurs de la civilisation », à gauche, on craint l'effet abrutissant de l'idéologie dominante sur les masses qui n'auront plus le désir de se révolter. N'échapperaient à cet élitisme que quelques « libéraux ». Cette lecture met en lumière la dimension très émotive de ce débat, entre intellectuels, sur l'art populaire, et sa non-cumulativité, son a-historicité dirais-je. Bloom et Finkelkraut n'ont rien inventé, pas plus que ceux qui les pourfendent.

niveau de la réception[19] que cela se joue, et qu'il faut oublier beaucoup de choses que l'on croit savoir sur l'art pour saisir vraiment ce qui s'y passe. La pratique émancipatoire n'est pas tant dans la fabrication de l'œuvre que dans la façon de la regarder et d'en faire autre chose[20]. Lapidairement, et pour paraphraser Sartre[21], je dirais que l'important n'est pas ce que font les artistes, mais ce que nous faisons de ce qu'ils ont fait. En terminant, je laisse la parole à Merleau-Ponty :

> Les animaux peints sur la paroi de Lascaux n'y sont pas comme y est la fente ou la boursouflure du calcaire. Ils ne sont pas davantage *ailleurs*. Un peu en avant, un peu en arrière, soutenus par sa masse dont ils se servent adroitement, ils rayonnent autour d'elle sans jamais rompre leur insaisissable amarre. Je serais bien en peine de dire où est le tableau que je regarde. Car je ne le regarde pas comme on regarde une chose, je ne la fixe pas en son lieu, mon regard erre en lui comme dans les nimbes de l'Être, je vois selon ou avec lui plutôt que je ne le vois. (Maurice Merlau-Ponty, 1961 : 198.)

OÙ L'AUTEURE RÉVÈLE SES SOURCES[22]

AUERBACH, E. (1968), *Mimésis, la représentation de la réalité dans la littérature occidentale*, Paris, Gallimard.

BAILLARGEON, J.-P., sous la dir. (1985), *Statistiques culturelles du Québec, 1971-1982*, Québec, IQRC.

BAKHTINE, M. (1970), *L'œuvre de François Rabelais et la culture populaire au Moyen Âge et sous la renaissance*, Paris, Gallimard.

BARTHES, R. (1980), *La chambre claire*, Paris, Gallimard-Seuil.

BECKER, H.S. (1982), *Art Worlds*, Berkeley et Los Angeles, University of California Press.

---

19. Mais pas de l'analyse de la « fortune critique » au sens où l'étudient les historiens de l'art quand ils font l'analyse des critiques – journalistiques en particulier – d'une œuvre. Je pense ici à la réception au sens de regard, appréciation et appropriation subséquente, bref ce que pense le public et non la critique.

20. Au moment où j'écrivais une première version de ce texte, le Musée du Québec présentait une exposition des collages de Jacques Prévert. Je ne peux m'empêcher d'y voir un détournement d'image... qui fait école. En sortant de cette exposition, plusieurs se sont emparés de ciseaux, colle et magazines.

21. « L'important n'est pas ce qu'on fait de nous mais ce que nous faisons nous-mêmes de ce qu'on a fait de nous. » (Sartre, 1952, p. 63.)

22. Je tiens à remercier Éric Gagnon qui m'a suggéré plusieurs de ces lectures. Évidemment je n'en ai retenu que ce que j'ai bien voulu !

BENJAMIN, W. (1983), « L'œuvre d'art à l'ère de sa reproductibilité technique », dans *Essais 2 : 1935-1940*, Paris, Denoël/Gonthier, p. 87-126.

BLOCH, E. (1976), *Le principe espérance,* tome 1, NRF, Paris, Gallimard.

BOURDIEU, P. (1979), *La distinction*, Paris, Minuit.

BOURDIEU, P. et A. DARBEL (1969), *L'amour de l'art,* Paris, Minuit.

BROCH, H. (1966), « Quelques remarques à propos de l'art tape-à-l'œil », dans *Création littéraire et connaissance*, Paris, Gallimard, p. 309-325.

CASTORIADIS, C. (1975), *L'institution imaginaire de la société*, Paris, Seuil.

COUTURE, F., GAUTHIER N. et Y. ROBILLARD (1984), Le marché de l'art et l'artiste au Québec, Québec, ministère des Affaires culturelles.

COUTURE, F. (1981), « Le marché des chromos : une industrie culturelle ? », dans *Intervention*, n° 12, p. 6-8.

CERTEAU, M. de (1980), *L'invention du quotidien*, tome 1 : Arts de faire, coll. « 10-18 », Paris, Union générale d'éditions.

D'EAUBONNE, F. (1977), *Histoire de l'art et lutte des sexes*, Paris, Éditions de la différence.

GROSBOIS, L. de, LAMOTHE R. et L. NANTEL (1978), *Les Patenteux du Québec* (avec une préface de Marcel Rioux), Montréal, Parti Pris.

DOMECQ, J.-P. (1987), « L'art hors de l'art : Colin Chapman, ingénieur », dans *Le Débat*, n° 43, p. 141-150.

DUBOIS, J. (1983), *L'institution de la littérature*, Brussels, Éditions Labor/Fernand Nathan.

DUFRENNE, M. (1974), « L'art de masse existe-t-il ? », dans « L'art de masse n'existe pas », *Revue d'Esthétique*, coll. « 10-18 », Paris, Union générale d'éditions, p. 9-32.

DURAND, G. (1976), *L'art populaire et la culture, problématique d'une sociologie de l'art populaire*, thèse de maîtrise, Département de sociologie, Université Laval, Québec.

DURAND, G. (1992), « Aventure et mésaventures des sculptures environnementales au Québec, 1951-1990 », à paraître dans *Recherches sociographiques*.

EAGLETON, T. (1983), *Literary Theory,* Oxford, Basil Blackwell.

ELLUL, J. (1978), *Le système technicien*, Paris, Calmann-Lévy.

ELLUL, J. (1980), *L'empire du non sens*, Paris, PUF.

FERRO, M. (1977), *Cinéma et histoire*, Paris, Denoël/Gonthier.

FRÉCHETTE, J.-Y. (1983), « Agrotexte, sculpture agricole et textuelle », dans *Intervention*, n° 18, p. 38-39.

GANS, H. J. (1974), *Popular Culture and High Culture, an Analysis and Evaluation of Taste*, New York, Basic Books/Harper Colophon.

GOLDMANN, L. (1964), *Pour une sociologie du roman*, Paris, Gallimard.

HADJINICOLAOU, N. (1973), *Histoire de l'art et lutte des classes*, Paris, Maspéro.

JAMESON, F. (1983-1984), « Réification et utopie dans la culture de masse », dans *Études françaises*, vol. 19, n° 3, p. 121-138.

JAUSS, H.-R. (1978), *Pour une esthétique de la réception*, Paris, Gallimard.

JOUSSE, M. (1969), *L'anthropologie du geste*, Paris, Resma.

LANTERNARI, V. (1962), *Les mouvements religieux des peuples opprimés*, Paris, Maspero.

LAPLANTE, R. (1982), « Sur la notion de culture populaire », dans J.-P. Dupuis, A. Fortin, G. Gagnon, R. Laplante, M. Rioux, *Les pratiques émancipatoires en milieu populaire*, Québec, IQRC, p. 13-44.

LEVI-STRAUSS, C. (1964-1971), *Les mythologiques*, Paris, Plon, 4 tomes.

LIPMAN, J. et R. MARSHALL (1978), *Art About Art*, New York, Dutton and Whitney Museum of American Art.

MATTELART, Armand et Ariel DORFMAN (1976), *Donald l'imposteur, ou l'impérialisme raconté aux enfants*, Paris, Éditions Alain Moreau.

MERLEAU-PONTY, M. (1961), « L'œil et l'esprit », dans *Les temps modernes*, vol. 17, n° 184-185, p. 193-227.

MOLES, A. (1971), *Psychologie du Kitsch, l'art du bonheur*, Paris, Denoël/Gonthier.

NOEL, P. (1980), *Entre l'amour et la haine*, Montréal, De Mortagne.

POMIAN, K. (1987), *Collectionneurs, amateurs et curieux. Paris, Venise : XVe - XVIIIe siècle*, Paris, Gallimard.

PORTER, J., sous la dir. (1984), *Questions d'art populaire*, Cahiers du CELAT, n° 2, Québec, Université Laval, n° 2.

PROPP, A. (1970), *Morphologie du conte*, Paris, Seuil.

ROSENBERG, B. et David MANNING WHITE (1957), *Mass Culture, The Popular Arts in America*, Glencoe, Free Pres (Illinois).

ROSENBERG, H. (1962), *La tradition du nouveau*, Paris, Minuit.

SARTRE, J.-P. (1952), *Saint Genet, comédien et martyr*, Paris, Gallimard.

SARTRE, J.-P., *Qu'est-ce que la littérature ?*, Paris, Gallimard.

SCHMITZ, N. (1984), « Art primitif ou art populaire », sous la dir. de John Porter, *Questions d'art populaire*, Cahiers du CELAT, n° 2, Québec, Université Laval, p. 23-46.

SCHWIMMER, E. (1986), « Présentation », dans *Anthropologie et sociétés*, Correspondances. La construction politique de l'objet esthéthique, vol. 10, n° 3, p. 1-10.

Art/société. 1975-1980, *Intervention et Le Musée du Québec*, Québec, 1981.

« L'analyse structurale du récit », *Communications*, n° 8, Paris, Seuil, 1966.

« L'art de masse n'existe pas », *Revue d'esthétique*, coll. « 10-18 », Paris, Union générale d'éditions, 1974.

Marcel Rioux, situationologue ou de l'incommensurabilité des manières d'être

Gilles Paquet
Faculté d'administration
Université d'Ottawa

> *Lorsque tu rencontres des Algonquins, des Acadiens*
> *ou des Iroquois, ça t'inspire un respect pour les gens*
> *et leurs manières d'être.*
>
> *Marcel Rioux*

INTRODUCTION

Marcel Rioux est un anthropologue culturel. C'est un métier qui condamne à un certain relativisme. On n'ausculte pas impunément les identités culturelles qui rendent « les ethnies... multiples et incomparables » (Finkielkraut, 1987) : cela immunise contre les impérialismes qui voudraient aplatir ou ordonner les différentes formes culturelles.

Au long de 11 terrains, Rioux va, dès le début de sa carrière, s'imbiber de sympathie pour les différentes cultures qu'il observe au Canada (Rioux, 1954). Dès les années 50, il braque son regard d'anthropologue sur le Canada français en tant que tout culturel : il en sort une analyse critique des forces qui empêchent la culture du Canada français d'être la source de cette « effervescence créatrice » dont parlait Durkheim (Rioux, 1955). Ces analyses débusquent contradictions et éléments de désintégration : Rioux naturellement cherche des voies de sortie de crise. Pas question pour lui de « faire progresser » une culture en remplaçant les comportements traditionnels par des comportements supposément plus « rationnels » ; ce qu'il faut, c'est libérer les forces vives de la collectivité, « faire progresser la culture » à partir d'elle-même.

Après une première étape où il dénonce surtout les idéologies et autres blocages internes qui empêchent cette « effervescence créatrice », Rioux, dans les années 60, propose un diagnostic enrichi : la paralysie du Québec n'est pas seulement attribuable à la fausse conscience, elle vient également d'une concordance boiteuse entre le culturel et le politico-social. Rioux va promouvoir la construction d'une culture nouvelle et ouverte et supporter le projet d'émancipation nationale du Québec comme stratégie pour y arriver. Il ne dit nulle part clairement comment cette émancipation pourra s'accomplir, ni sur quelle culture nouvelle elle débouche. Dans les années 70, cependant, en combinant ses options indépendantiste et auto-gestionnaire, Rioux est amené à préciser les voies de ce qu'il nomme le *dépassement* (Duchastel, 1981).

Rioux est éclectique. Il n'est pas paralysé par les carcans disciplinaires. De plus, son outillage mental dérive au cours des années : il utilise les outils d'analyse de l'anthropologie culturelle américaine et française, du marxisme, puis de la sociologie critique de l'École de Francfort. Chaque étape combine des éléments nouveaux aux perspectives antérieures. Mais tout au long de ses travaux, Rioux n'abandonne jamais l'ambition de « faire progresser la culture » et, pour y arriver, sa stratégie est « tout autant de chercher ce qui se crée dans la société, ce qui essaie de naître et de s'instituer que ce qui doit être critiqué » (Rioux, 1978 : 150). Donc, même dans sa période de sociologie critique, au courant *froid* décapant s'ajoute toujours, pour Rioux, un courant *chaud* qui prospecte « les pratiques de dépassement » et débouche sur une « théorie des possibles » (Bloch, 1976 ; Rioux, 1978 : 173).

Dans l'exploration de ces possibles, l'autogestion n'est qu'un autre nom pour un « vaste processus d'expérimentations [...] de formes nouvelles de la vie » assis sur l'intuition fondamentale selon laquelle « la liberté n'existe complètement que comme possibilité de créer, d'innover » (Rosanvallon, 1976 : 84).

Rioux est elliptique, dans ses écrits, sur la nature exacte des possibles désirables. L'autonomie et l'indépendance sont pour lui des fondements nécessaires dans la société civile pour que le dépassement puisse s'accomplir. Cependant il ne propose pas un programme d'actions précises ou le devis des institutions de rechange dont il faudrait se doter pour que surgisse et s'acccomplisse le projet de société que Rioux promeut. On a même l'impression, par moment, que l'idée d'un programme lui paraît inconciliable avec son projet (Rioux, 1987). La pensée de Rioux, c'est d'abord une démarche : si on veut la prendre pour guide, on doit l'imiter moins dans ses produits que dans sa démarche.

La prochaine section campe la stratégie fondamentalement holiste et « maussienne » que Marcel Rioux a gardé comme sextant tout au long de son œuvre, par opposition à ce qu'il nomme « la perversion économiste », une vision du monde qu'il pourfend depuis les années 50. Nous suggérerons que la stratégie de Rioux a saveur culturaliste, et que si Rioux reconnaît les dangers du culturalisme, il n'a pas échappé toujours à ses pièges et n'a pas non plus résolu de manière satisfaisante les difficultés posées par l'interface entre les cultures.

La section suivante cerne d'un peu plus près le cap que Rioux veut définir quand il parle de dépassement. Ce pari sur la création, qui le hante depuis plus de 20 ans, nous montrera qu'il réclame une certaine élaboration et qu'il débouche sur une philosophie du design et une anthropologie culturelle à saveur entrepreneuriale. Ce sera l'occasion pour nous de spéculer sur le rôle central que Rioux assigne au désir et à l'imagination dans ce dépassement, et sur le genre d'outillage mental supplémentaire dont semble avoir besoin son approche si elle doit servir dans la construction de nos sociétés.

IDENTITÉ CULTURELLE

Les anthropologues ont la fringale de la totalité. Ils ne nient pas l'existence de l'individu calculateur à la poursuite de ses intérêts mais ils ne croient pas que réduire l'univers humain à des conflits-concours de monades rationnelles permette de comprendre la trame de nos sociétés. À côté de la *rationalité* (associée habituellement à l'idée de raison instrumentale), ils ont construit la notion plus ample de *socialité* (Schick, 1984) ou de « raison culturelle » (Sahlins, 1976) pour bien démarquer que les constructions que la raison culturelle échafaude débordent les impératifs étroits de l'*homo œconomicus* et de sa raison instrumentale. Elles correspondent à un réseau touffu de valeurs, d'interactions, elles sont justiciables d'une logique de choix collectifs, et les priorités qui en émergent découlent d'un ensemble de traits culturels manifestes.

POUR UNE PERSPECTIVE HOLISTE

Dans l'étude du socio-historique, Rioux part de la société concrète en tant que fait social irréductible. Il s'attache aux totalités, aux « faits sociaux totaux » et propose que l'individu – même le plus libre – est le produit de son environnement culturel. Une stratégie qui part de la culture lui paraît heuristiquement plus prometteuse : les « raisons » des individus sont mieux comprises quand on les étudie en tant que formées par les « raisons » culturelles que vice versa : il part du tout pour éclairer la spécificité des parties (Rioux, 1984 : 51).

Cette approche amène Rioux à identifier et à distinguer des totalités culturelles, c'est-à-dire des ensembles de structures mentales et affectives qui ont leurs propres lois de transformation, d'auto-régulation (Rioux, 1984 : 54). Distinguer les totalités culturelles, c'est les différencier les unes des autres. Cet accent sur les différences a une saveur « maussienne » : Rioux précise les caractéristiques de complexes spécifiques de traits et de structures mentales et affectives, qui définissent des sociétés données et les rendent non superposables à d'autres (Dumont, 1983 : Int.). Mais cette perspective reste ouverte. Rioux ne cherche pas à définir des types idéaux de totalités qui resteraient plus ou moins figées : il est évolutionnaire ; pour lui, les cultures évoluent *et* on peut les faire évoluer. Le moteur de cette évolution, c'est l'imaginaire social qui tient la barre de la *praxis*. L'imagination et l'exploration, en enrichissant le bloc des possibles, vont déclencher changements de valeurs et progrès de la culture.

CONTRE LA PERVERSION ÉCONOCRATE

Rioux passe beaucoup de temps à critiquer ce qu'il nomme « la perversion économiste » : les grilles d'analyse qui, partant d'un *individualisme radical*, construisent sur des motivations exclusivement « utilitaristes ». Cette approche gomme une bonne partie de la réalité, affirme Rioux, en réduisant les humains à des créatures de besoins entretenant entre elles des rapports sans substance (Rioux 1978, 1984, 1985).

En fait, c'est moins une mise en garde contre la perspective économiste que Rioux propose qu'une attaque contre les prétentions des éconocrates : ceux qui, à partir de l'autonomisation du savoir économique, prétendent donner à ce savoir autonomisé une sorte d'hégémonie ou d'impérialisme sur tout le reste de la réalité socio-historique. Rationalité instrumentale et principes d'économistique prennent alors une importance telle pour les éconocrates qu'on en vient à y subordonner tout le reste. C'est contre ce réductionnisme que Rioux s'inscrit.

Mais même le lecteur sympathique au malaise de Rioux – celui qui a été touché par les critiques de Karl Polanyi (1944-1983) – n'est pas toujours convaincu par son argumentation. C'est que la véhémence et l'impatience prennent souvent le pas sur la mécanique de l'argument : il ne suffit pas d'insulter l'*homo œconomicus* pour l'exorciser, et la répétition de propos injurieux n'ajoute pas nécessairement à la robustesse de l'argument (Rioux, 1984, p. 30-31, p. 91-92).

En fait, la plupart des économistes ne travaillent pas avec les zombies que postulent les éconocrates (Hogarth, Reder, 1987) et reconnaissent que les postulats sur lesquels sont construits les visions économistiques sont précaires parce qu'elles sont ancrées dans la seule *Zweckrationalitat* (sorte de rationalité formelle et instrumentale). Il existe d'ailleurs des modèles économiques de rechange, plus riches et plus généreux, qui renvoient à une sorte de *Wertrationalitat* (rationalité substantielle ancrée dans les valeurs) (Weber, 1968 ; Ramos, 1981).

Rioux montre la précarité des approches fondées sur la *Zweckrationalitat* mais ne précise pas le contenu de la « raison culturelle » de rechange : il est tenté par la vision plus ample de l'économiste Jacques Attali (1975) mais il ne l'utilise que sélectivement. À aucun moment, il ne s'astreint lui-même à construire précisément un paradigme de rechange. On a l'impression que le combat contre l'ange éconocrate en arrive à l'épuiser à proportion qu'il voit autour de lui, dans le discours public, l'économisme étroit s'installer en maître et le marché devenir l'institution hégémonique.

LES PIÈGES DU CULTURALISME

Le seul fondement que Rioux donne au système de rechange qu'il promeut, c'est un appel à la culture. La culture est englobante, elle couvre tout ce que l'économisme peut révéler et bien d'autres choses aussi. Mais Rioux ne donne jamais la topographie de ce territoire ou même un inventaire de son contenu : la culture est simplement posée comme un tout organique, comme la « voie royale non seulement vers la compréhension du social-historique mais aussi vers la sortie de l'aliénation » et l'émancipation (Rioux, 1984 : 54). La culture est à la fois structure et praxis : ensemble de traits et levier de son propre dépassement. Il s'agit d'une notion de culture inspirée de Piaget (1968) qui ressemble aussi, par moment, à celle que propose Clifford Geertz, c'est-à-dire « *as a set of control mechanisms – plans, recipes, rules, instructions (what computer engineers call 'programs') – for governing behavior* » (Geertz, 1973).

La culture pour Rioux est un tout : elle est faite de « structures mentales et affectives » – représentations et valeurs communes à une communauté qui confèrent identité, mémoire, vision du monde et mécanisme de tamisage face à la réalité (Douglas, 1986). Au moment d'analyser une culture, le pari holiste de Rioux apparaît comme un handicap : la totalité culturelle et sa synergie fondent en effet dans ce discours une dynamique indivise à laquelle on va recourir pour expliquer trop de choses. Ce qu'il nomme « forme culturelle » devient une sorte de *deus ex machina* dont on ne peut pas dire clairement ce qu'elle recouvre, ni comment elle est source et cause de changement. Et pourtant, comme la forme culturelle est praxis pour Rioux, il est fondamental de bien comprendre comment elle va engendrer création et dépassement, puisque c'est là le grand levier de construction des sociétés.

Absorbé par la complexité et le caractère intégré des cultures qu'il ausculte, Rioux se fait « situationologue ». Il s'agit là d'un néologisme utilisé par Duquesne de la Vinelle pour caractériser celui dont l'habileté particulière consiste à prendre en compte tous les aspects divers d'une situation complexe (Chapel, 1981). Mais Rioux devient presque englué par cette complexité : il ne précise pas suffisamment les rapports dialectiques entre culture et individu, entre raison instrumentale et raison culturelle. Il est piégé par un certain culturalisme et est amené à déclarer tout simplement qu'il y a subordination de l'activité instrumentale/utilitaire/économique au culturel « qui lui donne sens et signification » : l'économique est englobé par la culture, « l'individu le plus libre reste le produit de son environnement culturel » (Rioux, 1984 : 29, 81).

L'INTERFACE DES CULTURES

Tant que Rioux examine les cultures séparément, on est porté à croire qu'il perçoit chacune d'elles comme ayant presque droit de porter ses différences à l'absolu. Ses argumentations tendent à montrer que les impérialismes et les colonialismes hétéronomes ont empêché le plein développement des cultures locales. Il plaide partout et toujours pour l'autonomie et l'autogestion.

Dans ses travaux, Rioux prend d'autre part trop peu de temps pour examiner l'interface des cultures : c'est le lieu où il faut dé-absolutiser les cultures, montrer les limites de l'une définies par les droits des autres. De là à en arriver à une hiérarchisation des cultures, il n'y a qu'un pas. Rioux semble ne pas vouloir s'engager dans cette voie. Il se contente d'esquisser en passant une logique de cohabitation des cultures en suggérant que le Québec et le Reste-du-Canada pourraient (après s'être donnés des cultures épanouies et des structures socio-techniques adaptées) s'associer pour mieux résister à la menace de l'impérialisme culturel américain (Rioux, Crean, 1980). Mais Rioux ne pousse pas cette dialogique très loin (Nielsen, 1987). Ce qui vaut pour le Québec et le Reste-du-Canada ne semble pas tenir pour les rapports entre les autres cultures.

Une parité des différentes cultures et ethnies dans un territoire donné comme le Québec ou le Canada – rappelons que multicultura-lisme est le nom qu'on donne à cette notion d'identité canadienne (Crombie, 1987) – semble représenter pour Rioux une dilution du pouvoir des deux ethnies/cultures fondatrices auxquelles il semble réserver le droit à la différence. Rioux va presque suggérer qu'on « bricole » une identité canadienne pour intégrer le Reste-du-Canada (car certains affirment qu'elle n'existe pas) et en faire un partenaire avec lequel on puisse proprement cohabiter (Rioux, Crean, 1980).

CULTURE, NATION, ÉTAT

Le manque de soin à distinguer culture, nation et État entraîne des flottements dans la discussion. Rioux ne veut pas un « programme de gouvernement » (Rioux, 1987) qui permettrait à l'État d'imposer son arbitraire ; il n'accepte pas non plus le principe de l'État-nation en général – car voilà qui équivaudrait à accepter que toutes les cultures minoritaires à saveur nationale aspirent au droit de constituer un État et un territoire national ; cependant, par moment, il est tenté par une émancipation nationale par la base, enracinée dans la société civile et dans la culture, mais qui pourrait/devrait utiliser l'État pour s'accomplir. Dans ce contexte, on comprendra le flou de l'expression « identité québécoise » qui est l'écho à la fois d'une communauté culturelle, d'une nation fondatrice, et du monopole étatique d'une certaine force publique (Rioux, 1980).

Les raisons pour lesquelles il faudrait conférer à deux cultures un statut privilégié par rapport aux autres cultures, au Canada, ne sont pas développées. Rioux semble avoir le pressentiment que la multicultura-lisation du territoire canadien et québécois va entraîner, à la limite, la dissolution des discours culturels privilégiés en un individualisme déculturé semblable à celui que prône la vision éconocrate. La dimen-sion culture serait évacuée : le respect de la culture de chacun devien-drait confondu avec le respect des droits individuels et créerait un cosmopolitisme où la culture deviendrait pour chacun un simple carcan d'appartenance dans lequel emprisonner l'autre à volonté pour le garder à bout de bras (Finkielkraut, 1987).

UN PARI SUR LA SOCIÉTÉ CIVILE

Rioux est entraîné par son pari sur la société civile à se tourner « vers l'autonomie et la responsabilité individuelles et collectives » (Rioux, 1987). On s'attendrait donc à ce qu'il prenne ses distances par rapport à tout État fort qui voudrait encadrer et embrigader la créativité des col-lectivités locales – et il le fait souvent ; il devrait aussi considérer le fédéralisme concurrentiel – régime dans lequel plusieurs états se dispu-tent les faveurs des citoyens – comme un système qui « permet à un individu de disposer d'une liberté d'initiative et de manœuvre par rap-port à l'État beaucoup plus grande que si l'État et son pouvoir sont uniques » (Morin, Bertrand, 1979) ; donc on s'attendrait à ce qu'il s'y rallie même s'il s'agissait seulement d'un pis-aller. Or il ne le fait pas. Serait-ce par crainte d'un état fédéral trop fort contrôlé par l'autre cul-ture ou s'agirait-il d'un pari à contre-cœur et *sotto voce* sur l'État-nation québécois comme instrument d'émancipation nationale de la commu-nauté culturelle québécoise (*stricto sensu*) parce que celle-ci est pré-caire et qu'il faut la sauver même au prix d'une réduction de la liberté, de la diversité et de la créativité des membres de toutes les communau-tés culturelles du Québec ?

Dans ce discours, la lutte par les Inuits ou les Anglo-Québécois pour leurs droits linguistiques est interprétée comme irrecevable alors que, dans un même souffle, celle des Québécois francophones est célé-brée par Rioux. Comme bien d'autres intellectuels québécois (Fernand Dumont qui voit dans les droits linguistiques le symbole « du droit à la liberté de l'interprétation de leur devenir » [Dumont, 1987 : 45]), Rioux hésite au moment de généraliser aux autres cultures ce qui lui semble normal pour la culture québécoise. Rioux cherche une troisième voie entre l'affirmation et la pulvérisation des cultures, une solution qui ne passerait pas nécessairement par leur hiérarchisation. Il se pourrait bien que cette voie ne puisse que passer que par toute une gamme d'identités limitées (Paquet, Wallot, 1987) ou d'identités multiples (Kallen, 1982) et qu'elle ne puisse échapper à une certaine hiérarchisation. Rioux n'explore pas cette piste.

HIÉRARCHIE DES CULTURES ?

L'hypothèse de l'incommensurabilité des manières d'être, que semble défendre Rioux, a le mérite d'instituer un pluralisme culturel qui établit des distances entre cultures. Ces distances, et la fragmentation structurelle qui s'ensuit, irritent parfois les sensibilités mais limitent le mimétisme et l'envie. L'homogénéisation des cultures, qui s'enracine dans une priorité à l'égalité des chances pour les individus, tend, d'autre part, à créer l'identitaire et à susciter envie et violence (Dupuy, 1979 ; Clift, 1987). On comprend la promotion de stratégies culturelles qui tendent à valoriser les obstacles entre les hommes « non pour qu'ils communiquent moins, mais pour qu'ils communiquent mieux » (Dupuy, 1979). C'est ce que semble suggérer Rioux dans ses échanges avec Crean. Mais cette approche ne tient pas compte des tendances lourdes de notre époque : effets conjugués du mélange des cultures sur les mêmes territoires et de la démocratisation (c'est-à-dire de la tendance à promouvoir l'égalité des droits comme valeur fondatrice). Au cours de périodes d'inégalités flagrantes dans les faits, ces tendances engendrent un maximum de ressentiment et de violence (Scheler, 1958).

Rioux voit le double danger qui nous guette – devenir fanatique ou zombie pour reprendre les catégories de Finkielkraut – racisme ou vide identitaire. Mais il ne semble pas prêt à dire aussi clairement que Levi-Strauss que la mutuelle hostilité des cultures (et donc à la limite leur hiérarchisation dans un espace donné) c'est « le prix à payer pour que les systèmes de valeurs [...] se conservent et trouvent dans leurs propres fonds les ressources nécessaires à leur renouvellement » (Lévi-Strauss, 1983, cité par Finkielkraut, 1987 : 105).

Cette question de la logique de l'interface a paru d'une grande actualité même aux hommes politiques. Gérald Godin, poète mais aussi ancien ministre québécois chargé des relations avec les « communautés culturelles », a posé clairement la question de la hiérarchie entre les droits culturels des Québécois de vieille souche et ceux des néo-québécois d'adoption. Les problèmes que cette question soulève sont délicats : il s'ensuit qu'une stratégie d'émancipation d'une culture pourrait passer par une stratégie de subordination des autres.

Droits culturels et droits individuels, pluralisme culturel et égalité des chances en arrivent à devenir pour certains antinomiques, alors que pour d'autres ils sont conciliables par des ajustements des deux côtés (Kolm, 1985). Ce sont d'ailleurs des questionnements que l'on vit dans bien des pays du monde à notre époque : l'expérience australienne est à ce chapitre pleine de leçons (Zubrzycki, 1986).

FAIRE PROGRESSER LA CULTURE

Le culturalisme de Rioux n'est pas statique, il accepte la mouvance et les mutations. Il appelle même l'intervention car les cultures peuvent progresser par l'utopie des hommes, et donc par leur action politique. Mais Rioux craint la récupération par les États d'un dépassement culturel qui serait le fruit d'une « politique culturelle ». On est donc renvoyé à une anthropologie culturelle qui cherche à comprendre les mécanismes de changement des cultures, à en déceler les indicateurs de dérive, les tendances lourdes, les agents de transformation et les points névralgiques susceptibles de se prêter le mieux aux interventions efficaces, mais qui se méfie des programmes hétéronomes. Si Rioux ne s'en remet pas à l'État et parie sur les ressources de la société civile. Il ne semble pas, d'autre part, tout à fait réfractaire à l'idée que l'État joue un rôle, un peu à la Joseph Tussman, celui d'un « *leadership that enlightens, teaches, forces us to attend to the necessary agenda* » (Tussman, 1977).

Dans les années 50, Rioux écrivait qu'il fallait « empêcher [la culture] de s'immobiliser ou de se désintégrer » (Rioux, 1955) ; 25 ans plus tard, il parle de mutation culturelle, de révolution culturelle, de culture spécifique qui connote un « projet » de société à bâtir (Rioux, Crean, 1980). C'est une affirmation de plus en plus optimiste de l'idée qu'on peut faire progresser la culture.

MÉCANISMES DE CHANGEMENT CULTUREL

Mais on ne peut faire progresser la culture que si l'on démonte d'abord les mécanismes du changement culturel. Rioux ne s'est pas exprimé clairement là-dessus. De ses divers travaux (en particulier Rioux, Crean, 1980, chap. 3 ; Rioux, 1984), on peut cependant tirer quelques propositions que Rioux ne contesterait probablement pas. Ces propositions serviront de cadre de référence pour analyser la spécificité de sa contribution.

D'abord, comme Donald Schon (1971), Rioux voit la culture comme englobante, mais aussi comme partie intégrante, d'un ensemble technologie/société/culture. Les mots utilisés sont différents mais il est clair que la technologie (la quincaillerie, dira Rioux), la structure de la société, et l'ensemble des structures mentales et affectives qui « théorisent » leurs rapports, constituent un ensemble en interdépendance continue : tout mouvement dans un des pôles se réverbère dans la facture des deux autres.

Ensuite, un peu comme Emmanuel Mesthene (1970), Rioux voit bien la séquence usuelle qui va engendrer l'érosion de l'ensemble des valeurs et de la culture à proportion que la technologie change : des possibilités nouvelles sont introduites par la technologie, ces possibles différents modifient les choix, le comportement, puis, avec le temps, les habitudes et l'habitus au sens de Bourdieu (1972). Il s'ensuit que les valeurs et la culture en sont affectées – « la quincaillerie adoptée, tout le reste suit », dira Rioux dans son style lapidaire (Rioux, Crean, 1980 : 70).

Enfin, un peu comme Edward Tiryakian (1967), Rioux perçoit que l'on peut identifier des clignotants (*lead indicators*) de l'évolution sociétale et de sa dérive, et qu'on peut en tirer une étiologie du processus de changement culturel. Délinquants, dissidents, déviants traduisent des signes de stress, de malaise, mais aussi de changement culturel potentiel (Rioux, 1969 ; Rioux, Crean, 1980).

La démarche de Rioux suggère que progrès il y aura à proportion 1) que l'on saura faire sauter les empêchements que constituent les idéologies et autres formes de fausse conscience *et* 2) que l'on fera bon usage de l'imaginaire pour enrichir l'éventail des possibles.

Les signes de stress vont orienter le travail de déblayage dans la première voie ; dans la seconde voie, le bon usage du désir et de l'imaginaire va pouvoir déséquilibrer l'ensemble technologie/structure/culture, tout autant que les changements techniques peuvent le faire, et enclencher ainsi une dynamique culturelle différente. En fait, pour Rioux l'imagination, puissance spécifiquement humaine, est toute puissance : ses jeux permettent de prospecter le réellement possible, ce qui va bien plus loin que les exercices de prospective (Rioux, 1984).

UN PARI SUR LE DÉSIR

Rioux veut mobiliser l'imaginaire social en tant que radar pour découvrir « une autre façon de vivre ». Il en appelle au désir comme agent de changement : « le social-historique [...] est d'abord un projet de société et [...] à ce titre, c'est un phénomène social total dans la culture, envisagée comme praxis, c'est-à-dire comme dépassement des conditions existantes, qui vise, dans l'imaginaire d'abord à créer d'autres façons de vivre la société » (Rioux, 1978 : 153).

On compte sur la fonction de turbulence de l'imagination à la fois pour désengluer et dynamiser la culture fossilisée (c'est-à-dire pour réaliser le dépassement), *et* pour repérer ce qui est réellement possible au sens de Bloch (c'est-à-dire « ce dont les conditions ne se trouvent pas encore réunies au complet [...] soit qu'elles aient à mûrir, soit surtout que des conditions nouvelles [...] nécessaires à la naissance d'un réel nouveau, viennent à éclore » [Bloch, 1976, cité par Rioux, 1978]).

Dans cet effort pour mobiliser l'imagination créatrice, Rioux va chercher « le lieu le plus riche de possibles » ; par moment, il semble parier simplement sur cette « effervescence créatrice » à la Durkheim qu'il s'agirait de laisser émaner d'une société civile aussi libre que possible ; à d'autres moments, la stratégie d'émancipation semble passer par la construction d'institutions politiques et sociales, des cadres qui engendreraient une propension plus grande à faire usage de l'imagination valorisante et structurante. C'est dans ce contexte que Rioux révèle son penchant pour la nation – « communauté imaginaire construite sur des mythes fraternels » qui répond aux appels les plus intimes et profonds de l'être humain – en tant que cadre le plus stimulant pour l'imaginaire social (Rioux, Crean, 1980 : 11 ; Delannoi, Morin, 1987).

Au centre de cet imaginaire, il y a le désir. Pour Rioux, l'humain est d'abord créature de désir. Mais malgré le caractère central du désir dans sa problématique, on en chercherait en vain une définition claire dans ses travaux. Pour lui, désir s'oppose simplement à besoin. Il ne creuse pas ces deux notions qui ont pourtant des significations précises. « Le besoin est relatif à une tension organique (faim, soif). Normalement, cette tension s'annule par la rencontre ou l'obtention d'un objet spécifique » alors que « finalité sans fin, projet irrécupérable dans un achèvement, tendance sans but assignable, telle est bien la caractéristique du désir : mouvement qui annule ses conquêtes, projet qui s'élance au-delà de ses réalisations ». « Il est clair qu'on ne peut réduire le désir au besoin. Le désir n'est pas ordonné à un objet réel qui existe et existe indépendamment du sujet ; il se réfère au *fantasme* et appartient par conséquent à l'ordre de l'imaginaire. » De plus « le désir est une réalité antinomique [...] sa fin ne pourrait être que sa transformation en non-désir » (De Waelhens, 1976).

Rioux a une notion de désir à saveur spinoziste – le désir est pour lui essence de l'homme, un appétit conscient de lui-même. L'objet du désir est secondaire par rapport au désir même. Cependant, cela ne veut pas dire que le désir est sa propre cause même si souvent « l'homme désirant confond la conséquence qu'il prend pour son désir – en tant que mouvement vers un objet qu'il se représente comme désirable – et la connaissance des causes de ce désir » (Collin, 1985 : 56). Rioux mise sur le désir en tant qu'ouverture aux possibles, en tant que fuite en avant. Mais il n'explique nulle part l'origine de ce désir. Voilà qui donne à penser par moment qu'il postule le désir comme cause de lui-même. Les références assez vagues à des fictions de l'imagination, au rêve, ne sauraient satisfaire. Le désir est au cœur de la dynamique que privilégie Rioux, et le recours à la créativité comme à sa seule source (sans autre explication) prend l'allure d'un recours au miracle et laisse évidemment le lecteur sur sa faim (Feyerabend, 1987).

UNE PENSÉE DU DÉPASSEMENT QUI APPELLE DES SUPPLÉMENTS

Rioux en reste à un plaidoyer pour le dépassement. Il ne nous livre 1) ni une phénoménologie des sources du désir, 2) ni une phénoménologie de l'imaginaire, 3) ni une exploration structurée de l'interface entre l'imaginaire et la raison. C'est là pourtant le lieu de toute sa dynamique de la culture. En fait, il ne précise pas le fonctionnement et les limites de cette raison ouverte qu'il nous incite à pratiquer.

1) Il faut mettre en lumière les fondements du désir ; il ne suffit pas de déclarer sa toute puissance. Certains, par exemple, ont suggéré qu'il se pourrait que le désir sourde de l'imitation. C'est l'idée toute simple qui sert de base à l'anthropologie de René Girard (1972).

Girard propose une problématique du désir basée sur le triangle Sujet/Objet/l'Autre. Il suggère que le Sujet désire l'Objet parce que l'Autre, qu'il imite, le désire lui-même ou le possède. Cette problématique du désir débouche sur l'envie et la violence. Dupuy explique pourquoi « les cultures humaines ont su inventer des ruses en connaissance de cause pour faire face au mimétisme et à la violence ». Dans cette problématique, le désir déborde sur l'autre, et c'est encore à une limite interculturelle qu'il nous renvoie.

Rioux occulte complètement cette face sombre du désir. Pour lui, le pari sur le désir est simple pari ouvert sur la créativité et ne laisse pas de place à l'Autre. Rioux ne semble pas voir que l'idéal égalitaire qu'il prône pourrait être la source d'une mimésis destructrice. « Moins il y a de barrières entre les hommes pour canaliser le désir mimétique, plus ils sont proches, socialement et spirituellement, les uns des autres, et plus la dimension "acquisitive" de la mimésis accomplit des ravages [...] Pourquoi les hommes se choisissent-ils des modèles parmi leurs égaux ? Pourquoi abdiquent-ils leur autonomie en s'asservissant à un être qui ne lui est en rien supérieur ? [...] C'est la question que posait Tocqueville. » (Dupuy, 1979 : 63.)

2) Même défaut du côté de l'imaginaire social – à peine quelques références à Castoriadis (1975). Et pourtant il existe une littérature abondante d'inspiration bachelardienne qui explicite ce qu'il faut entendre par imagination matérielle et qui semble correspondre à ce que cherche Rioux. Lui, qui a lu Bachelard et lui a emprunté l'épigraphe de son dernier livre, ne développe nulle part cette dimension centrale de sa problématique (Bachelard, 1942, 1956 ; Marjolin, 1974 ; Ricœur 1976).

Bachelard partage ce « romantisme de l'intelligence » de Rioux. Lui aussi est tenté de nier toute limite à l'imagination créatrice. Mais Bachelard cherche tout au long de ses livres à développer une phénoménologie de cet imaginaire. Pour lui, l'imagination trouve sa source dans les éléments (eau, air, feu, terre), « donne vie à la cause matérielle » et devient « imagination structurante et valorisante », c'est-à-dire une sorte d'architecture sociale utopienne qui rend à la raison humaine sa fonction de turbulence et d'agressivité. La raison ouverte débouche donc sur un « rationalisme progressif », sur une raison expérimentale qui ré-organise surrationnellement le réel (Bachelard, 1972) et non pas sur une vague « raison culturelle ».

Les efforts de Bachelard pour mobiliser l'imagination au service de la raison ne vont pas le mener à des couplages simplistes. Il aboutit à une sorte de « dualisme sans excommunication mutuelle du réel et de l'imaginaire » (Bachelard, 1970). Rioux va dans la même direction mais il ne va pas assez loin. Il faudrait démonter l'imaginaire québécois. Faute de le bien comprendre, on ne peut pas très bien en effet en faire un bon usage (Rioux, 1984b). Or ce travail demeure au stade du débroussaillage.

3) Bachelard parle de l'entendement et de l'imagination comme deux modes parallèles de réflexion : en *animus* et en *anima* (Bachelard, 1960). On pourrait associer ces deux modes de pensée aux deux hémisphères du cerveau : l'hémisphère gauche, lieu de l'ordre, du raisonnement logique, de l'analytique ; l'hémisphère droit, lieu de l'intuition, de

l'implicite, de l'expérimental. « L'homme des vingt-quatre heures » de Bachelard n'est pas seulement celui de l'hémisphère gauche, il fait bon usage aussi de l'hémisphère droit. Nystrom a montré, dans son enquête sur la créativité, qu'elle a sa source dans une grande ouverture d'esprit et puis dans une capacité à réduire progressivement les marges de manœuvre de la pensée imaginative de façon à transformer ce qui a été au départ un vaste travail d'exploration utilisant l'hémisphère droit en un problème résolvable par l'hémisphère gauche. Nystrom identifie quatre stades dans le processus de création : préparation, incubation, illumination, vérification. Les deux premiers font appel à l'hémisphère droit, le troisième à l'habilité à passer d'un mode de pensée intuitive à un mode de pensée analytique. Le quatrième stade fait appel plus proprement à l'intelligence critique et analytique (Nystrom, 1979 : chap. 4 ; Paquet, 1985).

LA TRANSDUCTION

Ces quelques pistes soulignent ce qui semble manquer dans les analyses de Rioux pour qu'on soit capable de faire bon usage de sa problématique :

- des précisions sur tout ce soubassement que constitue le désir, l'imaginaire social et leurs dynamiques ;
- une façon de dépasser ce dualisme un peu manichéen qui, chez Rioux, départage trop mécaniquement *animus* et *anima* et qui se contente trop facilement d'un acte de foi dans l'imaginaire ;
- un effort de structuration de la « méthodologie » éclectique de Rioux (pour éclairer les liens entre le travail en *animus* et en *anima*) car elle est stylisable et doit l'être pour ouvrir des chemins nouveaux à l'architecture sociale dans l'ère post-positiviste (Perlmutter, 1965).

On aurait tort de croire que la démarche de Rioux n'est pas stylisable et maîtrisable. Cette attention continue à la situation, le va-et-vient incessant entre théorie et situation, tout cela a un nom, suggéré par Henri Lefebvre en 1961, la transduction, une opération qui « élabore et construit un objet théorique, un objet possible et cela à partir d'informations portant sur la réalité ainsi que d'une problématique posée par cette réalité. La transduction suppose un feed-back incessant entre le cadre conceptuel utilisé et les observations empiriques [...] introduit la rigueur dans l'invention et la connaissance dans l'utopie » (Lefebvre, 1961,

1968). Transduction et *utopie* expérimentale (l'exploration du possible humain, avec l'aide de l'image et de l'imaginaire, accompagnée d'une incessante critique et d'une incessante référence à la problématique donnée dans le « réel ») constituent un outillage mental qui « déborde l'usage habituel de l'hypothèse dans les sciences sociales » (Lefebvre, 1961) mais qui a des possibilités inouïes pour le travail en sciences humaines (Paquet, 1971). Rioux utilise constamment, et avec beaucoup d'habileté, cet outillage, même s'il ne l'étiquette pas comme tel.

UNE PHILOSOPHIE DU DESIGN

Cette démarche ressemble à celle du *designer* (Cloutier, Paquet, 1988) : il ne s'agit pas de réaliser un idéal mais de reconnaître le terrain des opérations et d'éliminer ce qui ne concorde pas (*elimination of misfits*) (Alexander, 1971). Pour ce faire, le designer fait appel à son jugement, lequel repose sur des critères qui ne sont pas pleinement descriptibles à cause de la dépendance du jugement par rapport au contexte.

Vickers appelle normes cet ensemble de critères, de dispositions à discriminer pour éliminer ce qui cadre mal, et suggère que cette fonction de crible émane de l'hémisphère droit du cerveau (Vickers, 1965). Les standards inexplicités qui guident ces processus intuitifs constituent une sorte de système d'appréciation qui ressemble à celui que s'est construit le médecin – une capacité, bâtie au contact des malades, à reconnaître négativement la maladie. Ce rapport entre le chercheur et la réalité n'est pas sans rappeler celui qui existe entre le designer et son produit, ou entre le sculpteur et son bloc de pierre (Mintzberg, 1987) : « une espèce d'harmonie entre deux intangibilités : une forme que nous n'avons pas encore conçue et un contexte que nous ne pouvons décrire correctement » (Alexander, 1971).

Pour Rioux, le processus de rétroaction entre les normes tacites ou explicites suggérées par l'imaginaire et le contexte situationnel vont l'amener à chercher une mise en forme d'arrangements nouveaux, une adaptation heureuse (*goodness of fit*). Le chercheur procède comme le *surfer* qui utilise la vague qui le porte : son système d'appréciation est toujours en construction, en changement. L'adaptation heureuse se fait donc selon la même méthode que celle utilisée pour apprendre à nager ou à monter à bicyclette : on apprend chemin faisant par la correction des erreurs plutôt que par l'application mécanique de « règles enseignables ». Voilà qui s'impose parce que l'approche par les règles est insatisfaisante dans un monde où les problèmes sont toujours ou bien entièrement nouveaux ou bien des variantes nouvelles de problèmes anciens (Alexander, 1971).

Rioux pratique cette méthode dans ses travaux appliqués, une méthode difficile à décrire, mais pourtant loin d'être mystérieuse. En fait, c'est l'approche qu'utilisent les *managers* dans la définition de leurs stratégies : ils permettent à la stratégie d'émerger plutôt que de la dessiner à partir d'objectifs pré-déterminés. Rioux parie sur l'imaginaire et utilise toutes les aspérités offertes par les circonstances pour préciser ou laisser émerger les possibles. Il ne s'agit donc pas, comme un lecteur trop pressé pourrait le penser, de laisser l'imagination divaguer : plutôt, comme dans l'utopie expérimentale, on laisse l'imaginaire guider une démarche qui est ensuite récupérée par l'analyse. Cependant, le fait que Rioux n'ait pas tenté de styliser cette démarche en a rendu l'usage moins facile. Ce qui fait que l'on connaît beaucoup d'élèves de Rioux mais peu de disciples – et c'est regrettable car sa démarche aventureuse a valeur exemplaire.

UNE ANTHROPOLOGIE À SAVEUR ENTREPRENEURIALE

L'anthropologue Rioux ressemble beaucoup à un entrepreneur en changement social, tout au moins à l'image que nous en avons esquissée ailleurs (Paquet, 1986), tant dans 1) sa démarche et dans 2) ses objectifs que dans 3) l'effervescence créatrice dont il est l'agent.

1) Rioux, comme l'entrepreneur, se sert de l'imaginaire comme méthode d'exploration et de prospection. Dans l'un et l'autre cas, l'imaginaire contribue tout autant que le réel à conformer le langage de définition de problèmes – un langage qui permet à l'anthropologue, comme à l'entrepreneur, de formuler ses questions, qui guide ses interprétations, qui débusque les possibles. Ce cadrage – et les recadrages que constituent les redéfinitions d'approches et d'outillages mentaux – dépend pour une bonne part du niveau d'aspiration du chercheur, domaine du désir, lequel est à son tour défini par des groupes de référence : on veut faire aussi bien que le groupe X ou monsieur Y (Ronen, 1986). Toute une série de forces démographiques, géo-techniques, éthiques, politiques etc., vont aussi avoir un impact sur la formation de ce langage-cadre – un langage qui va dépendre du contexte social et des intérêts en présence (Habermas, 1973). Mais on aurait tort

de croire que cette exploration des possibles ne va impliquer que des supputations raisonnées.

Il y a dans cet acte « entrepreneurial » d'exploration la mobilisation de ressources émotionnelles et d'une forme affective qui, par une « utilisation positive de l'imaginaire », permet de faire bon usage de l'hémisphère droit du cerveau dans la prospection des opportunités (Servan-Schreiber, 1986). La nature de l'environnement auquel l'anthropologue/entrepreneur fait face contraint évidemment la définition des possibles et de l'éthos : ces contraintes sont définies par les stocks de ressources, les règles du jeu différentes, etc., mais l'anthropologue/ entrepreneur doit s'adapter à cet état de fait et par un acte qui mêle l'audace, l'imagination et le courage, prospecter les possibles et parier sur certaines « opportunités ». Dans cette prospection, il entre tout autant d'affect que d'intellect. On est loin ici de l'analyse positive.

2) Rioux n'est jamais un observateur des mezzanines, sa stratégie est déclarée : son exploration des possibles ambitionne de déboucher sur des *pratiques émancipatoires*. C'est donc à une entreprise de changement social, à une réflexion de praticien en changement social qu'on est renvoyé. La démarche de Rioux est l'inverse de celle suggérée par la pratique conventionnelle des sciences humaines (c'est-à-dire celle qui correspond à une vision positiviste de la science) ; il s'agit, ainsi qu'on l'a expliqué plus haut, d'une réflexion qui part non pas de présupposés théoriques (pour en déduire des propositions à vérifier), mais de la situation, d'une démarche que Schon nomme « *reflective conversation with the situation* ». Le professionnel travaille de cette manière (Schon, 1983).

3) Entrepreneuriale, cette anthropologie l'est aussi par la nature même de l'effervescence créatrice dont elle ambitionne d'être l'agent. L'entrepreneurship est une sorte de promptitude, vivacité, capacité à explorer et à exploiter les possibles. Il correspond donc à un esprit, tout autant qu'à une volonté et à un procès, mais les pratiques imaginatives qui le constituent nécessitent un relâchement des normes de la raison instrumentale. Tout comme dans le cas de l'entrepreneur, pour pouvoir expérimenter, l'anthropologue qui veut faire progresser la culture doit trouver moyen de suspendre temporairement l'opération de la raison raisonnante de l'hémisphère gauche, et parier sur sa propre capacité à canaliser ultérieurement l'effervescence créatrice qui coule de ce jeu (Paquet, 1985).

C'est par le truchement du jeu (sorte de Mardi Gras pour la raison [March, 1976]) et par le bon usage de certaines « dysfonctions » de l'utopie expérimentale (logique du tout ou rien, fuite dans le rêve [Ricœur, 1976]) que s'effectuera cet entreprenariat (et par extension cette anthropologie). On a parlé de rien de moins que de *technology of foolishness* et de *playfulness* (March, 1976) comme support nécessaire à ce procès.

Ce parallèle entre l'entreprenariat et l'anthropologie à saveur émancipatoire, comme d'ailleurs le parallèle entre le travail du manager et du designer et celui de l'anthropologue Rioux, pourra surprendre. Notre propos pourra même en offusquer quelques-uns. Pourtant, nous nous sommes contenté de noter que Marcel Rioux a utilisé une démarche subtile qui a des parallèles dans d'autres régions du savoir, et qu'il y a entre ces démarches, à première vue disparates, non pas des analogies superficielles, mais des parentés profondes, importantes et significatives. Roger Caillois, qui a fait carrière d'étudier ces correspondances souterraines, ces « phénomènes qui enjambent les cadres traditionnels des diverses sciences », en faisait le domaine de ce qu'il nommait les « sciences diagonales » (Caillois, 1960). C'est dans cette perspective des « sciences diagonales » qu'il faut lire nos propos.

CONCLUSION

Jules Duchastel a présenté Marcel Rioux comme un militant culturel. Voilà qui le campe bien et qui explique une démarche qui peut sembler par moment moins rigoureuse parce que c'est une démarche de créateur.

À l'occasion de la Commission d'enquête sur l'enseignement des arts, des activités du Tribunal de la culture, puis de ses travaux sur la fête et le développement de la culture populaire, Rioux a étudié en profondeur le mode de connaissance que pratiquent les arts. Il va en être marqué. Dans l'après de ces expériences, il va travailler de plus en plus en *anima*, ou tout au moins son travail sera à dominante *anima*. C'est dans la revue *Possibles* qu'on voit le mieux ce travail avec dominante en *anima* qui caractérise tout un pan de la production de Marcel Rioux. Cette production, libérée des contraintes imposées par le carcan des revues scientifiques usuelles, permet au militant de chercher à tâtons les voies du dépassement, les possibles, les chemins de traverse. C'est du Rioux à son meilleur : créant à partir des problèmes, des expériences vécues.

Indiscipliné dans le sens le meilleur du terme, c'est-à-dire, non asservi aux disciplines, optimiste, passionné et entreprenant, Rioux va avoir une carrière académique en zigzag. Il a produit une œuvre bariolée et plurielle faite d'une multitude de propos d'étape. Chemin faisant, il a développé et affiné une démarche intellectuelle très moderne qui renouvelle les habitudes de pensée en sciences humaines. Le fait que la même démarche ait été inventée en parallèle dans divers autres terroirs en montre la généralité et les grandes promesses.

Le verso de cette démarche intellectuelle peu usuelle – et on le lui a reproché – c'est qu'elle ne conduit pas facilement à une systématisation. Il s'agit moins d'une critique que d'un constat. Car il se peut bien que, pour Rioux, un effort de systématisation eût engendré une certaine hypertélie qui l'eût empêché de produire l'œuvre qu'on connaît (Rioux, 1985). Si c'est le cas, il faut lui savoir gré de n'avoir pas été induit en tentation.

BIBLIOGRAPHIE

ALEXANDER, C. (1971), *De la synthèse de la forme, essai*, Paris, Dunod.

ATTALI, J. (1975), *La parole et l'outil*, Paris, Presses Universitaires de France.

BACHELARD, G. (1956), *L'eau et les rêves – Essai sur l'imagination de la matière*, Paris, Librairie José Corti, 1ère éd., 1942.

BACHELARD, G. (1960), *La poétique de la rêverie*, Paris, Presses Universitaires de France.

BACHELARD, G. (1970), *Études*, Paris, Vrin.

BACHELARD, G. (1972), *L'engagement rationaliste*, Paris, Presses Universitaires de France.

BLOCH, E. (1976), *Le principe espérance*, T. I, Paris, Gallimard.

BOURDIEU, P. (1972), *Esquisse d'une théorie de la pratique*, Genève, Librairie Droz.

CAILLOIS, R. (1960), *Méduse et cie*, Paris, Gallimard.

CASTORIADIS, C. (1975), *L'institution imaginaire de la société*, Paris, Le Seuil.

CHAPEL, Y., éd. (1981), *Preparation by Western European Universities for Administrative Public Service*, Paris, Cujas.

CLIFT, D. (1987), *Le pays insoupçonné*, Montréal, Libre Expression.

CLOUTIER, M. et G. PAQUET (1988), « L'éthique dans la formation en administration », *Cahiers de recherche éthique*, n° 12, p. 69-90.

COLLIN, M. (1985), *Désir et raison*, Paris, Hatier.

CROMBIE, D. (1987), *Le multiculturalisme... être Canadien*, Ottawa, Secrétariat d'État du Canada.

DELANNOI, G. et E. MORIN, éds (1987), *Éléments pour une théorie de la nation*, Paris, Communications/Seuil, n° 45.

DE WAELHENS, A. (1976), « Les contradictions du désir », dans *Savoir, faire, espérer, les limites de la raison*, Bruxelles, Publications des Facultés Universitaires Saint-Louis, tome 2, p. 441-456.

DOUGLAS, M. (1986), *How Institutions Think*, Syracuse, Syracuse University Press.

DUCHASTEL, J. (1981), *Marcel Rioux – Entre l'utopie et la raison*, Montréal, Nouvelle Optique.

DUMONT, F. (1987), *Le sort de la culture*, Montréal, L'Hexagone.

DUMONT, L. (1983), *Essais sur l'individualisme*, Paris, Éditions du Seuil.

DUPUY, J.P. (1979), « Le signe et l'envie », dans P. Dumouchel et J.P. Dupuy, *L'enfer des choses*, Paris, Le Seuil, p. 15-134.

FEYERABEND, P. (1987), « Creativity, A Dangerous Myth », *Critical Inquiry*, vol. 13, n° 4, été, p. 700-711.

FINKIELKRAUT, A. (1987), *La défaite de la pensée*, Paris, Gallimard.

GEERTZ, C. (1973), *The Interpretation of Cultures*, New York, Basic Books.

GIRARD, R. (1972), *La violence et le sacré*, Paris, Grasset.

HABERMAS, J. (1973), *La technique et la science comme idéologie*, Paris, Gallimard.

HOGARTH, R.M. et M.W. REDER, éds (1987), *Rational Choice*, Chicago, The University of Chicago Press.

KALLEN, E. (1982), « Multiculturalism, Ideology, Policy and Reality », *Journal of Canadian Studies*, vol. 17, n° 1, p. 51-63.

KOLM, S.C. (1982), *Le contrat social libéral*, Paris, Presses Universitaires de France.

LEFEBVRE, H. (1961), « Utopie expérimentale, pour un nouvel urbanisme », *Revue française de sociologie*, vol. II, n° 3, p. 191-198.

LEFEBVRE, H. (1968), *Le droit à la ville*, Paris, Anthropos.

LEVI-STRAUSS, C. (1983), « Race et culture », dans *Le regard éloigné*, Paris, Plon, p. 21-48.

MARCH, J.G. (1976), « The Technology of Foolishness », dans J.G. March et J.P. Olsen éds, *Ambiguity and Choice in Organizations*, Oslo, Universitetsforlaget, p. 69-81.

MARGOLIN, J.C. (1974), *Bachelard*, Paris, Le Seuil.

MESTHENE, E.G. (1970), *Technological Change*, New York, New American Library.

MINTZBERG, H. (1987), « Crafting Strategy », *Harvard Business Review*, vol. 65, n° 4, juillet-août, p. 66-75.

MORIN, M. et C. BERTRAND (1979), *Le territoire imaginaire de la culture*, Montréal, Hurtubise HMH.

NIELSEN, G.M. (1987), « Reading the Quebec Imaginary, Marcel Rioux and Dialogical Form », *The Canadian Journal of Sociology*, vol. 12, n° 1-2, p. 134-149.

NYSTROM, H. (1979), *Creativity and Innovation*, New York, Wiley.

PAQUET, G. (1971), « Social Science Research as an Evaluative Instrument for Social Policy », dans G.E. Nettler & K.J. Krotki éds, *Social Science and Social Policy*, Edmonton, Human Resources Research Council of Alberta, p. 49-66.

PAQUET, G. (1985), « Entrepreneurship et université, le combat de Carnaval et Carême », *Revue des petites et moyennes organisations*, vol. l, n° 5, p. 4-7.

PAQUET, G. (1986), « Entrepreneurship canadien-français, mythes et réalités », *Transactions of the Royal Society of Canada*, 4ᵉ série, vol. XXIV, p. 151-178.

PAQUET, G. et J.P. WALLOT (1987), « Nouvelle-France/Québec/Canada, A World of Limited Identities », dans N. CANNY & A.PAGDEN éds, *Colonial Identity in the Atlantic World, 1500-1800*, Princeton, Princeton University Press, p. 95-114.

PERLMUTTER, H. (1965), *Toward a Theory and Practice of Social Architecture, The Building of Indispensable Institutions*, Londres, Tavistock Institute.

PIAGET, J. (1968), *Le structuralisme*, Paris, Presses Universitaires de France.

POLANYI, K. (1983), *La Grande Transformation*, Paris, Gallimard (publié en anglais en 1944).

RAMOS, A.G. (1981), *The New Science of Organizations*, Toronto, University of Toronto Press.

RICŒUR, P. (1976), « L'imagination dans le discours et dans l'action », dans *Savoir, faire, espérer, les limites de la raison*, Bruxelles, Publications des Facultés Universitaires Saint-Louis, tome 1, p. 207-228.

RIOUX, M. (1954), *Description de la culture de l'Île Verte*, Ottawa, Musée National du Canada, bulletin n° 133.

RIOUX, M. (1955), « Idéologie et crise de conscience du Canada français », *Cité libre*, vol. 14, décembre, p. 1-29.

RIOUX, M. (1969), *Jeunesse et société contemporaine*, Montréal, Presses de l'Université de Montréal.

RIOUX, M. (1978), *Essai de sociologie critique*, Montréal, Hurtubise.

RIOUX, M. (1980), *Les Québécois*, Paris, Le Seuil.

RIOUX, M. (1984), *Le besoin et le désir*, Montréal, L'Hexagone.

RIOUX, M. (1984b), « Remarques sur les industries de l'âme », *Questions de culture*, n° 7, p. 43-51.

RIOUX, M. (1985), « Marcel Rioux, maquisard de l'économie », entrevue diffusée à l'émission *Le magazine économique* (Radio-Canada – AM), le 17 août 1985.

RIOUX, M. (1987), « Requiem pour un rêve ? », *Cahiers canadiens de sociologie*, vol. 12, n° 1-2, printemps, p. 8-15.

RIOUX, M. et S. CREAN (1980), *Deux pays pour vivre, un plaidoyer*, Montréal, Éditions Saint-Martin.

RONEN, J. (1986), « Individual Entrepreneurship and Corporate Entrepreneurship, A Tentative Synthesis », mimeo, New York University.

ROSANVALLON, P. (1976), *L'âge de l'autogestion*, Paris, Le Seuil.

ROSANVALLON, P. (1979), *Le capitalisme utopique*, Paris, Le Seuil.

SAHLINS, M. (1976), *Culture and Practical Reason*, Chicago, The University of Chicago Press.

SCHELER, M. (1958), *L'homme du ressentiment*, Paris, Gallimard.

SCHICK, F. (1984), *Having Reasons – An Essay on Rationality and Sociality*, Princeton, Princeton University Press.

SCHON, D.A. (1971), *Beyond the Stable State*, New York, Norton.

SCHON, D.A. (1983), *The Reflective Practitioner*, New York, Basic Books.

SERVAN-SCHREIBER, J.J. (1986), *Le retour du courage*, Paris, Fayard.

TIRYAKIAN, E.A. (1967), « A Model of Societal Change and its Lead Indicators », dans S.Z. Klausner éd., *The Study of Total Societies*, New York, Anchor Books, p. 69-97.

TUSSMANN, J. (1977), *Government and the Mind*, New York, Oxford University Press.

VICKERS, G. (1965), *The Art of Judgment*, London, Methuen.

WEBER, M. (1968), *Economy and Society*, vol. 1, New York, Bedminster Press.

ZUBRZYCKI, J. (1986), « Multiculturalism and Beyond, The Australian Experience in Retrospect and Prospect », *New Community*, vol. XIII, n° 2, p. 167-176.

Marcel Rioux, homme d'amitiés

Gérald Godin
Assemblée nationale du Québec

Marcel Rioux est un homme d'amitiés, de quelques certitudes et de persistance. J'écris ces lignes au moment où le Québec vient de perdre l'homme de tous les doutes.

Si je mesure Marcel à l'aune de cet homme, je constate qu'il a toujours eu une confiance absolue dans la capacité des gens, donc du peuple, de créer. De créer tout ce dont il a besoin, ses propres mots, et nul poète ne serait rester indifférent à l'oreille de Marcel pour les mots dont le peuple se dote pour saisir le réel. Créer aussi ses propres outils, ses propres mœurs, ses propres blagues. Et quiconque sait avec quelle attention Marcel écoute quiconque lui propose d'approfondir l'un ou l'autre aspect de la créativité des Québécois voit en lui une sorte d'accoucheur universel qui a le stéthoscope acoustique appliqué en permanence sur le grand corps québécois pour en déceler tous les frémissements, un peu comme les Indiens placent l'oreille sur la voie ferrée pour savoir si le train s'en vient.

Il a observé à l'Isle Verte, dont il fréquente encore la poissonnière Georgette, les inventions en tous genres d'un peuple de pêcheurs au large de la Renardière. C'est dans ces observations que s'enracinent quelques-unes de ses certitudes, nommément qu'un peuple peut tout si on lui en laisse les moyens, sans entrave aucune et qu'ainsi, il inventera, comme tout le monde et comme n'importe qui sur la face de la terre non seulement ce qu'il lui faut, mais ce qui est, anthropologiquement, autant de pierres qui s'ajouteront non seulement à la pyramide québécoise, mais à la pyramide humaine, ce que l'on appelle la civilisation. C'est cette certitude qui fait de lui une exception dans sa génération. Dans chaque maison du Québec, il y a un personnage sombre qui prospère et se développe. Ce personnage, c'est le doute. Il y a longtemps que Marcel lui a dit : « *Don't call us, we'll call you.* »

Horizon et parcours
de la sociologie critique

La sociologie et Marcel Rioux

Fernand Dumont
Université Laval

J'ai une bonne raison d'être court, et qui me permettra de taquiner mon ami Marcel. Dans le livre où il s'est raconté à Jules Duchastel, il déclare ce qui suit :

> Un fils d'ouvrier voit d'abord les choses sous l'angle de l'opposition et de la confrontation. Un fils de paysan a une vision plus ouverte du monde et de la nature. Il dira de son ami Fernand Dumont [écrit l'auteur] qu'il est de tendance apollinienne. Ce dernier, fils d'ouvrier condamné au travail salarié à la Dominion Textile, aurait développé en raison de cette situation un caractère introverti. (Duchastel, 1981 : 18-19.)

Je ne cite pas plus avant. C'en est assez pour me prévenir : un *introverti* ne doit pas parler trop longtemps, sous peine de manquer à ses origines de classe ; ce qui, pour un sociologue, serait impardonnable...

D'ailleurs, je ne vais pas conclure des entretiens qui nous ont proposé un grand nombre d'hypothèses et de thèmes de réflexion. Je n'essaierai pas non plus de les résumer. J'insisterai plutôt sur le territoire qui a été dessiné dans les communications que nous avons entendues au cours de ce colloque. Ce territoire, ce me paraît être, en effet, celui de la sociologie ; et ce n'est pas un hasard s'il est celui que Marcel Rioux a arpenté.

Quel territoire ?

La sociologie est partagée entre deux pôles qui lui donnent à penser : d'une part, l'art, la littérature ce que j'appellerai la poétique sociale ; d'autre part, la politique, l'utopie. Ces deux pôles ne sont contradictoires qu'en apparence ; tous les deux donnent naissance à la sociologie, parce qu'ils la débordent, et qu'ainsi ils en sont l'indispensable inspiration.

Je ne veux pas simplement dire, on m'aura compris, qu'il y a une sociologie de l'art, de la littérature ou de la politique. Il y a des sociologies de tout, ce qui finit par tout banaliser. L'art n'est pas un objet, pas plus que la politique.

Certes, l'art est un produit de société ; mais c'est surtout ce qui met les sociétés en question par sa seule présence. Pour qui voudrait ramener les collectivités à des structures savamment découpées en instances ou en rondelles de saucisson, pour qui se bornerait à y voir simples mécanismes de régulation, l'art est une bien plus radicale opposition que la sociologie elle-même, fût-elle *critique*. L'art nous rappelle que la société est ouverte par en haut, qu'elle convoque à une espèce de transcendance et que cela est de sa nature même. Si elle est aménagée comme une structure, la société est aussi un poème. Celui qui prétend l'interpréter par des théories ou des monographies doit d'abord se mettre à l'écoute de ce qu'en disent les artistes et les écrivains. Marcel nous en a donné l'exemple, non seulement par ses travaux, mais par sa culture.

À l'autre extrême, la politique ne se réduit pas non plus à un ensemble d'objectifs conçus et mis en œuvre par des techniciens. Elle aussi est à sa manière dépassement, anticipation, utopie. Elle ressemble au poème. Ou plutôt elle devrait lui ressembler. Mais il y a piètre politique comme il y a mauvaise littérature. La garde de l'utopie, l'attention aux pratiques sociales qui en découlent, aux mouvements divers qui ouvrent les sociétés à leur avenir : ce n'est pas de la sociologie, mais c'est la promesse que celle-ci ne s'emprisonnera pas dans la servitude des pouvoirs. De cela, Marcel a témoigné, et avec cet humour qui demeure la meilleure façon d'entretenir à la fois l'esprit critique et la vénération des utopies.

L'art et la politique ne sont donc pas les frontières d'un domaine où la sociologie pourrait paisiblement cultiver son jardin. Elles sont le perpétuel recommencement de la sociologie, son incessante remise en mouvement. Elles l'empêchent de s'enliser dans ce positivisme qui est sa constante tentation. La sociologie est une maison de grands vents, où portes et fenêtres ne doivent jamais être fermées.

Ce qui ne l'empêche pas, au contraire, d'avoir ses démarches à elle. À partir de cette double ouverture, à une genèse et à une finalité qui la dépassent, elle poursuit son travail de rigueur. Et qui se traduit dans un double souci. D'abord celui de la monographie, où le chercheur se fait attentif à l'humble existence des hommes. Comment ne pas songer aux belles monographies de Rioux, à leur minutie, et plus encore, à la faculté d'écoute faite d'identification et de distance ? Souci aussi de la théorie, puisqu'il faut mettre provisoirement en forme des explications qui répondent à la double interrogation de la genèse et de la finalité, tout en se gardant de l'ambition de ramener le poème ou la politique à des systèmes. Théories critiques, par conséquent, et qui laissent voir leurs présupposés, leur fragilité, leur subordination à ce qui les provoque de plus loin. Marcel Rioux n'a pratiqué que des théories de cette sorte.

En définitive, nous n'avons pas seulement aujourd'hui rendu hommage à Marcel Rioux. Nous nous sommes souvenus que la sociologie doit se refuser au statut d'une sage discipline, convenablement rangée dans la classification des sciences ou dans le répertoire des départements universitaires. Ce souvenir, il faut le revivifier sans cesse, menacés que nous sommes par l'oubli des intentions de notre discipline, par l'éclatement de la sociologie en de multiples spécialités étanches, qui coïncident souvent avec les besoins des pouvoirs ou des mécanismes de normalisation de la vie en commun. D'avoir fait mémoire de ces intentions, je crois que c'est le résultat le plus certain des entretiens de cette journée. Et c'est aussi la plus pertinente façon de redire notre dette fraternelle à celui qui en témoigne éminemment par son œuvre et par sa présence, notre ami Marcel Rioux.

BIBLIOGRAPHIE

DUCHASTEL, J. (1981), *Marcel Rioux. Entre l'utopie et la raison*, Montréal, Nouvelle Optique.

La société de l'information et l'avenir : l'utopie et après?

Serge Proulx
Université du Québec à Montréal

> *Les utopies manifestent et expriment de façon spécifique une certaine époque, ses hantises et ses révoltes, le champ de ses attentes comme les chemins empruntés par l'imagination sociale et sa manière d'envisager le possible et l'impossible. Dépasser la réalité sociale, ne serait-ce qu'en rêve et pour s'en évader, fait partie de cette réalité et offre sur elle un témoignage révélateur. (Baczko, 1978 : 18.)*

Tout au long de la décennie 80, une catégorie de représentations sociales de l'avenir des sociétés occidentales s'est imposée plus que les autres : il s'agit des perceptions qui décrivent le futur de l'Occident dans les termes d'une *société de l'information*, société qui deviendrait profondément transformée dans ses structures comme dans ses finalités par la dissémination synergétique des techniques de l'informatique, de l'audio-visuel et des télécommunications dans de très nombreux secteurs d'activités sociales et économiques. Cette vision dominante de l'avenir a été soutenue par de nombreux individus et groupes, qu'il s'agisse de promoteurs industriels et commerciaux ou de leaders politiques, de sociologues, d'éducateurs ou d'informaticiens, d'essayistes ou de journalistes, etc. Cette vision de notre avenir s'est imposée au détriment d'autres visions du monde aux potentialités sociales davantage émancipatoires, notamment celle de *l'utopie autogestionnaire* chère à Marcel Rioux. Pourquoi ? À un premier niveau d'analyse, certainement, pourrait-on dire, parce que cette représentation de l'avenir est non seulement le produit idéologique des pouvoirs économiques et politiques en place mais aussi parce qu'elle recouvre des tendances lourdes dans la réorganisation matérielle des communications – internes et trans-frontières – au sein des entreprises transnationales de même qu'au sein des appareils internationaux diplomatiques et militaires. Ainsi, en 1985, on estimait que 50 % de l'ensemble du trafic trans-frontières de données transmises par satellites dans le monde circulait exclusivement dans les circuits de communications internes des entreprises privées transnationales (Jussawalla, 1985). À côté de cette consolidation internationale du pouvoir des élites économiques et politiques, l'on pourrait ajouter que la vision idéologique de la société de l'information encourage la pénétration des nouveaux produits informationnels au sein de bassins toujours plus larges de populations. En effet, plus les individus seront nombreux à adhérer à cet objectif de la société de l'information, plus les entreprises spécialisées produiront, vendront et installeront de ces « nouvelles technologies » dans les divers secteurs, ce qui sera une source importante de nouveaux marchés pour les industriels et commerçants concernés – de même qu'un point d'appui idéologique pour certains gouvernements en panne de projets de société, gouvernements qui se voient ainsi offrir sans trop d'effort, un simulacre de « projet de société », « prêt-à-porter » et tout à fait « communicable » aux citoyens-électeurs.

Mais il me semble qu'il y a plus que ce que nous suggère ce point de vue économiste dans ce phénomène d'adhésion massive à l'idée de « société de l'information ». Il y a que cette idée s'est imposée à nous en tant qu'utopie, ce qui veut dire qu'elle a su, mieux que d'autres, véhiculer une espérance pour un monde meilleur dans le contexte d'une société occidentale abîmée tout au long du présent siècle par moult atrocités et barbaries politiques, et qui se révèle maintenant – en particulier depuis les révolutions d'Europe de l'Est de la fin de la décennie 80 – tout à fait impuissante à véhiculer à nouveau le rêve communiste ou socialiste. Même les tenants de l'utopie communautaire tentèrent de s'approprier le rêve d'une « société de l'information » où les techniques informatiques et télématiques rendraient le pouvoir aux citoyens de la base : « *Computer power to the people* », clamaient les jeunes *hackers* et radicaux des contre-cultures de la côte ouest américaine, associés pendant la décennie 70 à la naissance de la micro-informatique. J'ai analysé ailleurs l'ascension et les désillusions de ce rêve populiste informatique (Proulx, 1987).

Le présent texte a pour origine les discussions d'un petit groupe d'amis se réunissant périodiquement *chez Vito* autour de Marcel Rioux, il y a quelques années. Nous tentions par nos différents points de vue, d'éclairer ce qu'il advenait de la problématique de l'Utopie et du *Principe Espérance* en cette fin de XXe siècle. En puisant alternativement dans deux registres de discours, celui de la sociologie critique et celui du journal sociologique, mon projet est de tenter d'aller au-delà du genre de *critique dystopique* formulée couramment depuis 200 ans, par les intellectuels qui se retrouvent souvent plus ou moins pris au dépourvu devant les diverses vagues du changement technique (Proulx, 1984). Je ne suis pas sûr d'avoir réussi tellement il m'était difficile d'aller au-delà de la première évidence qui nous indique que ces processus d'informatisation de la vie sociale, à l'œuvre maintenant et massivement, recèlent de très fortes tendances à l'accroissement de la centralisation du capital et du pouvoir établi. Mais, en même temps que très conscient de ces tendances dominantes de l'informatisation, je tentais de questionner autrement le phénomène : n'y aurait-il pas en même temps au sein de ces processus, quelques micro-tendances invisibles porteuses d'un autre avenir possible ? L'informatisation peut-elle être source de création et d'émancipation pour les individus et pour les collectivités ? L'idée d'une société de l'information serait-elle davantage qu'un slogan de gouvernements en mal de projets de société ? Cette utopie pourrait-elle être une idée-force transformatrice et pertinente pour penser les alternatives sociales ?

I Montréal, 1956

J'avais 11 ans quand je me suis vu contraint d'expliciter pour la première fois mon image d'un avenir idéal pour la société. C'était à l'école : notre professeur nous avait transmis la consigne d'un concours de composition française ouvert à tous les élèves de la province. Je me sentais habile en composition et j'avais le goût de voir mon texte primé. Je me laissai donc bercer pendant quelques heures par l'idée d'un avenir idyllique : les images étaient définitivement champêtres, tranquilles, remplies du chant des oiseaux et du silence de la mer. Comme si, à 11 ans, je rejetais a priori l'idée d'une marche inéluctable vers le progrès social qui passerait nécessairement par l'urbanisation et par une plus grande pénétration de la science et de la technique dans notre vie de tous les jours.

Nous étions en 1956 et cette croyance optimiste dans le progrès social inéluctable apporté par la science et la technique faisait partie de l'esprit du temps. Mon texte décrivant l'image marginale d'un avenir social qui ne jouait ni le jeu de l'urbanisation ni le jeu du progrès technologique à tout prix, ne fut pas retenu, ce qui me rendit amer. Quand je vis que tous les textes primés décrivaient sans exception l'avenir de nos sociétés comme hyper-technologique et rempli de machines, ma conviction d'un avenir qui pouvait faire l'économie d'une technologisation à outrance fut ébranlée. C'est à ce moment, je crois, que je commençai à me rallier – sans conviction – à l'idée que la technique et la science étaient nécessaires au progrès de la société. Ce ne sera que plus tard, pendant les années 70, que la pensée de Gregory Bateson et le mouvement écologiste viendront ébranler ces convictions qui s'étaient raffermies en moi, notamment à travers mon éducation de sociologue.

LUMIÈRES DE L'UTOPIE

> « L'utopie » : est-ce « eu-topos », la Région du Bonheur et de la
> Perfection, ou « ou-topos », la Région qui n'existe nulle part ? Ou
> plutôt l'utopie ne désigne-t-elle pas les deux choses ensemble – la
> justice et le bonheur réunis ensemble dans un ordre social qui
> n'existe nulle part ? (Baczko, 1978 : 20.)

Dans son acception courante, l'utopie désigne la « vue politique ou sociale (idéale) qui ne tient pas compte de la réalité » (dictionnaire Robert). Dans les débats politiques contemporains, un interlocuteur pourra ainsi disqualifier le discours de son adversaire en le qualifiant d'« utopique » ; il décrira le discours de l'autre comme ne tenant pas suffisamment compte du fait que son projet soit susceptible d'être réalisé, ce qui équivaudra le plus souvent à juger le projet en fonction de sa *faisabilité économique*. Cette définition de l'utopie proche du sens commun, voile, selon nous, une dimension importante du discours utopique qui est son efficacité symbolique pour l'imagination sociale d'alternatives à la réalité existante. Le discours utopique ne disparaît pas totalement par le simple fait qu'on tente – avec un plus ou moins grand succès – de le disqualifier au nom du principe de réalité. Le discours utopique, de par sa seule existence en tant que rêve social, se projette dans l'imagination sociale des collectivités et l'affecte. Comme le montre Baczko, l'approche dominante dans les études du XIXᵉ siècle sur les utopies a été de se poser la question : « Ces utopies sont-elles réalisables ? » Or, même si la plupart des utopies sociales ne s'actualiseront jamais, cela ne veut pas dire qu'elles ne produiront pas un effet de structuration symbolique dans le processus de construction sociale de la réalité. Le simple fait pour une personne, un groupe ou une association, de formuler à un moment donné de son histoire, une image de son propre avenir, est déjà une intervention dans la structuration du présent.

> *On regarde et on juge autrement les maux sociaux existants si l'on se met à imaginer des systèmes sociaux qui pourraient les éliminer. L'ordre actuel ne se présente plus alors comme la réalité ultime, définitive, mais comme la contrepartie d'autres ordres imaginables. Même si l'activité imageante n'est pratiquée que comme un jeu, il en résulte des conséquences pour la manière de vivre le présent et d'attendre les lendemains. (Baczko, 1978 : 19.)*

Le discours utopique du XXe siècle apparaît fortement marqué par l'idéologie technicienne, c'est-à-dire la conviction qu'un modèle de développement qui passe par le progrès technique contient de manière nécessaire et suffisante un modèle satisfaisant de changement de société. À dire vrai, il ne s'agit pas d'une caractéristique spécifique du discours contemporain puisque les sociologues des utopies ont observé que, de manière soutenue depuis le XVIIe siècle, les diverses formulations utopiques ont propagé l'idéologie scientiste et techniciste. Depuis la *Nouvelle Atlantide* de Francis Bacon, publié en 1627 et qui faisait régner les savants et la connaissance scientifique dans la cité idéale, les discours utopiques ont eu tendance à définir le progrès social dans les termes d'une maîtrise efficace de la nature au moyen du développement de la science et de ses applications techniques. Cette idée de conquête de la nature a trouvé progressivement son complément nécessaire dans l'idée de domination et d'assujettissement de certains humains par d'autres (W. Leiss, 1970).

II Washington D.C., 27 mars 1982

Nous sommes 25 chercheurs, hommes et femmes de diverses disciplines réunis sous l'égide de l'American Society for Cybernetics pour une séance de *brainstorming* sur l'avenir du monde. Les idées se succèdent, s'appellent, s'inter-connectent :

Accélération du changement. Épuisement des ressources naturelles. Accroissement exponentiel des micro-ordinateurs. Expansion de la robotique. De l'inattendu du côté de l'innovation technique. Accroissement démographique et déplacement géographique des populations. Famine et crise alimentaire mondiale. L'avenir souhaité n'est pas réalisé. Des villages communiquent par satellites. Les guerres locales se multiplient. Escalade mondiale du terrorisme international en boucles paradoxales du couple subversion/répression. Accroissement des inégalités entre individus riches et pauvres, entre groupes puissants et démunis, entre sociétés développées et sociétés dépendantes. Intensification de la concurrence internationale pour le contrôle des divers marchés de masse industriels et commerciaux de la planète. Multiplication à l'échelle planétaire des moyens techniques de diffusion et de télécommunication.

Émergence de nouveaux mouvements religieux. Établissement de réseaux mondiaux de communications interpersonnelles. Tensions et polarisations politiques : Est/Ouest, Nord/Sud, Islam/Occident. Rôle stratégique des transnationales. Déclin de l'imprimerie. Émergence d'alternatives sociales en matière de santé et d'éducation. Nouveau tribalisme électronique. Nouvelles structures familiales. Nouveaux réseaux télématiques. L'apprentissage devient une source de création. Premières colonies humaines sur la Lune. Transformation de l'idée de démocratie. Émergence de nouvelles épistémologies qui traversent et transforment les paradigmes scientifiques occidentaux. Nouveaux modèles de connaissances produites par la synergie de l'humain et de l'ordinateur. Nouvelles images de la société. Expansion du temps libre et des activités de loisir. Nouvelles formes de travail. Recherche d'alternatives sociales pour mieux utiliser les ressources matérielles et humaines. Beaucoup d'incompréhension entre les groupes d'humains et d'*arrogance humaine* vis-à-vis la nature et les animaux.

À travers nos visions de l'avenir s'expriment nos lectures plurielles de la crise contemporaine généralisée à l'ensemble du corps social que constitue le réseau mondial des populations humaines habitant présentement la planète Terre. Il y a unanimité dans le diagnostic concernant la présente crise civilisationnelle et sa gravité : s'il n'y a pas *abandon de notre arrogance* et transformation profonde de nos manières de penser le développement, nous nous acheminerons à plus ou moins long terme vers une auto-destruction de l'espèce humaine. Or, comment peut-on imaginer ou envisager une telle transformation autrement qu'en *formulant l'utopie*, un pareil changement apparaissant tellement improbable ?

L'ÈRE DES BIENS INFORMATIONNELS

L'une des différences fondamentales entre un bien *informationnel* et un bien *matériel* conventionnel réside dans le fait que celui qui crée ou possède l'information peut la vendre, la donner ou l'échanger à quelqu'un d'autre et la posséder encore (Racine, 1979). Autrement dit : l'information, même une fois « consommée », continue toujours à exister... Cette différence nous force donc à repenser, dans le cadre d'une société de l'information qui adviendrait, les notions respectives de propriété et de valeur économique des biens informationnels. Elle pose de nouveaux problèmes à la théorie des prix dans la mesure où ces derniers ne peuvent plus être déterminés uniquement à partir du critère de la rareté des biens.

Il reste que la rareté du partage d'une même information participe à la constitution de sa valeur économique à un moment donné de sa diffusion : on peut penser en effet que plus une information sera partagée par un grand nombre d'individus, plus elle sera banalisée et moins elle risquera d'avoir une grande valeur économique. Encore que cela ne soit pas toujours nécessairement vrai. Dans une économie de marché comme la nôtre, les biens informationnels ont tendance à être considérés comme des marchandises ordinaires et leurs prix continuent à être fixés selon la logique économique habituelle. Un chercheur américain, James Ogilvy, exprimait en 1982, l'hypothèse (utopique ?) que dans l'économie de la société de l'information, le prix des biens informationnels pourrait être construit à partir d'une comptabilisation de la valeur du travail humain impliqué dans la production de l'information, le coût unitaire des biens informationnels diminuant en fonction du nombre de biens identiques « reproduits ». La valeur unitaire d'un bien informationnel ainsi « reproduit » industriellement deviendrait équivalente à la valeur du travail productif nécessité pour produire chaque unité : ainsi, plus une information serait largement reproduite et distribuée, plus son coût unitaire serait bas. À la limite, cette nouvelle manière de fixer la valeur des biens informationnels pourrait devenir « dysfonctionnelle » dans le système économique actuel dans la mesure où celui-ci nous avait habitué à fixer le prix d'un bien en tenant compte d'une part, de la valeur de la matière première utilisée (en fonction de sa rareté) et d'autre part, de la valeur du travail humain impliqué dans la production (et reproduction) du bien matériel. Ici par contre, l'on a affaire à un système de (re)production industrielle de biens informationnels dont la valeur en termes de matière première est minime (pensons par exemple, aux supports magnétiques) et dont la valeur en termes de travail humain est relativement fixe (dans le cas de la fabrication d'un disque ou d'un film par exemple, les coûts reliés à la création et à la fabrication du produit sont fixes : ce sont les coûts reliés à la distribution qui seront fonction du nombre de consommateurs). Chose certaine, il apparaît déjà nécessaire de ne plus penser qu'un bien informationnel puisse posséder une valeur stable et figée dans un prix donné. La valeur de l'information est liée à une série de facteurs qui peuvent fluctuer, comme par exemple, la capacité pour l'usager d'utiliser rapidement l'information pour intervenir efficacement dans son environnement. D'autres facteurs, comme la distance, risquent d'affecter de moins en moins le coût de l'information.

Plus fondamentalement, dans la mesure où les interactions médiatisées au moyen des techniques d'information et de communication se multiplient et tendent à constituer la trame quotidienne de nos rapports sociaux, on peut penser que l'informatisation pourrait entraîner une transformation profonde de nos formes de sociabilité et de culture. Que l'on pense seulement aux nombreux types de rapports sociaux impliqués dans les transactions sociales de tous ordres qui sont affectées par les nouvelles techniques d'information et de communication : entre employés et employeurs, entre consommateurs et entreprises, entre patients et spécialistes de la santé, entre usagers et personnels des grandes organisations bureaucratiques privées ou étatiques, etc.

La culture devient aujourd'hui universellement médiatisée par les nouvelles machines informationnelles. Ce fait met en cause la structure même de l'organisation perceptuelle de nos expériences. L'informatique force l'usager à effectuer un découpage séquentiel et analytique dans sa manière de penser. Une nouvelle culture de la rationalité et du calcul s'impose (Lévy, 1987), standardisée par la logique binaire et programmatrice, stockée dans les machines informationnelles plutôt que dans les mémoires humaines. La dissémination de cette *culture informatique* contribue à nous faire redéfinir les principes mêmes de l'organisation de nos perceptions et de notre conscience, de notre mode de construction de la réalité, de notre mode de gestion sociale de nos connaissances. Certains critiques prétendent qu'il y aurait risque qu'une telle culture informatique puisse conduire les individus à une certaine déperdition du sens du concret au profit d'un monde « construit » à partir de simulations. En même temps, force est de reconnaître que l'ordinateur ouvre sur un monde inouï de possibilités et de créativité pour l'imagination individuelle et sociale.

III Montréal, 17 novembre 1982

Dans le cadre d'un séminaire à l'université, je demande à un groupe d'étudiants de formuler leurs images de l'avenir de la société sous forme d'utopie puis de dystopie. Je propose de définir l'*utopie* comme le portrait d'une image idéale de la société de demain dans laquelle ils aimeraient se retrouver. La *dystopie* est au contraire le portrait d'une société future qui serait invivable.

L'utopie : dans un contexte écologique de respect de l'environnement et de protection des richesses naturelles, de petites collectivités autonomes utilisent massivement les « technologies douces » pour les fins de l'auto-développement personnel et social. Le chômage a disparu. Le travail s'est transformé : télétravail à la maison, horaires partagés, mobilité permanente des travailleurs et travailleuses dans un contexte de dé-hiérarchisation et dé-professionnalisation des emplois. Politiquement, les États nationaux ont été remplacés par un gouvernement mondial très en contact avec la base à cause d'une structure complexe de participation politique universelle et massive des citoyens aux processus de prise de décision à tous les niveaux, et cela, grâce aux médias interactifs qui facilitent la rétroaction des membres des collectivités à propos des projets politiques les concernant. Nous sommes revenus à une économie de troc et d'échange, les transnationales ont été supprimées. Les médias permettent aussi des transferts interculturels sans domination et l'épanouissement des minorités visibles et invisibles. L'accès libre à toutes les informations disponibles favorise l'auto-apprentissage à travers des interventions originales dans le milieu. Les anciennes structures familiales sont remplacées par des petites communes, par des tribus, par des réseaux d'individus regroupés selon leurs affinités et échangeant grâce à la communication.

La dystopie : l'environnement naturel et humain s'est dégradé tragiquement : un seuil critique a été dépassé entraînant l'épuisement des ressources naturelles, les pollutions industrielles, la surpopulation dans certaines parties du monde. La menace nucléaire est d'autant plus dangereuse et permanente que le nombre des dictatures dotées d'une force de frappe nucléaire s'est accru sensiblement dans le monde (en particulier dans le Tiers Monde). La violence s'est institutionnalisée dans une bureaucratie répressive à l'échelle planétaire : les structures administratives de contrôle se sont multipliées tout en se centralisant via la télématique. Les régimes des différents pays du monde en viennent à se ressembler davantage parce qu'ils adoptent des modèles organisationnels identiques. Cette multiplication des contrôles engendre une entropie organisationnelle : les mécanismes correcteurs que l'on tente d'implanter dans le système pour améliorer son efficacité, ne font que produire de nouveaux problèmes encore pires. Le contrôle de l'économie capitaliste s'est concentré dans les mains de quelques supra-transnationales qui alimentent prioritairement une industrie de guerre permanente. Que ce soit au travail, dans la famille ou à l'école, la domination et l'incompréhension ont envahi les rapports sociaux. Le chômage structurel s'est accru exagérément sans qu'aucune alternative pertinente n'apparaisse. Le travail s'est parcellisé encore davantage et occasionne une intense aliénation pour les individus. Les jeunes se sentent sans avenir dans un contexte de parfait immobilisme politique où « droite » et « gauche » se rejoignent et se ressemblent. Du côté de la culture, l'influence des médias (internationalement contrôlés par des transnationales à capital privé) est prégnante. La culture est essentiellement audio-visuelle et informatique. Le contrôle bureaucratique – mondial et national – a été intériorisé par une majorité silencieuse d'individus se sentant de plus en plus dépourvus de créativité ou d'imagination.

*

Quand nous revenons sur cette expérience de formulation d'images de l'avenir, un premier constat fait vite consensus : nous avons éprouvé une grande difficulté à croire en un avenir qui pourrait nous apparaître « positif et heureux ». L'ère de la post-abondance et le contexte de crise semblent provoquer un rétrécissement de l'imagination sociale : il n'y a plus de « modèles » qui tiennent, pas de projet de société, pas d'avenir. Paradoxalement, le contexte de « survie » semble avoir tué l'imagination. Les rêves des années 60 sont définitivement abandonnés, et même les rêves tout courts...

La logique bureaucratique et les impératifs du règne de la marchandise propres à la société de consommation viennent à bout des capacités de résistance collective au système. L'imagination sociale aplatie des individus réfugiés dans la sphère de la consommation privée, est prise en charge par l'État, les experts et les marchands. La marchandise et la logique de sa circulation ne seraient-elles que le vrai, l'unique pouvoir ? Les générations nouvelles seraient-elles sans avenir du fait que les générations précédentes les priveraient de défis concrets dans le présent ? Ces générations pourraient-elles en venir – presque par dépit – à adhérer massivement à l'utopie de la société de l'information ? Pourraient-elles en arriver à se convaincre que c'est cette utopie qui est réalisable et qui pourrait même s'avérer socialement bénéfique pour elles-mêmes ?

LIMITES DES VISIONS POST-INDUSTRIELLES

Les visions d'avenir en termes de *société de l'information* s'inscrivaient dans la continuité historique d'une série de réappropriations utopiques d'innovations techniques rendant accessibles l'information et la communication à de larges portions des populations des sociétés industrielles depuis l'après-guerre. À la phase d'implantation des médias de masse, on avait associé l'utopie d'un pluralisme culturel lié à l'épanouissement d'une *culture de masse* ; à l'ère de la télédistribution et des satellites de télécommunication, Marshall McLuhan avait parlé de l'avènement d'un « village global » et Z. Brzezinski du passage à l'« ère technétronique » ; plus près de nous, les découvertes de la micro-électronique et la convergence de l'informatique et des télécommunications ouvrirent sur cette vision d'une *société de l'information* qui poserait à la planète un « défi mondial » (Servan-Schreiber, 1980).

En même temps, les potentialités sociales impressionnantes de la mutation technique suscitée par l'électronique et l'informatique ne pouvaient manquer de suggérer la formulation de nouveaux discours utopiques. Avant même que l'on annonce le règne prochain de la *société de l'information*, avant même que la micro-électronique ne marque ses progrès décisifs, certains visionnaires préfiguraient déjà la possibilité d'une nouvelle société : comme avant lui le cybernéticien Norbert Wiener, R. Buckminster Fuller manifestait, par ses inventions et ses écrits, sa foi dans la technique pour assurer la liberté aux individus du « Vaisseau spatial Terre » par un recours à la synergie humains/machines ; le canadien Marshall McLuhan voyait dans l'après-Gutenberg et la « révolution électronique » des moyens de communication, la mise en place d'une infrastructure informationnelle planétaire engendrant la possibilité d'un nouveau tribalisme électronique et polysensoriel dans un « village global ». De leur côté, des sociologues comme A. Etzioni, A. Touraine et D. Bell annonçaient l'avènement d'une nouvelle société de services, post-industrielle, programmée, et dont la structure économique et politique serait fondée d'abord sur la production, la gestion et l'utilisation de l'information en tant que ressource première. En même temps, le développement de la télédistribution et les diverses expérimentations en vidéographie donnaient à certains sociologues américains, l'occasion d'annoncer l'avènement d'une cité, puis d'une nation, enfin d'une « société câblée », traversée par des réseaux d' « autoroutes électroniques » permettant la réciprocité des interactions entre tous et chacun. D'autres parlaient de l'avènement prochain d'une « ère des communications ». Tout cela préparait la voie aux conceptions de la *société de l'information*. En 1980, paraissaient coup sur coup trois livres décrivant la marche inéluctable des sociétés industrialisées vers l'informatisation : l'américain Alvin Toffler parlait de la « troisième vague », le français J.J. Servan-Schreiber du « défi mondial », le japonais Y. Masuda brossait un tableau de la « société de l'information » comme forme possible de la société post-industrielle. Ces livres venaient après la publication en 1978 du rapport des français Nora et Minc sur l'informatisation de la société.

C'est le japonais Y. Masuda qui a tracé les contours de la future société informationnelle dans sa forme utopique la plus pure. Il appelle lui-même *computopia* cette vision de la société post-industrielle émergente, structurée autour des ordinateurs, des télécommunications et de l'information comme ressource première de l'économie et de la culture. L'approche de Masuda consiste à décrire un scénario possible (et souhaitable selon lui) de la transformation de la société industrielle en société informationnelle et communicationnelle. La première révolution industrielle s'étant combinée à l'esprit de la Renaissance, à l'humanisme et au matérialisme pour produire une société centrée sur la consommation de masse, Masuda suppose que la nouvelle révolution informationnelle se combinera à une nouvelle « pensée holiste » (valorisant la symbiose entre les communautés, la synergie humains/machines et une nouvelle spiritualité) pour produire la nouvelle *société de création et de connaissance de masse*. Cette nouvelle société serait traversée par des mouvements volontaristes et communautaires qui utiliseraient pour le mieux, la télématique et qui seraient articulés autour d'aspirations à l'autonomie et à l'auto-développement individuel et collectif.

Cette utopie de la société de l'information n'est pas exclusivement néo-technicienne : elle fait appel simultanément à la nécessité d'adopter une nouvelle manière de penser, un nouveau système de valeurs. La dimension technique du changement apparaît nécessaire mais non suffisante pour assurer une transformation en profondeur des structures de la société : la révolution technique appellerait une révolution des mentalités. Mais Masuda ne nous dit pas comment ni pourquoi l'implantation des nouveaux dispositifs techniques devrait nécessairement nous conduire à l'adoption de nouvelles règles sociales. L'une des dimensions les plus vivement occultées dans la vision de Masuda est certainement celle des rapports sociaux. Comment ne pas voir que *la technique n'est pas neutre en soi*, que la technologie qui domine et qui s'implante à l'heure actuelle et à l'échelle de la planète est celle qui a été sélectionnée par certains groupes d'acteurs sociaux privilégiés dans les rapports de force qui structurent notre devenir social ? La technique ne contient pas en soi le modèle de société : le développement technique est lui-même médiatisé par le jeu des rapports sociaux de propriété et de domination.

S'il est vrai que les descriptions de Masuda nous aident à *imaginer l'autre société*, en même temps, force est de constater que sa scénarisation diachronique – où les finalités de la société passent successivement de la défense nationale au produit national brut, puis au bien-être général de la société et enfin à la satisfaction généralisée des individus – apparaît peu convaincante. Ce qui est difficile à accepter dans le contexte planétaire actuel, c'est l'idée qu'un jour les dominants de la terre abandonneraient réellement les valeurs compétitives, machistes et hiérarchisantes pour adhérer à de nouvelles valeurs morales et spirituelles. Nous sommes ici confrontés au paradoxe de la transformation de l'idée de pouvoir. Comment imaginer raisonnablement que nos dirigeants actuels, emmêlés dans des rapports symétriques de forces inégales – relations de communication toujours susceptibles d'emballement dévastateur – puissent un jour abandonner l'esprit de compétition et la volonté de puissance pour faire appel à des valeurs d'entraide et de complémentarité dans l'acceptation des différences ? Comment imaginer qu'uniquement mû par un mouvement de transformation technique, le pouvoir hiérarchique des grands appareils sociaux de contrôle réussirait à se dépasser lui-même pour se transformer en un nouveau pouvoir communautaire, communicatif et volontaire ? Cette vision de la société de demain ne pourrait certainement pas être réalisée par le simple prolongement des tendances sociales actuelles.

En fait, aujourd'hui, l'on assiste à un développement contradictoire, voire paradoxal, des tendances : privatisation, déréglementation, remise en cause du pouvoir d'État en même temps qu'accroissement et implantation sophistiquée de divers mécanismes étatiques ou privés de surveillance informatisée des citoyens ; grande actualité des préoccupations des dirigeants concernant la communication organisationnelle et la qualité des relations humaines dans un contexte où les machines continuent à se substituer aux humains, etc. L'avènement du règne des machines ouvre-t-il vers la possibilité de nouveaux rapports sociaux entre ces humains qui cherchent à inventer des solutions alternatives aux problèmes qui les confrontent? Rien n'est moins évident. Si aujourd'hui l'informatisation est incontournable, il faut savoir que le changement souhaitable des mentalités est beaucoup moins probable. Surtout, il ne faudrait pas croire que l'adoption d'un « virage technologique » pour construire une nouvelle stratégie économique va coïncider automatiquement avec le virage épistémologique et éthique que nécessiterait tout projet de transformation sociale en profondeur. La *computopie* décrite par Masuda reflète cette illusion voulant que l'avènement de la société de l'information coïncide nécessairement avec un rejet des valeurs matérialistes de consommation et avec l'adhésion à de nouvelles valeurs communautaires et autonomistes.

Comment ne pas voir que la *computopie* se formule paradoxalement dans un contexte d'accroissement inévitable de la domination et de la non-communication, où l'informatisation signifie avant tout l'expansion des grandes organisations bureaucratiques de contrôle et de surveillance de notre vie personnelle et sociale ? Peut-on encore imaginer que l'implantation généralisée des ordinateurs et des moyens de communication puisse devenir une stratégie qui permettrait l'instauration progressive d'une autre société ? Une stratégie douce de transformation de l'ordre social qui utiliserait la communication plutôt que le conflit pour susciter le changement, peut-elle même encore être formulée ? Peut-on même encore se dire que les jeux sociaux ne sont pas totalement fermés, que rien n'est complètement perdu ni complètement gagné ?

En 1992, les promoteurs des utopies sociales s'appuyant sur les technologies de l'information semblent s'être essoufflés. Les leaders politiques comme les essayistes sociaux parlent beaucoup moins de la réalisation possible de ces diverses utopies sociales techniciennes, qu'il s'agisse d'une alphabétisation généralisée par l'avènement des satellites et de la télématique ou d'une sortie en douceur de la crise économique par l'informatisation. Leurs discours globalisants parlent maintenant plutôt de pollutions et d'écologie : c'est le thème de l'environnement qui est devenu le discours politiquement rentable. Le discours social relié aux nouvelles technologies de l'information apparaît maintenant monopolisé de plus en plus par les gens d'affaires et par les promoteurs commerciaux de l'industrie (A. et M. Mattelart, 1990). Or, les problématiques sociales des gens d'affaires sont essentiellement orientées vers la rentabilité immédiate des investissements économiques et vers un objectif de divertissement quelque soit l'horizon culturel envisagé. Qu'il s'agisse d'information, de culture, de consommation ou d'éducation, c'est aujourd'hui la logique du marché qui semble régner en maître. Un marché d'ailleurs dominé par les Américains et les Japonais : un marché qui est loin d'être francophone, c'est le moins que l'on puisse dire. Voilà donc comment se sont transformées les problématiques sociales faisant appel aux nouvelles technologies de l'information au cours des 15 dernières années : de l'utopie sociale portée par des leaders sociaux et politiques, on est passé au règne de l'*entertainment* généralisé promu par les marchands des industries culturelles. Ne resterait-il donc aujourd'hui que les milieux éducatifs pour partager encore les velléités des premières utopies sociales techniciennes?

L'un des éléments moteurs du nouveau discours des promoteurs de la *société de l'information* consiste dans le recours à une *idéologie de la communication* venue renforcer leur optimisme technicien. Non seulement croient-ils que tous les problèmes sociaux sont en fait des situations où un manque de communication est à la racine du problème, mais ils sont aussi convaincus que ces problèmes vont trouver leurs solutions par le recours massif à des dispositifs techniques de communication et d'information. Ce que l'on pourrait appeler l'*idéologie de la communication* se composerait ainsi d'un ensemble de pratiques sociales et de discours qui consistent à croire et à faire croire que la plupart des problèmes sociaux seraient d'abord des problèmes de manque de communication. Et que, par conséquent, les solutions à nos problèmes sociaux peuvent être trouvées à travers l'implantation de nouvelles structures (d'humains ou de machines) pour faciliter la communication et l'information (Breton, Proulx, 1989 ; Proulx, 1990).

IV Québec, Amérique du Nord : une image de l'an 2002

Images contre-utopiques de la *computopie*... La grande guerre nucléaire n'a pas eu lieu mais la destruction mondiale des ressources premières non renouvelables s'est poursuivie, de même que se sont amplifiés les pollutions, le gaspillage et la surconsommation dans les sociétés fortement industrialisées de l'Occident. L'économie mondiale s'est profondément transformée : la grande majorité des usines liées à la phase précédente de l'industrialisation (aciérie, automobile, avionnerie, pâtes et papier, pétrochimie) ont fermé leurs portes. Les nouvelles usines sont largement robotisées ; les industries liées à la micro-électronique, à l'informatique, aux télécommunications et à la télématique, aux bio-technologies, à l'aérospatiale et à l'électronique militaire sont en expansion.

Le taux de chômage en Amérique du Nord, et au Québec en particulier, a atteint un niveau tel qu'il s'est effectué un changement « qualitatif » dans les représentations que les gens se font du travail et de sa valeur. Pendant les 200 ans de l'industrialisation, le travail a été bien sûr la voie par laquelle des humains en ont exploité et aliéné d'autres, mais le travail a aussi représenté pour plusieurs un lieu de création, d'expression de soi, de socialisation à un « nous » collectif. La diminution importante du nombre des travailleurs et travailleuses en ce début du XXIe siècle provoque l'émergence d'une nouvelle éthique du travail et du temps libre dans une société qui « tourne à deux vitesses » : il y a ceux et celles qui ont un emploi permanent, ceux et celles pour qui les progrès de la société de l'information représentent toujours plus de luxe et plus de confort ; mais il y a aussi ceux et celles qui sont relégués au travail précaire et au chômage. Pour eux, les nouvelles technologies de l'information ne servent qu'à mieux les surveiller... pendant que pour les individus privilégiés et « branchés », le temps qui n'est pas consacré au travail est occupé par de nombreuses activités informationnelles médiatisées : activités de divertissement, d'échange ou d'information qui impliquent l'usage d'une ou plusieurs « machines informationnelles ».

Le Québec s'est informatisé malgré lui. Complètement dépendant des stratégies des transnationales de l'informatique et des télécommunications quant à la mise en place des réseaux de communication électronique et à la fourniture et la fabrication du matériel et des équipements, le Québec constitue un petit marché de moins en moins culturellement et linguistiquement spécifique au sein des grands réseaux de production et de diffusion de masse des « contenus médiatiques ». Petit marché qui a tendance de plus en plus à se fondre dans le grand marché transnational du « *Dream Industry* » : *World's Dream Industry is predominantly American. During the 90s Quebec french language became mostly folklorical. Most people are now implied in the realization of a world-based Computopia.*

MAIS COMMENT SORTIR DE L'AMBIGUÏTÉ SCHIZOÏDE ?

De par sa seule existence dans notre environnement symbolique quotidien, *l'utopie de la société de l'information* a participé au renforcement des stratégies de développement des transnationales de l'informatique et des télécommunications. Prenons par exemple, la thèse de la nécessité d'une informatisation du Tiers Monde soutenue en 1980 par Servan-Schreiber dans *Le défi mondial*. Le postulat de l'inéluctabilité du développement technique inclus dans ce type de discours contribue à masquer les véritables rapports de force à l'œuvre dans cette volonté de développement à tout prix. Comme le signalait la Commission McBride de l'Unesco, ces stratégies de transfert technologique rapide ne servent-elles pas qu'à maintenir le contrôle technologique de la planète aux mains des transnationales ? N'incite-t-on pas ainsi les pays du Sud à adopter un mimétisme artificiel des technologies du Nord qui marque un nouvel accroissement de la dépendance du Sud vis-à-vis le capital, les équipements et les modèles culturels du Nord ? Herbert Schiller ajoute que c'est précisément pour éviter une prise de conscience face aux alternatives de choix possibles, que les transnationales incitent à l'adoption rapide des nouvelles technologies. En ce sens, on peut dire que ces stratégies de transfert rapide constituent un baillonnement de l'expression des forces populaires et démocratiques. Dans certaines circonstances spécifiques, l'introduction des nouvelles technologies ne devrait-elle pas être retardée ou même annulée ?

Dans sa critique du rapport McBride, Schiller y diagnostique une « ambiguïté schizoïde » : en même temps qu'elle met en garde contre les dangers très réels de distorsion et de dépendance des cultures nationales que pourrait entraîner une informatisation rapide de la planète, la Commission prône du même souffle la mise en place rapide des infrastructures nécessaires aux nouvelles technologies. Selon Schiller, tout se passe comme si cette commission internationale pourtant très lucide n'avait pas réussi à sortir de l'ambiguïté paradoxale du mouvement de l'informatisation : à la fois produit d'une planification très bien élaborée d'implantation à long terme des nouvelles machines par un système capitaliste en mal de sortie de crise, en même temps qu'ouverture vers de nouvelles avenues possibles pour nos sociétés et pour l'humanité d'où pourraient surgir des idées-force nées de la synergie entre l'intelligence artificielle et l'imagination sociale. Alors la question demeure entière : comment dépasser ce paradoxe autrement que par le recours à des utopies – qui contiennent d'ailleurs par définition des éléments non réalisables ?

Au fond, *l'utopie de la société de l'information* nous place dans une situation de *double contrainte* pour reprendre dans un contexte de sociologie critique, le concept élaboré par Gregory Bateson à propos de la schizophrénie. Première contrainte, la promotion de la société de l'information prend d'abord la forme d'une injonction paradoxale : nous

n'avons pas le choix de refuser cette évolution technique incontournable et en même temps, nous sommes conscients que cette évolution
sociotechnique rend possible le contrôle absolu de la majorité par une
minorité. La seconde contrainte réside dans la culpabilisation que nous
éprouvons à ne pas pouvoir sortir rationnellement de la première injonction paradoxale. Nous nous sentons coupables de devoir accepter ce
progrès technique qui sape les bases de notre culture démocratique. Et
c'est peut-être pour cela que nous laissons parfois sous-entendre que ces
nouvelles machines informationnelles pourraient peut-être ré-animer
l'idée même d'émancipation, ou celle de communauté, voire l'espérance d'une « démocratie cognitive ».

Mais que peut-on encore espérer dans ce monde « post-moderne »
où l'anéantissement est toujours possible et où, constate Marcel Rioux,
le point de vue critique est moribond ? Nous n'avons peut-être d'autre
choix que celui de vivre dangereusement notre présent en acceptant en
toute lucidité pour notre avenir, ce qu'Edgar Morin appelle le « défi de
l'incertitude ».

BIBLIOGRAPHIE

BACZKO, B. (1978), *Lumières de l'utopie*, Paris, Payot.

BATESON, G. (1972), *Steps to an Ecology of Mind*, New York, Ballan-
tine Books.

BELL, D. (1973), *The Coming of Post-Industrial Society*, New York,
Basic Books.

BELL, D. (1979), « The Social Framework of the Information
Society », dans Dertouzos and Moses éds, *The Computer Age : A
twenty-year view*, Cambridge, MIT Press, p. 163-211.

BLOCH, E. (1982), *Le principe espérance*, tome II : Les épures d'un
monde meilleur, Paris, Gallimard.

BRETON, P. et S. PROULX (1989), *L'explosion de la communication :
la naissance d'une nouvelle idéologie*, Paris/Montréal, La Décou-
verte/Boréal.

BRZEZINSKI, Z. (1970), *Between Two Ages*, New York, Penguin
Books.

BUCKMINSTER-FULLER R. (1969), *Utopia or Oblivion*, New York,
Bantam Books.

ETZIONI, A. (1968), *The Active Society*, New York, Free Press.

JUSSAWALLA, M. (1985), « Constraints on Economic Analysis of Transborder Data Flows », *Media, Culture and Society*, vol. 7, n° 3, p. 299-300.

LEISS, W. (1970), « Utopie et technologie : réflexions sur la conquête de la nature », *International Social Science Journal*, vol. XXII, p. 627-639.

LÉVY, P. (1987), *La machine univers*, Paris, La Découverte.

MASUDA, Y. (1980), *The Information Society as Post-Industrial Society*, Tokyo, Institute for the Information Society.

MATTELART, A. et M. (1990), « Des nouveaux usages des médias en temps de crise », communication lors du colloque *Médias et crise*, Québec, 4 octobre.

MCBRIDE, S. *et al.* (1980), *Voix multiples, un seul monde*, Paris, La Documentation française.

MCLUHAN, M. (1962), *The Gutenberg Galaxy*, Toronto, University of Toronto Press.

MORIN, E. (1981), *Pour sortir du vingtième siècle*, Paris, Fernand Nathan.

NORA, S. et A. MINC (1978), *L'informatisation de la société*, Paris, La Documentation française.

OGILVY, J. (1982), « Three Scenarios for an Information Society », conférence à la World Future Society, 22 juillet 1982, Washington D.C.

PROULX, S. (1984), « L'informatisation : mutation technique, changement de société ? », *Sociologie et sociétés*, vol. XVI, n° 1, p. 3-12.

PROULX, S. (1987), « De l'impossibilité de l'utopie communautaire aujourd'hui : micro-informatique et télématique », dans A. Corten et M.B. Tahon éds, *La radicalité du quotidien*, Montréal, VLB éditeur, p. 273-285.

PROULX, S. (1990), « La promotion sociale de la culture informatique : du « *computer power to the people* » à l'efficacité d'un nouvel outil pour le travail de bureau », *Culture technique*, n° 21, p. 224-235.

RACINE, L. (1979), *Théories de l'échange et circulation des produits sociaux*, Montréal, Presses de l'Université de Montréal.

RIOUX, M. (1978), *Essai de sociologie critique*, Montréal, Hurtubise HMH.

RIOUX, M. (1984), *Le besoin et le désir*, Montréal, L'Hexagone.

SCHILLER, H.I. (1982), « Electronic Utopias and Structural Realities », *Mass Communication Review Yearbook*, vol. 3, p. 283-287.

SERVAN-SCHREIBER, J.J. (1980), *Le défi mondial*, Paris, Fayard .
SMITH, R.L. (1972), *The Wired Nation*, New York, Harper and Row.
TOFFLER, A. (1980), *La troisième vague*, Paris, Denoël.
TOURAINE, A. (1969), *La société post-industrielle*, Paris, Denoël.

Jeunesse et sociologie utopique

Léon Bernier
Institut québécois de recherche sur la culture

Lorsque Guy Rocher publia en 1973 *Le Québec en mutation*, il ne s'agissait pas d'un essai sur le Québec en devenir, mais d'un recueil de réflexions et d'analyses sur une page déjà tournée.

Ce qu'on perçoit mieux maintenant, c'est qu'à partir de là, tout un pan de la sociologie québécoise s'est trouvé relégué dans l'histoire, pour avoir été partie prenante de l'utopie de la Révolution tranquille. Une partie de cette « sociologie engagée » s'était particulièrement intéressée aux jeunes ou plus spécifiquement à la jeunesse, c'est-à-dire aux dimensions collectives de l'action des jeunes dans le Québec en transformation. Plus qu'un objet d'étude parmi d'autres, la jeunesse fut pour plusieurs sociologues de cette époque un véritable sujet d'inspiration. Revenir sur cette tranche d'histoire de la sociologie des jeunes, c'est aussi évoquer une période assez particulière de la sociologie, telle qu'on la pratiquait alors au Québec mais aussi un peu partout dans le monde.

Cette sociologie de la jeunesse fut moins empirique que théorique, et sa forme d'expression fut surtout l'essai. Parmi ceux qui en ont été les protagonistes, il faut signaler d'abord Marcel Rioux, qui prononça en 1965 à l'Université de Montréal en guise de « leçon inaugurale » (pratique encore en vigueur à l'époque), un remarquable essai théorique intitulé *Jeunesse et société contemporaine*. Le texte fut publié quelques années plus tard alors que les événements semblaient donner raison à leur auteur et confirmer ses thèses concernant l'importance grandissante du rôle politique des jeunes et la prééminence du rapport des générations sur celui des classes sociales dans les sociétés post-industrielles à venir. Voici comment s'exprimait alors Rioux en faisant sienne la définition que Daniel Bell avait donnée de la société post-industrielle :

> [La société post-industrielle] c'est une société dans laquelle les affaires (*business*) ne seront plus l'élément prédominant mais où l'activité intellectuelle le sera. Le gros de la société ne sera pas nécessairement composé d'intellectuels, mais le style, l'esprit, les aires de conflit et d'avancement vont se concentrer largement dans les carrières intellectuelles. Les institutions les plus importantes de la société seront une vaste conglomération d'universitaires, d'instituts et de corporations de recherche. [...]
>
> Le deuxième grand trait distinctif de notre époque, c'est que le changement est le bienvenu et que nous essayerons d'en contrôler le rythme et la direction. [...]
>
> Dans un tel type de société dans lequel l'humanité s'engage, quels sont les groupes qui nous apparaissent comme les plus dynamiques, quels sont les groupes qui incarnent les conflits les plus profonds de la société, quels sont les groupes qui, par leur action, vont faire changer la société et qui ont déjà commencé de la faire changer ? [...]
>
> L'hypothèse que je veux défendre, c'est qu'à notre époque, en prolongement de la polarisation paysan/urbain et bourgeoisie/prolétariat, la polarisation jeunes/adultes me semble la plus significative. Ce qu'on a depuis longtemps appelé le conflit des générations me semble prendre à notre époque une importance capitale. (Rioux, 1965 : 16-18.)

On aura remarqué que dans ce passage, Rioux ne fait pas référence directement et spécifiquement à la société québécoise. Dans le reste de l'essai non plus, sauf exception. Cela ne tient pas seulement au fait qu'il s'agit d'un essai théorique, mais que la perspective adoptée est carrément celle du changement et que le regard y est essentiellement tourné vers l'avenir. Ce qui frappe en effet, peut-être le plus aujourd'hui lorsqu'on relit ce texte et d'autres de cette époque, c'est qu'il est écrit et surtout pensé au futur. La sociologie qu'on y propose est une sociologie des possibles[1], une sociologie ayant pour objet une société non (encore)

---

1. Arrivant quelque 10 ans plus tard dans un tout autre contexte socio-historique et intellectuel, la fondation de la revue *Possibles* par un groupe d'intellectuels montréalais regroupés autour de Marcel Rioux me paraît avoir traduit une volonté de réanimer un peu artificiellement la posture utopique qui avait été si naturelle en son temps.

inscrite dans l'histoire, une sociologie sur et pour un Québec imaginaire.

Réancrés dans l'empirisme comme on l'est en ces années-ci, on a un peu de mal à se resituer par rapport à cette sociologie utopique des années 60, au creuset de laquelle les sociologues de ma génération ont pourtant tous plus ou moins baigné durant leurs années de formation. Il suffirait d'évoquer la gigantesque et audacieuse expérience du Bureau d'Aménagement de l'Est du Québec (BAEQ) pour se rappeler à quel point la pensée utopique était alors au cœur et non à la marge de la réflexion sociologique et de ce que l'on appelait à l'époque l'animation sociale[2]. Faire de la sociologie et participer à l'entreprise collective de changement social dans laquelle nous avions conscience que le Québec était engagé était tout un. L'idée d'étudier le Québec était alors subordonnée à quelque chose d'à la fois plus simple et plus fondamental, qui était de suivre au jour le jour, et dans ses multiples manifestations individuelles et collectives, l'émergence d'un nouveau projet de société.

C'est à la faveur de cette jonction de l'analyse sociologique et de l'action sociale, que bon nombre de diplômés de sciences humaines ont rejoint alors les rangs de la fonction publique, à une époque où l'occupation d'un poste au sein des services naissants de planification et de recherche au ministère de l'Éducation, à l'Office de planification et de développement du Québec ou, quelques années plus tard, au ministère des Affaires sociales, avait quelque chose du geste militant et socialement responsable et pouvait comporter autant d'attirance, sinon plus, que l'enseignement et la recherche universitaires, jugés souvent trop à distance de l'histoire en train de se faire.

Alors même que des sociologues ont choisi à ce moment de servir l'État pour être plus directement en prise avec les changements en cours, d'autres, comme Rioux, ayant d'emblée une approche dynamique du social, se sont intéressés aux jeunes comme à une catégorie à l'avant-garde du changement[3].

---

2. Les sociologues qui ont travaillé au BAEQ ont quelques années de plus que moi. Ils étaient en maîtrise ou en fin de baccalauréat au moment où je suis entré en sociologie. Dans tous les cours, il n'était question que de cette expérience, dont nous avions la chance de pouvoir tous les jours côtoyer les héros.

3. Rappelons quelques titres montrant bien l'équation qu'on faisait à l'époque spontanément entre jeunesse et changement : Marcel Rioux, « Force de frappe : la jeunesse du Québec », *Maintenant*, 1966, n° 55-56, p. 232-235 ; Gérard Marier, « Les jeunes sont-ils à l'avant-garde du progrès de notre société ? », *Prospectives*, vol. 3, n° 1, fév. 1967, p. 8-9 ; Jules Duchastel, *Socio-dynamique de la culture jeune*, mémoire de maîtrise (sociologie), Université de Montréal, 1969.

La contribution de Rioux à la sociologie des jeunes n'est pas séparable de l'attribution d'un statut d' « acteur » ou de « sujet historique » à la catégorie des jeunes, ce qui revenait à conférer à la jeunesse un poids et une dimension théoriques correspondant à ceux que l'analyse marxiste réservait en exclusivité à la classe sociale[4]. Ce faisant, la jeunesse, comme groupement théoriquement défini, pouvait se voir reconnaître une fonction socio-historique débordant les conduites et les manifestations concrètes et quotidiennes des individus appartenant à la classe d'âge correspondante. Dans cette perspective, l'analyse des phénomènes concernant les jeunes n'était en outre pas tant axée vers la connaissance de cette catégorie sociale elle-même que vers une compréhension des transformations de la société globale, telles qu'on croyait pouvoir en mieux déceler les orientations à travers les conduites et surtout la vision du monde et d'eux-mêmes des jeunes.

L'enquête « Les nouveaux citoyens » (1965), que Rioux et Sévigny réalisèrent à l'époque pour le compte de la Société Radio-Canada auprès d'un échantillon de 800 jeunes de 18 à 21 ans venant de Montréal et des différentes régions du Québec, est assez révélatrice à cet égard. Le contexte radiophonique de l'enquête soulignait d'emblée la reconnaissance non seulement sociologique, mais sociale, d'une présence désormais significative des jeunes sur la scène socio-politique. L'avant-propos du réalisateur André Langevin soulignait par ailleurs clairement le sens et la portée du projet :

> « Les nouveaux citoyens », ce fut d'abord et surtout une série de 39 émissions de radio au cours desquelles des jeunes gens, âgés de 18 à 21 ans, qui venaient d'obtenir le droit de vote, se sont exprimés en toute liberté sur l'univers de leurs aînés et sur le leur. Notre but premier était de faire entendre la voix de cette nouvelle force politique.

Concernant les résultats de cette enquête et ce qu'ils permettaient de révéler sur l'état effectif des rapports entre les générations, Rioux devait apporter plus tard la précision suivante :

---

4. Le rapprochement théorique que Rioux a établi entre la jeunesse comme catégorie sociale historique et la classe sociale correspond d'assez près à la définition que Mannheim a donnée de la génération : « L'appartenance à la même classe et l'appartenance à la même génération ou groupe d'âge ont ceci en commun que les deux reposent sur le fait pour les individus de vivre dans un certain cadre social et historique qui délimite un champ particulier d'expériences pouvant influencer leurs visions du monde et leurs prédispositions à l'action. » (K. Mannheim, 1952 : 291, traduction libre.)

Les jeunes interrogés avaient l'impression d'être différents de leurs parents et de leurs aînés [...] Toutefois, quand nous en vînmes à détailler ces différences, nous nous rendîmes compte qu'elles ne sont pas aussi nombreuses ni aussi profondes que les sentiments de brisure qu'ils expriment le laisseraient supposer [...] On se rend vite compte que les parents finissent par changer avec leurs enfants et que, de discussion en discussion, c'est le point de vue des adolescents qui finit par l'emporter. On peut en inférer que la jeunesse constitue un pôle d'entraînement vers le changement et que la population adulte du Québec est peut-être plus perméable au changement que celle d'autres sociétés industrielles, installées dans le siècle depuis longtemps et qui, davantage que le Québec, ont partie liée avec ce type de société et les valeurs qu'il charroie [...] Comme la société globale est elle-même très malléable, le conflit des générations y sera peut-être moins aigu qu'ailleurs. (Rioux, 1969 : 46 et 49.)

Dans ce commentaire, imprégné des nuances que ne peut manquer d'engendrer une appréhension non plus seulement théorique, mais empirique de la réalité, Rioux faisait donc remarquer que l'importance du rôle historique des jeunes, au Québec, ne se traduirait pas forcément par un conflit de générations, dans la mesure même où les générations adultes pourraient être disposées, sans trop de résistance, à emboîter le pas derrière les jeunes. Bref, l'importance du rôle des jeunes, pour Rioux, tenait non pas tellement à la radicalité d'une culture spécifique à ce groupe d'âge qu'à la capacité des jeunes à exprimer et à mettre de l'avant des orientations aux valeurs qui, tout en faisant rupture avec le passé, étaient susceptibles de provoquer des résonnances et des adhésions dans toutes les classes d'âge[5].

---

5. Empruntant à Lapassade (1963) le concept biologique de « néoténie » qui « exprime un phénomène de retardement ou de persistance des caractères fœtaux ou juvéniles d'une forme ancestrale au stade adulte des descendants », Rioux (1969 : 34-35) y voyait le fondement théorique d'une nouvelle normativité sociale dont les jeunes constitueraient désormais le modèle : « À moins que l'adulte ne devienne adolescent, il pourra difficilement survivre dans le monde de demain. [...] Il semble que l'adulte de demain devra conserver certains caractères juvéniles – qui sont en somme les mêmes qui ont fait que l'homme a pris la tête de l'évolution ; retardement, plasticité, disponibilité – pour suivre l'évolution technologique et ses effets » (p. 37). Quelques années plus tard, Denis Szabo devait aussi reprendre à son compte cette notion de néoténie à l'intérieur d'un ouvrage réflexif sur « les causes socio-culturelles de l'inadaptation juvénile » ; voir Denis Szabo, Denis Gagné et Alice Parizeau (1972).

Cette double dimension de rupture et de continuité dans l'action socio-historique des jeunes, avec la dualité correspondante d'une définition de la jeunesse comme groupement à la fois autonome et hétéronome, on la trouve également chez un autre des principaux essayistes de la question des jeunes à cette époque, Jacques Lazure, dont les perceptions du rôle de la jeunesse étaient on ne peut plus explicites :

> Parler de simples transformations au caractère plus ou moins transitoire et superficiel, utiliser à ce sujet uniquement les concepts de réforme ou d'évolution, ne serait pas suffisant. Il s'agit bel et bien d'une révolution, au sens le plus authentique du terme [...] La suite de cet ouvrage tentera [...] de montrer la continuité profonde de la révolution des jeunes avec les aspirations les plus fondamentales et les plus stables du Québec. (Lazure, 1970 : 9-10.)

La jeunesse du Québec en révolution (1970), l'ouvrage d'où provient cet extrait, fut publié en 1970, suivi deux ans plus tard d'un autre essai au titre pareillement suggestif, *L'asociété des jeunes Québécois* (1972). Même s'ils sont postérieurs de quelques années aux travaux de Rioux sur les jeunes, ces ouvrages en partagent néanmoins plusieurs traits caractéristiques. Il s'agit d'essais théoriques qui abordent la jeunesse comme totalité (et non les jeunes dans leur pluralité et leur diversité) et l'envisagent dans son rôle d'agent historique de changement social.

Cependant, plus que chez Rioux, la jeunesse, chez Lazure, est prise véritablement comme objet principal d'analyse, et étudiée dans ses caractéristiques internes autant que dans son rôle social et sa dimension historique. Par la suite, Lazure restera d'ailleurs fidèle à son objet et continuera d'étudier les jeunes, même dans les périodes où leur rôle historique sera devenu moins évident, alors que Rioux, lui-même fidèle à sa propre problématique, se sera mis alors à la recherche d'autres protagonistes et d'autres formes de « pratiques émancipatoires ».

Si l'essai de Rioux était écrit au futur et préfigurait en quelque sorte les événements de la fin des années 60, ceux précités de Lazure étaient plutôt écrits au présent et inscrits au cœur même d'une effervescence qu'ils tentaient en quelque sorte de saisir au vif. Ils restaient, en cela, fondamentalement optimistes, totalement ouverts sur l'avenir, et par là, tout à fait exemplaires de leur époque.

Dans *La jeunesse du Québec en révolution*[6], la dimension la plus symptomatique du mode de construction théorique, à travers lequel on tentait alors d'appréhender la réalité des jeunes, est le recours analogique à la topique freudienne pour décrire « l'être collectif de la jeunesse » :

> Cette révolution de la jeunesse est à la fois une et triple. Elle se manifeste surtout dans les domaines socio-politique, scolaire et sexuel. Dans sa diversité, elle se présente toutefois comme les simples facettes d'un mouvement révolutionnaire empoignant tout l'être collectif de la jeunesse et l'affectant dans toutes ses dimensions. La révolution socio-politique transforme radicalement le sur-moi des jeunes. La révolution scolaire bouleverse leur moi. La révolution sexuelle fait exploser les forces de leur ça. En définitive, elle concerne tout l'être de la jeunesse, de son inconscient le plus ténébreux jusqu'à ses idéaux les plus nobles, en passant par sa conscience la plus éveillée. (Lazure, 1970 : 10-11.)

Alors que Rioux avait trouvé dans la théorie marxiste des classes (et dans son extension par Mannheim à l'étude sociologique des générations) un modèle permettant de conceptualiser la jeunesse comme totalité agissante, Lazure faisait appel à un autre concept faisant référence à une unité complexe et dynamique, celui de la psyché humaine. En deçà du rôle d'acteur historique que Rioux lui attribuait, la jeunesse se voyait ainsi reconnaître le statut et les attributs de la personnalité.

Il faut essayer de comprendre le sens de cette construction. Il est bien évident d'abord que Lazure n'avait pas la naïveté de croire à une totale uniformité culturelle des jeunes. L'unité qu'il postulait chez les jeunes, était une unité théorique et non pas empirique. Elle concernait la jeunesse et non pas les jeunes. Deuxièmement, ce que Lazure cher-

---

6. L'expression « jeunesse en révolution » faisait à l'époque partie du vocabulaire des jeunes eux-mêmes. Je ne dirais pas cependant qu'elle faisait partie du vocabulaire courant, mais bien d'un vocabulaire de combat, dans une « révolution » ayant comme principale caractéristique d'être verbale. Je me souviens d'avoir participé durant les années 60 à un congrès de l'Association générale des étudiants de l'Université Laval (AGEUL) dont le thème était quelque chose comme « La jeunesse étudiante en révolution ». Invité comme conférencier vedette à ce congrès, Gérald Fortin avait quelque peu refroidi les esprits en lançant aux participants que ce qu'ils avaient de plus révolutionnaire à faire était d'étudier et de s'efforcer d'acquérir une compétence en vue de pouvoir éventuellement apporter leur contribution efficace à l'entreprise collective de développement social dans lequel le Québec était engagé.

chait à « personnifier » à travers le concept de jeunesse n'était pas réductible aux caractéristiques distinctives d'une classe d'âge et ne correspondait pas, par exemple, à une notion comme celle de culture adolescente. Cela concernait un processus de transformation psychosocial qui n'était pas perçu comme transitoire, mais durable. Par rapport à Rioux, il y avait également un déplacement de perspective et d'intention. Il s'agissait moins de montrer les jeunes comme les agents producteurs d'un changement social externe que d'identifier chez les jeunes eux-mêmes, « dans leur être », les signes culturels du changement social. Sans qu'il y soit fait explicitement mention, on trouvait donc là une application à la sociologie des jeunes du couple théorique culture et personnalité, où la jeunesse, en tant que culture propre au sein d'un Québec en voie de transformation rapide, se trouvait définie en quelque sorte comme groupement porteur d'une nouvelle personnalité de base[7].

Au moment où il écrivait *La jeunesse du Québec en révolution*, Lazure croyait, tout comme Margaret Mead (1971), que la culture nouvelle incarnée selon lui par les jeunes était « préfigurative[8] » de l'avenir et appelée éventuellement à devenir une norme culturelle pour la société globale. Réunissant une volonté d'indépendance politique et d'émancipation sexuelle, un désir de participation sociale et d'accomplissement de soi, la culture des jeunes lui paraissait devoir s'imposer à l'évidence.

Dans *L'asociété des jeunes Québécois*, cette hypothèse d'une éventuelle généralisation sociale de la culture des jeunes s'était cependant déjà singulièrement estompée. Les façons de penser et de se comporter des jeunes retrouvaient soudain un statut de « marginalité » ; au lieu de faire figure de nouvelle culture dominante, elles se voyaient

---

7. Cette perspective est également présente dans la thèse « rogérienne » de Robert Sévigny, *L'expérience religieuse chez les jeunes* (1971) : « Au Canada français comme ailleurs, souligne l'auteur dans son avant-propos, les jeunes expriment tour à tour le mythe de l'homme de demain et la réalité de l'homme d'aujourd'hui [...] Mon choix de la théorie rogérienne comme cadre d'analyse de l'expérience religieuse s'appuie également sur l'espoir d'y retrouver une description valide de l'homme d'ici et d'aujourd'hui [...] Or, les jeunes adultes sont probablement ceux qui incarnent le mieux la psychologie de l'homme contemporain. » (p. XIII-XIX.)

8. « Aucun adulte d'aujourd'hui ne sait de notre monde ce qu'en savent les enfants qui y sont nés au cours des vingt dernières années [...] Je crois que nous sommes en train de produire un nouveau type de culture, une culture qui, dans son style, s'écarte autant des cultures cofiguratives que l'institutionnalisation de la cofiguration [...] s'écartait du style post-figuratif. Ce nouveau style, je l'appelle préfiguratif, car dans cette nouvelle culture ce sera l'enfant, et non plus les parents et les grands-parents, qui représentera l'avenir. » (Mead, 1971 : 124, 136-137.)

assigner une fonction d'opposition et de critique, résumée par le recours à la notion de contre-culture. À la vision utopique de la société post-industrielle se substituait, parallèlement, l'image d'un présent déjà fortement engagé sur la voie de la technocratie[9]. De la diachronie, on revenait à la synchronie et la sociologie des jeunes, sans abandonner totalement les thématiques qui venaient d'en marquer les récents développements, on délaissait momentanément la perspective historique pour s'insérer dans une problématique des appareils et des organisations. L'ancrage institutionnel privilégié pour l'étude des jeunes devenait l'école et, sous l'angle de la condition étudiante, la jeunesse perdait son aspect idyllique pour prendre la forme d'une expérience sociale de la dualité :

> Une [...] situation radicale de marginalité se conçoit très bien même à l'intérieur du système scolaire, et il n'est pas du tout nécessaire qu'elle s'extériorise en démonstrations violentes, en occupations de locaux, en mouvements organisés de contestation étudiante. Au contraire [...] une de ses manifestations les plus recherchées consiste précisément dans cet état chronique d'antipathie sourde ou d'indifférence passive vis-à-vis de la réalité du système scolaire. On y vit par nécessité, non par intérêt, et en poursuivant en dehors de lui les véritables expériences d'éducation et d'épanouissement de sa personne. (Lazure, 1972 : 72.)

Lazure attribuait donc toujours à la culture des jeunes une dimension « révolutionnaire » latente, propre à constituer les bases permanentes d'une critique sociale. Ce à quoi il semblait ne plus croire cependant, c'était à l'éventualité que la culture des jeunes puisse donner lieu à une véritable société des jeunes.

Il rejoignait, sur ce plan, le point de vue qu'exprimait Guy Rocher, à peu près au même moment, point de vue dont on peut plus pleinement mesurer aujourd'hui la perspicacité et la clairvoyance :

> On parle beaucoup ces années-ci du rôle des jeunes dans le monde contemporain. On leur attribue, non sans raison, une importance considérable dans les changements en cours et dans l'esprit des temps présents [...] La question qui reste cependant toujours sans réponse est la suivante : sommes-nous entrés dans un nouveau type de civili-

---

9. Théodore Roszak, théoricien le plus célèbre de la contre-culture, donnait de la technocratie la définition suivante (traduction libre) : « Par technocratie, j'entends cette forme sociale dans laquelle une société industrielle atteint son plus haut niveau d'intégration organisationnelle. » (Roszak, 1969 : 5.)

sation où les jeunes occuperont désormais une place et une fonction importante dans la dynamique sociale, ou bien le rôle qu'a joué récemment la jeunesse n'est-il qu'un événement de transition dont il ne faut pas s'attendre à ce qu'il se reproduise ?

Pour ma part, je suis loin d'être assuré que le rôle qu'a joué la jeunesse et qu'elle joue de moins en moins, soit le fait d'une nouvelle civilisation. Je suis plutôt porté à croire que nous avons eu le défi et la joie de vivre un état de grâce fugitif, qui est déjà à son déclin. Depuis quelques années, la société occidentale, et plus particulièrement nord-américaine, a été dominée par un esprit d'adolescence et de jeunesse. Beaucoup d'adultes ont réappris à voir le monde et à juger des hommes et des choses dans une sorte de jeunesse retrouvée, riche de perspectives nouvelles et d'horizons renouvelés [...] Au total, le monde des adultes a subi une cure de rajeunissement, de gré ou de force, autant dans ses idées que dans ses vêtements et ses goûts. Mais dans quelques années, peut-être guère plus de cinq ans, la société québécoise comme la société nord-américaine n'aura plus que très peu de jeunes. La régression du nombre absolu et proportionnel des jeunes dans la société de demain se fera sentir d'une manière d'autant plus brutale que le nombre d'adultes de vingt à quarante ans sera alors disproportionné.

On voit déjà poindre le règne des adultes, succédant à celui des jeunes. L'élan des dernières années, dont nous étions en partie redevable aux jeunes, aux questions directes et sans fard qu'ils posaient et à leurs contestations souvent dures et sans indulgence, est déjà trop tôt retombé. On peut craindre qu'il ne survivra pas dans la société de demain, dominée massivement par une génération trop nombreuse d'adultes pleins d'énergie, impatients d'agir et d'exercer le pouvoir. (Rocher, 1973 : 72-74.)

Pour Rocher, les jeunes avaient donc joué un rôle central dans la phase d'évolution des sociétés occidentales[10] qui venait de s'écouler, un

---

10. On peut signaler en passant que Rocher ne faisait pas de distinctions d'espèce entre la révolution culturelle de la jeunesse occidentale et celle de la Chine de Mao : « [...] la notion de révolution culturelle fait référence à un changement radical de contenu dans la pensée et la mentalité. Cette forme de révolution culturelle a connu sa réalisation la plus extrême en Chine récemment [...] Avec infiniment de raison, il faut le reconnaître, Mao-Tsé-Toung a compris qu'on ne pouvait pas construire une société nouvelle sans créer un homme nouveau. On ne peut révolutionner une société sans une profonde conversion morale, intellectuelle et j'oserais dire spirituelle de l'homme [...] Sous une forme atténuée, moins radicale mais peut-être aussi bruyante, une partie de la jeunesse américaine vit aussi une révolution culturelle... » (p. 178).

rôle dont les résultats seraient durables, puisque désormais imprimés dans le style de vie des différentes générations, mais un rôle en lui-même transitoire et lié à une conjoncture à la fois démographique et historique dont le Québec semblait déjà sorti. D'une part les jeunes des années 60 oublieraient, selon lui, rapidement leur crédo contestataire pour se préoccuper davantage de leur bien-être matériel et de leur réussite sociale :

> J'appréhende une société où la note dominante sera donnée par une majorité d'adultes âpres aux gains, avides de biens matériels et de pouvoir, s'entredéchirant dans la lutte et la concurrence. La majorité de ceux qui auront conservé l'idéalisme de la jeunesse aura beaucoup de peine à se faire entendre et surtout à faire accepter l'esprit de réforme et de justice qu'ils continueront à représenter. (Rocher, 1973 : 75.)

D'autre part, les nouvelles générations de jeunes se verraient très tôt confrontées à des conditions d'entrée dans la vie extrêmement compétitives et peu propices aux considérations utopiques[11] :

> Ce qui est grave, c'est que les jeunes d'aujourd'hui subissent déjà les méfaits d'une dure compétition dans le milieu scolaire, où ils craignent d'être trop nombreux pour les places disponibles, et sur le marché du travail qui ne s'est pas étendu à la mesure des bras et des cerveaux prêts à y entrer. L'insécurité conséquente à la compétition risque d'entraîner des conditions favorables au conservatisme plus qu'au changement, à la préservation du statu quo plus qu'à l'esprit d'aventure, à la défense des intérêts acquis aux dépens de la poursuite de la justice sociale, au « carriérisme » plus qu'à l'engagement politique et social. (Rocher, 1973 : 74.)

Au moment où il écrivait ces lignes, Rocher était par ailleurs déjà engagé, en co-direction avec Pierre W. Bélanger, et en compagnie d'une large équipe de chercheurs des universités Laval et de Montréal, dans ce qui allait devenir, sous le nom d'ASOPE (Aspirations scolaires et

---

11. Dans un texte faisant état des résultats d'une démarche d'entrevues de groupe auprès d'élèves du secondaire, à laquelle j'avais participé à cette époque, les deux grandes caractéristiques de la vision du monde des jeunes que nous avions été fort étonnés de rencontrer, tant nous étions alors encore imprégnés de l'esprit soixante-huitard, étaient (textuellement) « l'absence de vision utopique » et « la vision réaliste et pragmatique » ; L. Bernier, M. Mailhot, P. Pierre *et al.*, « Démarche d'analyse des valeurs et attitudes des étudiants de l'école secondaire », *Supplément aux Annales de l'ACFAS*, n° 40, 1973.

orientations professionnelles des étudiants), la plus vaste enquête sur les jeunes de toute l'histoire de la sociologie québécoise. Paradoxalement, cette enquête longitudinale, dont la cueillette seule s'échelonna sur six ans (1972-1977), allait être menée durant une période marquée par une présence beaucoup plus silencieuse de jeunes et par un effacement graduel, à l'intérieur du débat sociologique, des questions relatives à la jeunesse comme conscience collective et comme groupement social. Sous la forme plus discrète du rapport de recherche et non plus de l'essai, la sociologie des jeunes, au Québec, allait connaître alors une toute autre phase, dominée par l'étude des clivages de classe et de sexe, et par l'analyse autant théorique qu'empirique de leur reproduction.

BIBLIOGRAPHIE

BERNIER, L., MAILHOT, P. et P. PIERRE (1973), « Démarche d'analyse des valeurs et attitudes des étudiants de l'école secondaire », *Supplément aux Annales de l'ACFAS*, n° 40.

DUCHASTEL, J. (1969), *Socio-dynamique de la culture jeune*, mémoire de maîtrise, Département de sociologie, Université de Montréal.

LAPASSADE, G. (1963), *L'entrée dans la vie*, Paris, Éditions de Minuit.

LAZURE, J. (1970), *La jeunesse du Québec en révolution*, Montréal, Presses de l'Université du Québec.

LAZURE, J. (1972), *L'asocieté des jeunes Québécois*, Montréal, Presses de l'Université du Québec.

MARIER, G. (1967), « Les jeunes sont-ils à l'avant-garde du progrès de notre société », *Prospectives*, vol. 3, n° 1, p. 8-9.

MEAD, M. (1971), *Le fossé des générations*, Paris, Denoël-Gonthier.

RIOUX, M. (1966), « Force de frappe : la jeunesse du Québec », *Maintenant*, n° 55-56, p. 232-235.

RIOUX, M. (1969), *Jeunesse et société contemporaine*, Montréal, Presses de l'Université de Montréal.

RIOUX, M. et R. SÉVIGNY (1967), *Les nouveaux citoyens. Enquête sociologique sur les jeunes du Québec*, Montréal, Service des publications de Radio-Canada.

ROCHER, G. (1973), *Le Québec en mutation*, Montréal, Hurtubise HMH.

SÉVIGNY, R. (1971), *L'expérience religieuse chez les jeunes*, Montréal, Presses de l'Université de Montréal.

SZABO, D., GAGNÉ, D. et A. PARIZEAU (1972), *L'adolescent et la société*, Bruxelles, Dessart.

Québec inc. et sociologie critique : la fin de l'espérance ?

Gabriel Gagnon
Université de Montréal

Le meilleur hommage qu'on puisse rendre à un sociologue critique et à un intellectuel engagé comme Marcel Rioux n'est pas de le copier servilement ou de tenter de le classer définitivement dans l'histoire du champ intellectuel québécois mais plutôt de tenter de faire travailler ses idées et ses intuitions dans la conjoncture nouvelle des années 90.

Dans son dernier volume (Rioux, 1990) au tout début de ce qui constitue son autobiographie intellectuelle, Marcel Rioux nous parle de la « fin de l'espérance » d'un Québécois né en 1919, précurseur de la Révolution tranquille avant de devenir un des principaux promoteurs d'une souveraineté intimement associée à l'avènement d'une forme spécifiquement québécoise de socialisme autogestionnaire.

Si Marcel Rioux a cessé d'espérer, c'est qu'il ne croit plus à l'avènement d'une véritable indépendance au Québec ni au développement ici d'une véritable sociologie critique vouée à l'émancipation des individus et des sociétés.

Dans ses nombreux travaux sur le Québec, Rioux a rendu populaire l'idée que nous étions plus que d'autres une société « tricotée serrée » dont le retard historique permettrait plus facilement le passage à une forme inédite de socialisme en terre nord-américaine. Ce qui le chagrine maintenant, c'est la domination presque exclusive sur l'ensemble

des acteurs économiques et politiques québécois d'une idéologie néo-
libérale pour qui la culture n'est qu'une industrie comme les autres sur
un immense marché où tout s'achète et se vend.

Au moment où Rioux écrivait *Un peuple dans le siècle,* il était de
bon ton dans les milieux intellectuels de s'aligner sur une pseudo
« garde montante » à la poursuite des mirages de l'excellence, de la
compétition et d'un libre-échange nord-américain paré de toutes les
vertus. Il devenait alors facile de se replier sans mauvaise conscience
sur les incarnations parfaites du narcissisme constituées par le magné-
toscope, le micro-ordinateur, la psychothérapie et le REA. Maintenant
qu'on sait sur quelles bases fragiles reposaient les empires d'un Robert
Campeau, d'un Bernard Lamarre ou d'un Raymond Malenfant, il vaut
peut-être la peine de recommencer à se poser des questions.

Avec l'avènement des nationalismes à l'Est, la question des petites
cultures anthropologiques, trop vite confinées à l'anarchisme et à l'in-
tolérance par Alain Finkielkraut (1987) revient au centre du débat. Dans
cet ouvrage, l'éclectique philosophe français, enfant chéri des média,
tentait de lier les outrances d'un ethnocentrisme totalitaire et les divaga-
tions d'une pensée en pièces pour laquelle « une paire de bottes vaut
Shakespeare » à une conception anthropologique de la culture qui, à travers les travaux d'un Claude Lévi-Strauss, nous viendrait du philosophe
allemand Herder qui, dès 1774, s'opposait au nom de l'« esprit des
peuples » à l'universalisme de Voltaire et des Lumières[1]. On sait avec
quelle passion Marcel Rioux s'est attaqué à l'usage qu'on pourrait faire
de cette thèse pour analyser la situation québécoise en termes de xéno-
phobie inavouée et de totalitarisme latent (Rioux, 1988).

Nous sommes encore plusieurs à croire comme Rioux que, quoi
qu'en disent ses détracteurs, adversaires acharnés de tout ce qui bouge
au Québec ou insidieux promoteurs d'un néo-libéralisme pour Yuppies,
il existe encore ici une spécificité culturelle bien affirmée dont il est
cependant fort difficile de cerner rigoureusement les contours. Elle ne
réside plus dans un ensemble de traits culturels comme la soupe aux
gourganes, la goélette ou la guignolée. Elle n'est plus seulement une
histoire commune difficile à faire partager entièrement par nos nouveaux compatriotes. Elle tient beaucoup au mode de connaissance, aux
façons de voir et de structurer la nature et la société que confère l'usage

---

1. Dans ses interventions récentes, Finkielkraut semble avoir modifié un peu ses positions en appuyant en particulier l'indépendance de la Croatie (voir les derniers
   numéros du *Messager Européen* qu'il dirige avec Danielle Sallenave).

partagé d'une langue, le français. Mais elle est surtout de l'ordre de ce que le philosophe Ernst Bloch, et le sociologue Anthony Giddens après lui, nomment l'utopie concrète, du côté des choix éthiques et politiques collectifs. Fernand Dumont nous rappelle depuis longtemps que toute langue risque de devenir une coquille vide si elle ne constitue pas une façon différente de connaître le monde et de s'y implanter.

Bien sûr, l'identité culturelle, lorsqu'elle devient porteuse d'un projet politique de type nationaliste, peut susciter à la fois le meilleur et le pire. C'est presque toujours au nom d'une identité culturelle réelle ou postulée que les peuples opprimés ont pu retrouver leur indépendance et leur authenticité. On sait aussi comment, mâtinées d'un marxisme primaire, leurs révolutions ont souvent opté pour une homogénéité obligatoire faisant peu de place aux individus. La pauvreté et l'isolement, plus que le chauvinisme culturel, sont sans doute à l'origine de ces dérives idéologiques. La plus redoutée, l'intégrisme musulman, agite des sociétés aussi différentes que l'Algérie, le Pakistan ou l'Iran : comme jadis l'Inquisition ou comme un certain sionisme contemporain, il se fonde sur une interprétation de la religion qui fait fi de l'histoire comme des différences culturelles internes que partagent les fidèles réunis par un même univers théologique. La même visée réductrice affecte beaucoup de ces petits totalitarismes africains qui étouffent les diversités ethniques héritées des frontières tracées par les anciens Empires coloniaux.

À l'aube des années 60, les intellectuels de *Cité libre*, dont le mépris pour Duplessis s'étendait souvent à l'ensemble du peuple québécois, conservaient vis-à-vis la spécificité culturelle de leur société l'attitude qu'avaient jadis nos familles bien pensantes face à la tante alcoolique ou au cousin libertin. S'ils accompagnèrent la Révolution tranquille, ce ne fut pas tant pour se rapprocher du « monde ordinaire » que pour imiter en le rattrapant un Canada dont l'efficacité technocratique et la liberté relative leur faisaient envie.

Alors que ses anciens amis, Trudeau, Pelletier et Marchand, effrayés par un mouvement d'émancipation collective qui les dépassait, se tournaient vers le pouvoir fédéral pour tenter de neutraliser l'action de ceux et celles qui prétendaient devenir maître chez eux, Marcel Rioux choisissait d'aller plus loin que la construction du nouvel État québécois, du côté de la culture populaire et du « socialisme décolonisateur » de Parti pris. Dès la victoire de Jean Lesage, il retourna dans l'opposition.

Pour Rioux, l'émancipation collective, loin de nous ancrer dans le « tribalisme » et le fanatisme chauvin devait faciliter l'accès de tous et de toutes à la *grande culture*. Après la défaite de 1980, alors qu'une certaine élite montréalaise soupçonnait les partisans de la spécificité culturelle, dirigés par Camille Laurin, de vouloir imposer de Hull à Percé le port de la ceinture fléchée et la consommation du cipaille, Marcel Rioux continuait à croire, dans la foulée du rapport qui porte son nom, que la culture savante ne saurait se maintenir sans que se développe dans toutes les régions une multitude de pratiques culturelles émancipatoires issues d'un enseignement des arts renouvelé et accessible à l'ensemble des écoliers québécois.

C'est dans cette perspective qu'il faut comprendre le scepticisme de Rioux face au type d'indépendance politique qui semble revenir à l'horizon des possibles. Contrairement à la critique esquissée par Jacques Hamel dans un compte rendu par ailleurs excellent d'*Un peuple dans le siècle* (Hamel, 1991), Marcel Rioux ne tombe pas dans un « marxisme culturel » statique qui mettrait toujours l'économie d'un côté et la culture de l'autre tout en accordant à cette dernière plutôt qu'à l'infrastructure la détermination en dernière instance. Il croit plutôt, à la suite d'un Karl Polanyi, à l'avènement d'une culture québécoise nouvelle où la rationalité économique ne se serait pas « désencastrée » (*disembedded*) du tout social pour mieux le phagocyther. On sait comment Polanyi distingue dans toute société ce qui dépend de l'économie de marché, de la redistribution étatique ou de la réciprocité communautaire pour montrer que la société capitaliste se développe lorsque le travail et la terre sont définitivement isolés du tout social pour devenir exclusivement dépendants des forces du marché. Par ailleurs, Rioux s'inspire de l'œuvre de Louis Dumont lorsqu'il tente de définir l'utopie autogestionnaire qu'il oppose à l'utopie néo-libérale : il s'agit pour lui de construire un type nouveau de société holiste qui viendrait combler les méfaits de l'individualisme anomique caractéristique de la modernité avancée. Dans ce contexte, la culture dont il est question est évidemment celle des anthropologues qui englobe à la fois les variables politique, économique et culturelle isolées par les marxistes et les fonctionnalistes. Si le Québec, comme les autres sociétés, doit voir à sa reproduction matérielle, il n'est pas nécessaire que l'argent et le marché y soient la fin ultime de l'éthique et de la politique.

Aujourd'hui, le discours souverainiste dominant, véhiculé par Jacques Parizeau et Bernard Landry, les deux principaux idéologues du Parti québécois, est surtout centré, comme celui du Parti libéral, sur les vertus du libre-échange, de la compétitivité et de la mondialisation susceptibles de rendre au Québec sa prospérité menacée. Dans ce discours carrément néo-libéral l'importance de la redistribution sociale, de la création culturelle et de l'émancipation individuelle est à peine esquissée sinon pour en faire des conséquences éventuelles d'un développement économique lié aux aléas du marché mondial. Les promoteurs de Québec inc. ajoutent à leur projet un élément de concertation entre l'État, le patronat et les syndicats qui, pour le moment, semble surtout destiné à faire mieux accepter par les travailleurs la diminution de leur niveau de vie et de leurs avantages sociaux.

Il est fort surprenant que des centrales syndicales comme la CEQ et la CSN qui, il y a peu de temps encore, voulaient casser le système dominant, aient revêtu si aisément les habits neufs d'une concertation tout azimut qui rend perplexes une bonne partie de leurs militants. On a souvent l'impression qu'en choisissant, contrairement aux Ontariens, le grand large du libre-échange canado-américain, les souverainistes québécois ont miné les bases culturelles et communautaires qui faisaient la force et l'attrait de leur projet pour le transformer en une nouvelle idéologie de rattrapage économique à l'usage des classes dirigeantes. On ne peut que partager ici le pessimisme de Rioux face à une indépendance qui se réaliserait uniquement dans cette perspective peu enthousiasmante pour les sociologues, les créateurs et pour l'ensemble de la population.

Il n'en reste pas moins cependant qu'une forme quelconque d'autonomie collective demeure une condition nécessaire de l'émancipation des Québécois. Les sociologues critiques devraient-ils donc attendre que l'avènement de la souveraineté leur permettre de proposer de nouvelles voies à la créativité et à l'autogestion ? La déception face au projet indépendantiste actuel devrait-elle nous empêcher de chercher ailleurs les nouveaux chemins de la liberté ?

Si l'on en croit Marcel Rioux, la sociologie critique serait devenue sans objet puisque l'émancipation de l'homme occidental et de ses sociétés apparaît désormais impossible. Un peu moins pessimiste, Cornelius Castoriadis, contemporain de Rioux et important inspirateur de sa sociologie critique, se demande lui aussi, face au conformisme généralisé, « si nous sommes en train de vivre une longue parenthèse, ou si nous assistons au début de la fin de l'histoire occidentale en tant qu'histoire essentiellement liée au projet d'autonomie et co-déterminée par celui-ci » (Castoriadis, 1990 : 24).

191

Bien sûr, les grands projets porteurs d'émancipation, qu'ils soient inspirés du marxisme, de la social-démocratie ou du libéralisme politique, se sont effondrés à la suite du marasme généralisé issu de la mondialisation de l'économie : les États nationaux, capitalistes ou socialistes, ne savent plus répondre ni aux impératifs environnementaux ni aux besoins accrus des populations. Les inégalités de la société à deux vitesses s'élargissent non seulement entre le Nord et le Sud mais aussi entre l'Est et l'Ouest et à l'intérieur même des société industrielles avancées.

Faudrait-il donc se contenter d'une sociologie critique hautaine qui, à partir des minces espaces de liberté encore préservés au sein d'universités de plus en plus dominées elles aussi par l'unique souci de la compétition et de la rentabilité, vitupérerait l'époque sans se soucier de l'écho éventuel de ses interventions ?

Ce serait accepter les thèses de ceux qui comme Fukuyama prédisent la fin de l'histoire que de cesser de chercher au ras du sol dans les villages du Sud, dans les usines de l'Est, dans les quartiers des grandes métropoles du Nord comme dans les chambres des poètes et les ateliers des artistes des pratiques porteuses d'émancipation individuelle et collective. On peut imaginer que, comme au siècle dernier, coopératives et syndicats épars donnèrent naissance à un mouvement socialiste dont les conséquences ont dépassé les effets pervers, de nouvelles utopies concrètes comme celles que décrit Anthony Giddens (1990) pourraient émerger de ce qui semble à première vue un monde désespérément homogène et morcelé.

La transformation du monde du travail, en faisant de la formation professionnelle et du contrôle de l'entreprise des enjeux importants pour ce qui reste du mouvement ouvrier, devrait, au-delà de l'informatisation et de la robotisation, faire en sorte que l'autonomie des travailleurs ne passe pas nécessairement par une éventuelle dictature du prolétariat ou par de vastes opérations de concertation au seul niveau national. Qui nous dit qu'une fois passée une courte période d'engouement mythique pour une économie de marché dont les effets néfastes pour l'emploi et le niveau de vie commencent déjà à se faire sentir chez eux, les pays de l'Est n'opteront pas bientôt pour certaines formes d'autogestion ouvrière mieux adaptées que le capitalisme sauvage à une sortie heureuse du communisme totalitaire.

Alors que le mouvement syndical se replie partout dans les pays industrialisés où un chômage de plus de 10 % devient la norme commune, on assiste à un développement accru du tiers secteur constitué par les diverses formes d'organismes communautaires qui cherchent à tisser de nouvelles solidarités au profit des victimes les plus visibles des malheurs de ce temps. Au Québec, la crise économique a amené des mouvements communautaires, jadis contestataires et alternatifs, a réintégrer l'univers contraignant du travail en se concentrant sur l'emploi, la formation professionnelle et l'établissement de coopératives ouvrières ou de corporations locales de développement économique. Ces mouvements acceptent souvent ainsi de distribuer à moindre coût des services que l'État définit pour eux tout en ne voulant plus les assurer par les relais habituels des secteurs public et para-public. Ils le font d'autant plus aisément que ces services constituent une nouvelle source d'emplois précaires pour de nombreux diplômés de sciences humaines qui y trouvent leur seule perspective d'insertion sociale.

Même si, pas plus que le mouvement syndical, le mouvement communautaire ne semble pour le moment porteur d'utopies concrètes, on peut imaginer une convergence possible entre eux autour de l'idée de partage du travail préconisée par des auteurs comme André Gorz (1988) et Alain Lipietz (1989).

En effet, malgré l'optimisme de commande de nos élites économiques et politiques, il est devenu impossible, face à la crise économique structurelle qui frappe à l'Ouest comme à l'Est, sans parler de la pression démographique venue des masses du Sud, de croire encore à des politiques de plein emploi assurant à chacun et à chacune au fil des ans 40 heures par semaine de travail stable et bien rémunéré.

André Gorz pose le problème de la façon suivante « ou bien les normes actuelles du travail à plein temps sont maintenues et aux 10 à 20 % de chômeurs actuels s'en ajouteront 35 % supplémentaires ; ou bien la durée de travail à but économique est réduite en proportion des économies de travail prévisibles et nous travaillerons 30 à 40 % d'heures en moins – voire moins si tout le monde doit trouver un travail rémunéré ». Grâce à cette évolution « pour la première fois dans l'histoire moderne, le travail payé pourra donc cesser d'occuper le plus clair de notre temps et de notre vie » (Gorz, 1988 : 275). Peut-on voir là l'amorce de cette nouvelle utopie concrète où les écologistes rejoindraient syndicalistes et militants communautaires pour inventer un nouveau modèle culturel, un nouvel « épistémé » ? Si cette transformation doit se réaliser, ses promoteurs, encore peu nombreux, n'auront pas la tâche facile. Pour le moment, les exclus de la société duale songent surtout à atteindre ou à retrouver le niveau de consommation de ceux et celles qu'elle continue de favoriser. Ils sont loin de toujours adhérer aux prévisions pessimistes d'écologistes qui leur semblent plus préoccupés d'ozone, de caribous et de furanes que de développement économique et de création d'emplois.

Les sociologues critiques devront donc encore pour longtemps se trouver, comme Rioux l'a toujours préconisé, au côté des chansonniers, des poètes et des artistes, ces doux rêveurs qui nous incitent à dépasser l'engouement presque universel pour l'économie de marché et la résurgence des fondamentalismes obtus et des nationalismes xénophobes.

Pourtant, même de ce côté, le monde du marché et l'univers médiatique effectuent leurs ravages en favorisant la nouveauté éphémère qui étonne plutôt que les pratiques qui donnent « le moyen de dissocier ce qui reste de l'ordre ancien et d'en préfigurer un autre[2] ». Il demeure bien difficile, Rioux lui-même est obligé de l'admettre, de distinguer, surtout dans le domaine des arts visuels, ce qui représente une véritable rupture ou une percée de l'« imaginaire radical ». Il en est d'ailleurs de même dans tout le vaste champ des activités culturelles lorsqu'on cherche à y cerner l'émergence des pratiques émancipatoires. Doit-on la mesurer d'abord à l'aune de l'engagement social et politique des créateurs ? Faut-il reconnaître comme émancipatoire toute œuvre qui, au-delà des frontières institutionnelles érigées par l'élite intellectuelle en place, rejoint la conscience populaire ? Faut-il croire que tout ce qui étonne ouvre nécessairement les voies de la création et de la liberté ?

Dans son dernier ouvrage, contrairement à son habitude, Marcel Rioux n'a peut-être pas assez insisté sur ces pratiques culturelles qui, au moment où en changeant de siècle nous pourrions aussi transformer profondément notre imaginaire social, demeurent sans doute encore la seule façon de transcender le désenchantement d'un monde qui échappe de plus en plus à notre emprise.

Malgré le pessimisme lucide de Marcel Rioux, il nous reste donc peut-être encore quelques raisons d'espérer qu'au Québec, plus qu'ailleurs, une rencontre fructueuse et originale puisse s'opérer entre émancipation collective, bouillonnement culturel et sociologie critique.

Dans ce beau texte que je fais souvent lire à mes étudiants, Cornelius Castoriadis propose un sens à notre espérance :

> Les raisons pour lesquelles nous vivons l'autonomie sont et ne sont
> pas de l'époque. Elles ne le sont pas, car nous affirmerions les valeurs

---

2. Expression de Pierre Francastel en exergue de Marcel Rioux (1985). « Sociologie critique et création artistique », *Sociologie et sociétés*, vol. XVII, n° 2, oct. 1985, p. 5-11.

de l'autonomie quelles que soit les circonstances, et plus profondément, car nous pensons que la visée de l'autonomie tend inéluctablement à émerger là où il y a homme et histoire, que, au même titre que la conscience, la visée d'autonomie c'est le destin de l'homme, que, présente dès l'origine, elle constitue l'histoire plutôt qu'elle n'est constituée par elle. (Castoriadis, 1975 : 137.)

Tant qu'il y aura quelqu'un pour porter ce message, la sociologie critique continuera de nous interroger et de nous inspirer.

BIBLIOGRAPHIE

CASTORIADIS, C. (1975), *L'institution imaginaire de la société*, Paris, Seuil.

CASTORIADIS, C. (1990), *Le Monde morcelé*, Paris, Seuil.

FINKIELKRAUT, A. (1987), *La défaite de la pensée*, Paris, Gallimard.

GIDDENS, A. (1990), *The Consequences of Modernity*, Stanford, Stanford University Press.

GORZ, A. (1988), *Métamorphoses du travail. Quête du sens*, Paris, Galilée.

HAMEL, J. (1991), « Compte rendu d'*Un peuple dans le siècle* », *Recherches sociographiques*, vol. XXXII, n° 1, p. 83-89.

LIPIETZ, A. (1989), *Choisir l'audace*, Paris, La Découverte.

RIOUX, M. (1985), « Sociologie critique et critique artistique », *Sociologie et sociétés*, vol. XVII, p. 5-11.

RIOUX, M. (1988), « Les frusques de la semaine et l'habit du dimanche », *Possibles*, vol. 12, n° 3, p. 27-36.

RIOUX, M. (1990), *Un peuple dans le siècle*, Montréal, Boréal.

Le sens du possible

Marcel Fournier
Université de Montréal

> *Mais s'il y a un sens du réel, et personne ne doutera qu'il ait son droit à l'existence, il doit bien y avoir quelque chose que l'on pourrait appeler le sens du possible.*
>
> *Robert Musil, L'homme sans qualité*

Au début de l'été 1974, un 24 juin, Marcel Rioux reçoit ses amis à son chalet. Il y a Roland Giguère, Gérald Godin, Gilles Hénault et Gaston Miron, tous des membres de ce que Rioux appelle la « commune de North Hatley ». Dans la tradition de la maison, l'esprit est à la fête : on mange, on boit, on discute (Duchastel, 1981 : 153). Rioux lance l'idée d'une revue axée sur le développement d'une société autogestionnaire. Il y aurait des analyses politiques, des essais, des textes littéraires. Tous sont d'accord sur le titre de la revue, *Possibles,* et acceptent d'étudier plus sérieusement le projet.

Il y a d'autres rencontres. L'on discute de toutes choses, sauf le plus souvent de la revue elle-même. La revue n'est lancée que deux ans plus tard, lorsque l'équipe de rédaction décide de se réunir dans des lieux moins propices à la distraction (Duchastel, 1981 : 157). Rioux ne tient plus les réunions à sa maison de campagne mais dans un local de recherche du Département de sociologie de l'Université de Montréal. C'est plus austère, mais plus efficace. Le « bavardage de salon » fait place aux discussions techniques : mode de financement, choix de l'imprimeur, format de la revue, etc. L'équipe s'est élargie, avec la venue de Gabriel

Gagnon, professeur au département et la participation de jeunes collaborateurs pour la plupart formés en sociologie : Muriel Garon-Audy, Marcel Fournier, Robert Laplante et Marc Renaud. Robert Laplante accepte de prendre la responsabilité du secrétariat et devient la « cheville ouvrière » de la revue.

UNE REVUE

Nous sommes à l'automne 1976. Le Parti québécois vient d'être élu. Intellectuels et universitaires sont enthousiastes ; même les plus critiques sont prêts à « laisser une chance au coureur ». L'effervescence politique est grande : certains rêvent de l'indépendance, d'autres de la révolution. Tout devient possible ! Dans les milieux de gauche, on lit Althusser et Poulantzas et, à la lumière du matérialisme historique, on réévalue la « question nationale ». Le modèle soviétique ou cubain est mis au rancart : l'on ne jure plus que par le modèle chinois ou albanais. Fort actif, le mouvement marxiste-léniniste entraîne un certain nombre de « travailleurs intellectuels » dans ses rangs et réussit à donner « mauvaise conscience » à tous les autres. L'heure est à la radicalisation et aux exclusions.

Rioux connaît bien la chanson. Il a été au début des années 60 l'un des premiers professeurs qui ont osé enseigner le marxisme à l'Université de Montréal ; il a aussi fondé en 1964, avec son collègue Jacques Dofny, la revue *Socialisme* qui deviendra quelques années plus tard *Socialisme québécois*. Nul mieux que lui-même sait qu'auprès de plus jeunes, il fait figure « d'humaniste » retardé : se revendiquant du *courant chaud* du marxisme, il ne veut pas se limiter à la critique du système capitaliste, il s'intéresse aux « possibles que recèlent les pratiques novatrices ».

La revue *Possibles* est tout « naturellement » nationaliste et socialiste, les deux options fondamentales de ceux et celles qu'elle réunit étant : « indépendance du Québec et édification progressive d'une société socialiste que plusieurs nomment autogestionnaire ». « C'est là, précise Rioux en éditorial, un projet global de société dont les deux axes sont étroitement liés ; dans cette optique, l'indépendance nationale constitue le *moyen* indispensable et la seule décision politique qui rendent possible, pour les collectivités et les groupes à l'intérieur du Québec, la prise en charge d'eux-mêmes et de leur vie. » (Rioux, 1976 : 3.) Au printemps 1978, Rioux réaffirme la nécessité de se battre sur les deux fronts : « L'indépendance, c'est l'autogestion nationale, et l'autogestion, à tous les niveaux, n'est possible que par l'indépendance nationale. » (Rioux, 1978 : 9.)

De facture modeste avec ses 110 pages serrées, le premier numéro est consacré à l'expérience de Tricofil, une usine autogestionnaire de Saint-Jérôme. Renvoyant dos à dos le capitalisme de Power et les mirages de quelque communisme albanais, Gabriel Gagnon explique la portée d'un tel choix dans les termes suivants :

> Dans cette revue [...], nous voudrions contribuer à construire un Québec où l'aliénation serait poursuivie jusqu'aux niveaux essentiels du travail et de la vie quotidienne. Nous nous mettons à l'écoute des diverses expériences qui nous semblent aller dans ce sens, parfois pour leur donner une voix, parfois pour en montrer les limites, mais toujours pour essayer d'en dégager toutes les possibilités comme étapes dans la quête d'une société libre qu'il nous faudra bâtir au jour le jour, sans modèle définitivement établi. Tricofil nous a permis de nous mettre au travail. (Gagnon, 1976 : 85-86.)

Identifiée comme « jalon indispensable vers l'âge de l'autogestion », l'aventure de Tricofil est l'une de ces « pratiques émancipatoires » qui permettront, espère-t-on, de changer la vie.

UN MAÎTRE À PENSER ?

Que ce soit dans une salle de cours ou à la revue, Marcel Rioux ne se présente pas comme un « maître à penser » même s'il a tous les attributs du gourou. Tout au plus veut-il être un guide et un « compagnon de route » : il suggère des lectures, soulève des questions, accepte les divergences. Bref, tout le contraire d'un doctrinaire. Certes il a ses idées, il a ses goûts et ses dégoûts, il est aussi capable de mépris – pensons à son pamphlet contre les « salauds » de Trudeau et Chrétien –, mais toujours il prône la tolérance et le respect des autres et il invite au débat franc et ouvert.

Aux réunions du comité de rédaction de *Possibles*, Rioux aime présider les discussions et lorsqu'il y a des divergences, il joue le médiateur. *Possibles* est tout le contraire d'une cellule de parti : il n'y a ni « ligne juste » ni mot d'ordre. Dans le contexte des années 70, marqué par le développement du mouvement marxiste-léniniste, la revue nage, dira Rioux, avec le courant et contre le courant et avec ses idées d'autonomie et d'autogestion et sa sensibilité nationaliste, elle est rapidement classée comme dangereusement « réformiste ». Aucun membre du comité de rédaction ne sera d'ailleurs invité en 1981 à participer à l'élaboration du Manifeste des Cent et à la fondation du Mouvement socialiste (Fournier, 1982).

Pour sa part, la revue se tient loin des manifestes et des slogans ; elle se veut un lieu de débat et elle accepte les différences idéologiques et les divergences politiques. Certains collaborateurs sont des nationalistes convaincus ; d'autres s'identifient à la gauche. Le rapport à l'écriture n'est pas non plus homogène : certains manient l'essai pour faire connaître leurs opinions, d'autres préfèrent mener des enquêtes ou analyser des problèmes.

Les spécialistes en sciences sociales sont en position de force au sein du comité de rédaction : ils définissent l'orientation politique et déterminent les thèmes des numéros. La revue ouvre aussi ses pages à des poètes, à des artistes et à des critiques littéraires. On trouve dans les premiers numéros des poèmes de Roland Giguère, Gérald Godin, Gilles Hénault, Luc Racine et Françoise Bujold, des textes de Pierre Perrault, Jacques Brossard et A. Lefrançois. L'équilibre fragile entre l'analyse et la création est incarné par le sécrétaire de la rédaction, Robert Laplante, sociologue et poète.

La revue entend promouvoir l'art et la littérature. Rioux n'hésite pas à comparer sa démarche à celle de l'artiste : « La démarche critique qui explore les possibles se rapproche de celle des créateurs de possibles que sont les artistes. » (Rioux, 1976 : 8.) L'une des façons pour la revue de manifester son parti-pris pour la création est de confier l'illustration de chaque numéro à un ou plusieurs artistes et de consacrer un numéro par année à la culture. La participation des artistes et des écrivains n'est cependant pas d'une grande constance. Giguère prépare la maquette et réalise la mise en page mais il n'assiste pas aux réunions ; Gérald Godin quitte le comité de rédaction à la suite de son élection comme député. Plus actifs pendant les premières années, Gilles Hénault et Gaston Miron ont quelques difficultés à se plier à la discipline des réunions régulières. Pour défendre le point de vue des artistes et des écrivains, il faut rapidement élargir le comité de rédaction et y admettre des spécialistes universitaires de l'art et de la littérature : Lise Gauvin en lettres, Francine Couture et Rose-Marie Arbour en arts visuels.

Et toujours sous le signe de l'ouverture. Loin de privilégier en fonction même de son orientation politique, un « art social » ou un art engagé, la revue *Possibles* préfère se laisser questionner par les diverses démarches artistiques, en particulier celles qui témoignent d'un souci de recherche et de renouvellement des formes esthétiques. Donc ni école esthétique ni débat stérile entre tendances.

Jusqu'à la crise provoquée par le départ du secrétaire de la rédaction et de quelques membres du comité de rédaction, il n'y a pas de véritable confrontation à la revue. La « manière Rioux » s'impose : les discussions se déroulent dans une atmosphère de complicité et dans le respect des démarches personnelles. Seul problème : la division du travail entre les membres du comité de rédaction. L'autogestion vécue au quotidien se traduit par une surchage de travail pour certains. Lorsqu'il y aura rupture, Rioux sera le premier à le déplorer, espérant toujours que l'amitié qui lie les collaborateurs puisse leur permettre de faire face aux divers problèmes (organisation, etc.).

DES « POSSIBILISTES »

L'analyse des premiers numéros de la revue permet d'identifier non tant un clivage idéologique qu'une double sensibilité : d'un côté, des études critiques de la structure sociale et économique avec des textes sur le syndicalisme, la santé et la question nationale ; de l'autre, des réflexions sur de nouvelles pratiques et de nouveaux problèmes, avec des textes sur le mouvement écologique, les Amérindiens et les régions périphériques.

Tableau
Thèmes et collaborateurs de la revue Possibles (1976-1978).

	Sciences soc. et hum.	Écrivains	n.s.
Vol. 1 (1976-1977)			
N° 1 Spécial Tricofil	6	3	–
N° 2 Santé	7	4	2
N° 3-4 Amérindiens	15	4	2
Vol. 2 (1977-1978)			
N° 1 Fer et Titane	6	3	–
N° 2-3 Gaspésie	11	4	3
N° 4 Syndicalisme et coop	10	2	1
TOTAL	**55**	**20**	**9**

Le programme des « possibilistes » tient en quelques mots : tout le possible, rien que le possible. C'est donc un mélange d'utopisme et de pragmatisme. Rioux lui-même se situe entre la raison et l'utopie et, pour reprendre le titre de l'un de ses essais, entre le besoin et le désir : il faut non seulement dénoncer les aliénations et dévoiler les manipulations dont sont l'objet les besoins, mais aussi mener une réflexion sur « un monde meilleur » en se laissant parfois porter par ses rêves. Évidemment, il n'est pas question pour l'intellectuel engagé d'abandonner sa mission, à savoir dévoiler les contradictions au sein des structures globales et dénoncer toutes les formes d'exploitation et d'aliénation. Mais il doit aussi se tourner vers les pratiques novatrices pour en déceler et mettre à jour les possibles de changement qu'elles recèlent.

Il y a donc deux temps ou deux facettes de la démarche critique. Le premier temps oblige à jeter un regard objectiviste sur le monde et à identifier les « pesanteurs sociologiques » et les « tendances lourdes ». Solidement appuyées par les statistiques, la sociologie et les diverses sciences sociales sont des « armes » indispensables permettant de mesurer empiriquement le caractère d'un événement ou d'un phénomène par l'évaluation du nombre de chances d'en obtenir la réalisation. C'est la démarche « probabiliste » : toute chose étant égale par ailleurs, il y a, dira-t-on, de fortes chances que... Parce qu'elle fait prendre conscience que les véritables changements ne se produisent que lentement, une telle perspective probabiliste inculque, comme le souhaitait l'un des pères-fondateurs de la sociologie, Emile Durkheim, un « sain conservatisme ». L'on pourrait dire aujourd'hui un « sain pragmatisme » : il ne faut chercher à réaliser que le possible.

Pour les « possibilistes », la démarche critique implique un deuxième volet : l'élargissement du champ des possibles. Dès lors, la lutte pour le changement ne se limite pas à des actions politiques (critique des gouvernements, manifestations publiques, participation aux élections), elle exige aussi des actions à caractère associatif et qui conduisent à des réalisations concrètes et immédiates : organisation de coopératives de production et de consommation, développement d'initiatives communautaires, participation à la gestion des entreprises. Par le choix des thèmes et des collaborateurs, l'objectif de la revue est de « publiciser » des pratiques novatrices susceptibles de changer les modes de vie et de pensée : Tricofil, le JAL dans le Bas-du-fleuve, les coopératives d'habitation, les collectifs d'artistes. Dans un éditorial intitulé « Les possibles et les enjeux », Gilles Hénault écrit :

Dès le départ, la revue se proposait un projet à la fois modeste et ambitieux : faire émerger les « possibles » dans l'aire de la société québécoise, en particulier, et dans le champ de la connaissance, en général. Les quatre premiers numéros de *Possibles* sont un échantillon de cette volonté de mettre en lumière des réalités nouvelles, dont le dynamisme convergent donne raison au mot d'ordre de Rimbaud : Il faut changer la vie. (Hénault, 1977 : 4-5.)

LE SCIENTIFIQUE ET LE POLITIQUE

En sciences sociales, la question de l'engagement politique est incontournable. Dans un article qui a influencé toute une génération, Marcel Rioux a opposé la sociologie critique à la sociologie positiviste ; remettant en question le principe de la neutralité axiologique, il dénonçait le savant qui prétend pouvoir, la science aidant, jeter un regard objectif sur le monde et la société (Rioux, 1969). L' « asepticisme » en sciences sociales n'est qu'un mensonge : le savant est aussi un citoyen.

Cependant les relations entre les intellectuels et les organisations politiques demeurent difficiles et sont marquées par de nombreux malentendus. L'on voudrait qu'ils servent une cause et qu'ils soient au « service du parti », bref qu'ils se nient eux-mêmes pour devenir de simples propagandistes. Or ni la partisanerie ni la discipline de parti ne conviennent à ceux dont la tâche spécifique est de critiquer les dogmes et de remettre en question les certitudes.

Marcel Rioux incarne mieux que tout autre l'intellectuel critique qui, intervenant à la manière d'un Jean-Paul Sartre en dehors de ses champs de compétence, remet en question des valeurs de la société. Le médium qu'il privilégie est la revue politico-intellectuelle : d'abord *Cité libre*, ensuite *Socialisme* et enfin *Possibles*. Dans une certaine mesure, Rioux apparaît, pour reprendre l'expression de R. Jaccoby, comme l'un des « derniers intellectuels » (Russel, 1987).

Qui veut caractériser la transformation que connaît le travail intellectuel depuis la fin des années 60 peut emprunter à la sociologie des professions la notion de « professionnalisation ». Inséré en milieu universitaire, le spécialiste en sciences sociales et humaines se voit confronté à de nouvelles exigences (administration, programme de recherches) et à de nouvelles règles du jeu (publication dans des revues spécialisées, insertion dans les réseaux, évaluation par les pairs). Que sont devenus, se demande Jaccoby, les anciens gauchistes des années 60 et 70 ? Ils ont abandonné les cafés du centre-ville pour les cafétérias des campus universitaires en banlieue. Ils ne se sont pas tus, mais ils parlent autrement et auprès de publics restreints.

L'on peut donc parler du « silence des intellectuels[1] ». Mais tout ne s'explique pas, comme le pense Soulet, par l'échec du Référendum en 1981 ? « Le Référendum ouvre, écrit-il, une blessure profonde qui s'apparente à une amputation. L'intellectuel québécois doit désormais vivre sans le peuple alors même que ce dernier avait jusque-là occupé une place notable dans sa constitution et dans son existence. Le cordon ombilical est bel et bien coupé. » Ni plus ni moins !

Il ne s'agit pas d'une situation conjoncturelle. Le mouvement qui conduit au « silence des intellectuels » est plus profond : en acquérant le statut d'expert, le spécialiste en sciences sociales et humaines a perdu celui d'intellectuel ; il est maintenant quelqu'un que l'on consulte et que l'on « commandite ». Aux yeux de certains, la publication de la revue *Possibles* peut paraître anachronique : il s'agit d'un mode d'intervention politico-intellectuelle que tendent à utiliser de moins en moins les spécialistes et les universitaires.

* * *

Mais qui sait ? L'anachronisme peut être une vertu. En créant la revue *Possibles*, Rioux veut rappeler qu'entre le modèle du militant politique, dogmatique et totalement dévoué à son organisation, et celui de l'expert savant et détaché, il y a, surtout en période de transition, place pour l'intellectuel engagé. Convaincu que la neutralité ne peut en sciences sociales et humaines servir d'éthique, celui-ci n'a jamais caché ses opinions, mais a toujours voulu préserver son indépendance. Les idées ou les opinions peuvent changer, une seule chose importe : l'autonomie ou l'autogestion dans l'exercice des activités intellectuelles et scientifiques. L'on comprend que tout en menant avec succès et de manière professionnelle sa carrière universitaire, Marcel Rioux n'ait lui-même jamais cessé de défendre contre tous les pouvoirs religieux, politique et universitaire, son intégrité et sa liberté de pensée.

---

1. Soulet, Marc-Henri, *Le silence des intellectuels,* Montréal, Éditions Saint-Martin, 1987.

BIBLIOGRAPHIE

DUCHASTEL, J. (1981), *Marcel Rioux. Entre l'utopie et la raison*, Montréal, Nouvelle Optique.

GAGNON, G. (1976), « L'exception ou la règle », *Possibles*, vol. 1, n° 1, p. 73-86.

FOURNIER, M. (1982), « La logique des Manifestes », *Possibles*, vol. 6, n° 3-4, p. 117-129.

HÉNAULT, G. (1977), « Les possibles et les enjeux », *Possibles*, vol. 2, n° 1, p. 3-6.

JACCOBY, R. (1987), *The Last Intellectuals. American Culture in the Age of Academic*, New York, Basic Books.

RIOUX, M. (1969), « Remarques sur la sociologie critique et la sociologie aseptique », *Sociologie et sociétés,* vol. 1, n° 1, p. 53-67.

RIOUX, M. (1976), « Les possibles dans une période de transition », *Possibles*, vol. 1, n° 1, p. 3-8.

RIOUX, M. (1978), « Ceux d'en haut et ceux d'en bas », *Possibles*, vol. 2, n° 2-3, p. 7-11.

SOULET, M.-H. (1987), *Le silence des intellectuels*, Montréal, Éditions Saint-Martin.

Marcel Rioux, peintre

Marcelle Ferron
peintre

Le peintre n'est pas sans humour ; il a beaucoup de plaisir à voir ses amis sociologues essayer de le cerner, lui, le rebelle et l'opportuniste. Avec Marcel Rioux, ami des peintres et des artistes, mais qui ne semble pas regarder la peinture, on s'interroge.

Le serait-il sans le savoir ? Ou n'est-il pas lui-même, sur le terrain, un peintre ? Promenant son chevalet et ses couleurs sur le terrain, il relève de-ci, de-là des notes lumineuses, oublie le tragique et glisse rapidement sur les tons sombres. D'un profond optimisme... comme si le soleil revenait tous les jours... il a cette merveilleuse continuité des êtres qui ont des idées, beaucoup d'idées et d'expérience et qui les défendent pour faire un pays et une identité.

J'ai donc, en plus de l'amitié, une profonde et très grande estime, car aussi, il écrit, se renouvelle et sait poursuivre ses rêves.

Il nous informe de la frugalité de notre culture et le plus curieux est que M. le professeur Rioux n'est pas agressif mais il est ferme et têtu comme le sont les marins dans les vents difficiles.

Quelques saisons

Roland Giguère
poète

Quelques étés de grands orages et de belles accalmies
des printemps sages et tranquilles attendant la jonquille
des automnes tourmentés qui soudent les amis
et cet hiver toujours malvenu avec son froid désert
quand les idées fuient sur les pentes glacées

et des éclats de rire et des éclairs de génie
parfois entre deux verres entre deux parties
la boule de cristal sur le terrain de pétanque
l'avenir à nos pieds et la bonne aventure à venir
la liberté attend toujours l'heure de partir

l'homme veille penché sur ses calculs
réfléchit à la prochaine saison à la future année
combien serons-nous encore à ces remparts ?
où va la vie ainsi menée ?
ces méandres nous laissent peu d'espoir et pourtant

on pose la lampe sur la table et tout devient clair
les mots sont verts la parole lisse
on n'ira pas ailleurs chercher la lueur qu'il nous faut
nous ferons notre feu de notre propre bois

les questions reviennent et s'usent à la porte
on n'aura peut-être jamais la clé
pour entrer dans cette maison de désir
on fouille on creuse on erre d'un jardin à l'autre
on bâtit en rêve cette demeure convoitée

un jour peut-être disait le sociologue
une nuit certainement disait le poète
et ce qui doit venir viendra évidemment
après les chants les cris les écrits
et les grands emportements

la bonne aventure

R. Giguère 88

Bibliographie de l'œuvre de Marcel Rioux

Jacques Hamel et Éric Forgues
Département de sociologie
Université de Montréal

1. OUVRAGES

Description de la culture de l'Île Verte, Ottawa, Musée national du Canada, 1954, 100 p. (bulletin 133).

Belle-Anse, Ottawa, Musée national du Canada, 1957, 125 p.

La question du Québec, Paris, Seghers, 1969, 184 p. ; 2e éd. revue et augmentée, Montréal, Parti-Pris, 1976, 249 p. ; 3e éd. augmentée d'une nouvelle préface, collection Typo, Montréal, L'Hexagone, 1987.

Les Québécois, Paris, Seuil, 1974, 192 p. (Le temps qui court n° 42).

Essai de sociologie critique, Montréal, Hurtubise HMH, 1978, 182 p. (Cahiers du Québec – sociologie).

Quebec in question, Toronto, J. Lorimer, 1978, 209 p.

Pour prendre publiquement congé de quelques salauds, Montréal, L'Hexagone, 1981, 76 p.

Le besoin et le désir, Montréal, L'Hexagone, 1985, 133 p.

Une saison à la Renardière : chronique, Montréal, L'Hexagone, 1988, 87 p.

Anecdotes saugrenues : historiettes, Montréal, L'Hexagone, 1989, 118 p.

Un peuple dans le siècle, Montréal, Boréal, 1990, 448 p.

2. RECUEILS, OUVRAGES COLLECTIFS ET LIVRES SOUS LA DIRECTION DE MARCEL RIOUX

Enquête etho-linguistique, avec Jacques ROUSSEAU et Jean-Paul VINAY, Centre de Recherches d'anthropologie amérindienne de l'Université d'Ottawa, 1954, 122 p. (5 fascicules).

L'école laïque, avec Jacques MACKAY, Maurice BLAIN, Robert ÉLIE *et al.*, Montréal, Éditions du Jour, 1961, 125 p.

French Canadian Society, sous la responsabilité de Marcel RIOUX et Yves MARTIN, « Carleton Library » n° 18, Toronto, McClelland & Stewart, 1964, 405 p.

Les nouveaux citoyens, avec Robert SÉVIGNY, Montréal, Société Radio-Canada, 1964, 123 p.

Rapport de la Commission d'enquête sur l'enseignement des arts au Québec, sous la présidence de Marcel RIOUX, Montréal, Éditeur officiel du Québec, 1969, 3 volumes, 1 (304 p.), 2 (389 p.), 3 (205 p.).

La société canadienne-française, sous la responsabilité de Marcel RIOUX et Yves MARTIN, Montréal, Hurtubise HMH, 1971, 404 p.

Aliénation et idéologie dans la vie quotidienne des Montréalais francophones, sous la direction de Yves LAMARCHE, Robert SÉVIGNY et Marcel RIOUX, Montréal, Presses de l'Université de Montréal, 1972-1973, 2 tomes, 993 p.

Données sur le Québec, avec R. BOILY, A. DUBUC, F.-M. GAGNON et J.-L. TRUDEAU, Montréal, Presses de l'Université de Montréal, 1974, 270 p.

Sociologie et sociétés, « Critique sociale et création culturelle », sous la direction de Marcel RIOUX, vol. XI, n° 1, avril 1979, 165 p.

Deux pays pour vivre : un plaidoyer, avec Susan CREAN, Montréal, Éditions Saint-Martin, 1980, 117 p.

* *Two Nations*, avec Susan CREAN, Toronto, James Lorimer & Company, 1983, 167 p.

---

* Ce livre n'est pas la traduction directe de l'ouvrage *Deux pays pour vivre : un plaidoyer*. Il s'agit, en fait, d'une expérience inédite : au départ d'une ébauche commune, M. Rioux a écrit un livre en français tandis que l'ouvrage en anglais était du ressort de S. Crean ; les deux volumes faisant référence en priorité à la « réalité nationale » de chacun des auteurs.

Sociologie et sociétés, « Sociologie critique et création artistique », sous la direction de Marcel RIOUX, Luc RACINE et Greg Marc NIELSEN, vol. XVII, n° 2, octobre 1985.

3. BROCHURES ET DOCUMENTS

Sur le sens de l'évolution socio-culturelle de l'Île Verte (étude anthropologique locale sur la culture de l'Île Verte), Montréal, Éditions CDRD, 1953, 13 p.

Attitudes des jeunes du Québec âgés de 18 à 21 ans, rapport pour la Commission royale d'enquête sur le bilinguisme et biculturalisme sur certaines opinions et attitudes des jeunes du Québec, Département de sociologie, Université de Montréal, 1965, 223 p.

La nation et l'école, Montréal, Mouvement laïque de langue française, 1966, 23 p.

Les nouveaux citoyens ; enquêtes sociologiques sur les jeunes du Québec, avec Robert SÉVIGNY, Montréal, Société Radio-Canada, 1966, 76 p.

Jeunesse et Société contemporaine, Montréal, Presses de l'Université de Montréal, 1969, 50 p.

Le Rapport du tribunal de la culture, Marcel Rioux président, avec la participation de Hélène LOISELLE, Françoise LORANGER, Claude JUTRA, Léon BELLEFLEUR et Gérald GODIN, *Liberté*, n° 101 (numéro spécial), décembre 1975, 81 p.

Communication donnée au colloque de La Grande Maison de Sainte-Luce-sur-Mer, Commission régionale de développement culturel, 7 décembre 1976, 16 p. (retranscription).

Fête populaire et développement de la culture populaire au Québec : une approche de sociologie critique, avec Muriel GARON-AUDY et Zaida RADJA, rapport de recherche II, juin 1979, 78 p.

4. PRÉFACE À DES OUVRAGES

« Préface », dans Jean SARRAZIN, *Visages de l'homme*, Montréal, Éditions Beauchemin, 1954, p. 9-12.

« Préface », dans Michel VERDON, *Anthropologie de la colonisation au Québec*, Montréal, Cercle du livre de France, 1973, p. 317-322.

« Préface », dans Gilbert TARRAB, *Le théâtre du nouveau langage*, tome 2, Montréal, Cercle du livre de France, 1973, p. 317-322.

« Les débuts d'un temps nouveau », dans André d'ALLEMAGNE, *Le RIN et les débuts du mouvement indépendantiste québécois*, Montréal, L'Étincelle, 1974, p. 5-8.

« Préface », dans Pierre DESRUISSEAUX, *Magie et sorcellerie populaire au Québec*, Montréal, Tryptique, 1976, p. 8-10.

« [Préface] », dans Jean PARÉ, *Le temps des otages*, Montréal, Quinze, 1977, p. 11-13.

« Les affaires coloniales », dans Anthony WILDEN, *Le Canada imaginaire*, Québec, Éditions Comiditex, 1978, p. VII-XII.

« Le village toujours recommencé », dans Mario FONTAINE, *Tout sur les p'tits journaux artistiques ou comment dormir avec le cœur qui palpite*, Montréal, Quinze-Critère, 1978, p. 9-12.

« La réappropriation de son corps et de son cœur », dans Charlotte BOISJOLI, *Dis-moi qui je suis, exercices d'improvisation*, Montréal, Leméac, 1984, p. 7-8

5. ENTREVUE, ENTRETIEN ET DÉBAT

« Entretien : perspectives d'avenir pour la gauche », avec A. DUBUC et M. VAN SCHENDEL, *Socialisme 66*, nos 9-10, octobre-décembre 1966, p. 7-25.

« Entretien : perspectives d'avenir pour la gauche », avec A. DUBUC et M. VAN SCHENDEL, *Socialisme 66*, nos 12-13, avril-juin 1967, p. 37-42.

« Une entrevue avec Herbert Marcuse », recueillie par M. RIOUX, *Forces*, n° 22, 1973, p. 46-63.

« À la recherche d'un pays », entretien dans le cadre de l'émission *Un écrivain et son pays*, Radio-Canada MF, émission diffusée le 25 août 1979.

« Ionesco devant le 3e millénaire : 'Il est dangereux que l'homme ne soit plus qu'un être social... alors que la condition métaphysique est là' », *Forces*, n° 50, 1er trimestre 1980, p. 24-33.

« La nouvelle culture : un effort de retotalisation des pouvoirs de l'homme... » (un entretien avec Edgar MORIN), *Forces*, n° 52, 3e trimestre 1980, p. 4-15.

« Document – Table ronde : le Département de sociologie de l'Université de Montréal », avec la participation de Marcel RIOUX, Jacques DOFNY, Hubert GUINDON, Norbert LACOSTE et Robert SÉVIGNY, *Sociologie et sociétés*, « Réflexions sur la sociologie », vol. XII, n° 2, octobre 1980, p. 179-201.

« Interview de Marcel Rioux », *Loisirs et sports*, recueillie par Antoine GODBOUT, n° 92, avril 1980, p. 21-23.

« Lettre de Québec », interview de M. Rioux et Roger Lemelin recueillie par Axel MAUGEY, *Revue des Deux Mondes*, octobre 1980, p. 241-249.

« La sociologie contemporaine et ses perspectives critiques », avec *Sociologie et sociétés*, vol. 17, n° 2, octobre 1985, p. 119-132.

6. CONTRIBUTION À DES RECUEILS ET OUVRAGES COLLECTIFS

« Recherches sociographiques », dans Fernand DUMONT et Yves MARTIN (éds), *Situation de la recherche sur le Canada français*, Québec, Presses de l'Université Laval, 1962, p. 267-272.

« La folklorisation d'une société », dans Pierre DeGRANDPRÉ (éd.), *Histoire de la littérature française du Québec*, tome I, Montréal, Beauchemin, 1968, p. 79-85.

« Youth in the contemporary world and in Québec », dans W.E. MANN (éd.), *Canada : a sociological profile*, Toronto, Copp. Clark Publish, 1968, p. 512-522.

« From a Minority Complex to Majority Behavior », dans *Emerging Nations*, New Mexico, University of New Mexico Press, 1969.

« The Development of Ideologies in Quebec », dans Orest M. KRU- HLAK (éd.), *The Canadian Political Process : a Reader*, Montréal, Hold, Rinehart and Winston, 1970, p. 60-90.

« Remarques sur le phénomène Parti pris », dans Joseph BONENFANT (sous la direction de), *Index de Parti-pris (1963-1968)*, Sherbrooke, CELEF – Université de Sherbrooke, 1975, p. 3-9.

« Communautés et identité au Canada », dans *Options, délibérations sur le futur de la fédération canadienne*, Toronto, Université de Toronto, 1977, p. 4-17.

« Le développement culturel », dans Daniel LATOUCHE (éd.), *Premier mandat : une prospective à court terme du gouvernement péquiste*, Montréal, Éditions de l'Aurore, 1977, p. 27-37.

« Radicalism and Nationalism in Quebec », dans Jean SARRAZIN (éd.), *Dossier Québec*, livre-dossier n° 3, Stock, 1979, p. 21-31.

« La fête et le jeu du point de vue d'une sociologie critique de la culture », dans Karin R. GURTTLER et Monique SARFATI-

ARNAUD, *La fête en question*, Département d'études anciennes et modernes, Université de Montréal, 1980, p. 5-14.

« La fête populaire : souvenir et espoir », dans D. PINARD (sous la direction de), *Que la fête commence, Actes du Colloque sur la fête populaire*, Montréal, Société des Festivals populaires du Québec, 1980, p. 87-92.

« L'idéologie de rattrapage », dans G. BOISMENU, L. MAILHOT et J. ROUILLARD (éds.), *Le Québec en textes*, Montréal, Boréal Express, 1980, p. 128-134.

« Développement culturel et culture populaire », dans Gilles PRONO-VOST (éd.), *Cultures populaires et sociétés contemporaines*, Québec, Presses de l'Université du Québec, 1982, p. 159-164.

« Remarques sur les pratiques émancipatoires dans les sociétés industrielles en crise », dans Jean-Pierre DUPUIS, Andrée FORTIN *et al.* ; *Les pratiques émancipatoires en milieu populaire*, coll. « Documents préliminaires n° 2 », Québec, Institut québécois de recherche sur la culture, 1982, p. 45-78.

« Du monde bien ordinaire », dans Hervé FISCHER (sous la direction de), *L'oiseau-chat*, Montréal, La Presse, 1983, p. 231-237.

« Un grand honnête homme », dans *Jean-Paul II, une Église au rendez-vous*, Montréal, Éditions Paulines, 1984, p. 27-28.

7. ARTICLES

« Les Hurons-Iroquois pratiquaient-ils le totémisme ? », *Mémoires de la Société Royale du Canada*, 3e série, vol. 39, section 2, 1945, p. 173-176.

« Qu'est-ce qu'une nation ? », *L'Action nationale*, vol. 26, septembre 1945, p. 25-37.

« État et nation », *L'Action nationale*, vol. 27, janvier 1946, p. 6-18.

« Le concept d'éthos en anthropologie culturelle », *Annales de l'ACFAS*, vol. 16, 1948, p. 166-168.

« Contes populaires canadiens », *Journal of American Folklore*, 8e série, vol. 63, n° 248, 1950, p. 199-230.

« Folk and Folklore », *Journal of American Folklore*, vol. 63, n° 248, 1950, p. 192-198.

« The Meaning and Function of Folklore in Ile Verte », *National Museum Bulletin*, n° 118, 1950, p. 60-62.

« Remarques sur la notion de culture en anthropologie », *Revue d'histoire de l'Amérique française*, vol. 4, n° 3, décembre 1950, p. 311-321.

« Le concept d'éthos : voie d'accès à la psychologie des peuples et des civilisations », *La Revue de Psychologie des Peuples*, 1951.

« Persistence of a Tutelo Cultural Trait Among Contemporary Cayuga of Grand River, Ont. », *National Museum of Canada*, bulletin n° 123, 1951, p. 72-74.

« Remarques sur l'éducation secondaire et la culture canadienne-française », *Cité Libre*, vol. 1, n° 2, février 1951, p. 34-42.

« Some Medical Beliefs and Practices of the Contemporary Iroquois Longhouse of the Six Nations Reserve », *Journal of the Washington Academy of Sciences*, vol. 41, n° 5, 1951, p. 152-158.

« Anthropology and Folklore », *National Museum of Canada*, bulletin n° 132, 1952, p. 72-76.

« Notre civilisation rurale est-elle en péril ? », *Culture*, vol. 13, septembre 1952, p. 248-252.

« Relations between Religion and Government Among three Longhouse Iroquois of Grand River, Ont. », *National Museum of Canada*, 1952, p. 72-76.

« Les Sociétés paysannes, méthodes d'études », *Revue d'histoire de l'Amérique française*, vol. 5, n° 4, mars 1952, p. 493-504.

« Anthropologie et psychologie des peuples », *Revue de Psychologie des Peuples*, 2ᵉ trimestre, 1953 (suivi d'une lettre ouverte de M. Abel Miroglio à M. Rioux).

« Remarques sur l'éducation secondaire », *Cité Libre*, n° 8, novembre 1953, p. 54.

« Sur le sens de l'évolution socio-culturelle de l'Île Verte », *Rapport annuel du Musée national*, Ottawa, 1953, bulletin n° 128.

« Un bilan de l'anthropologie contemporaine », *Revue de Psychologie des Peuples*, 9ᵉ année, n° 1, 1954, p. 73-85.

« Sociabilité et typologie sociale », *Contributions à l'étude des Sciences de l'Homme*, vol. 2, 1954, p. 61-73.

« Idéologie et crise de conscience du Canada français », *Cité Libre*, n° 14, décembre 1955, p. 1-29.

« Notes autobiographiques d'un indien Cayuga », *Anthropologica*, n° 1, 1955, p. 18-37.

« Rapport préliminaire de l'étude sur la culture acadienne du Nouveau-Brunswick », *Rapport annuel du Musée national*, bulletin n° 147, avril 1955-1956, p. 62-64.

« Lettre sur le folklore », *Le Journal musical canadien*, vol. 11, n° 5, 1956, p. 1.

« Notes on the Urbanization Processes of a Quebec Village », *Annual Report for the Fiscal Year 1954-55*, Musée national du Canada, bulletin 142, Ottawa, 1956, p. 114-120.

« Remarques sur les concepts de schème et de modèle culturels », *Anthropologica*, n° 2, 1956, p. 93-107.

« Remarques sur les valeurs et les attitudes des adolescents d'une communauté agricole du Québec, *Contributions à l'étude des Sciences de l'Homme*, n° 3, 1956, p. 133-143.

« The Canadian Indian in Transition », *Food for Thought*, février 1956, p. 195-197.

« Critique de l'hypothèse de Redfield », dans *Belle-Anse*, Ottawa, Musée national du Canada, 1957, p. 75-84.

« Rapport préliminaire de l'étude de la culture acadienne du Nouveau-Brunswick », *National Museum of Canada*, 1957, 5 p.

« Relativisme culturel et jugements de valeur », *Anthropologica*, n° 4, 1957, p. 61-79.

« Remarques sur les concepts de folk-société et de société paysanne », *Anthropologica*, n° 5, 1957, p. 147-162.

« Kinship Recognition and Urbanization in French Canada », *Contribution to Anthropology*, bulletin n° 173, 1959, p. 1-11 ; repris dans M. RIOUX et Y. MARTIN, *French Canadian Society*, Toronto, McClelland & Stewart, 1964, p. 372-385 ; traduction française : « La connaissance de la parenté et l'urbanisation du Canada français », dans M. RIOUX et Y. MARTIN, *La société canadienne-française*, Montréal, Hurtubise HMH, 1971, p. 377-387.

« Note sur la notion d'idéologie », *Anthropologica*, numéro spécial, n° 1, 1959, p. 136-139.

« Notes sur le développement socio-culturel du Canada français », *Contributions à l'étude des Sciences de l'Homme*, n° 4, 1959, p. 144-159 ; repris dans M. RIOUX et Y. MARTIN, *La société canadienne-française*, Montréal, Hurtubise HMH, 1971, p. 173-187.

« La démocratie et la culture canadienne-française », *Cité Libre*, vol. IX, n° 28, juin-juillet 1960, p. 3-4, 13.

« Socialisme, cléricalisme et nouveau parti », *Cité Libre*, 12e année, n° 33, janvier 1961, p. 4-8.

« Vision tragiques et optimistes de l'histoire », *Écrits du Canada français*, vol. 8, 1961, p. 233-257.

« L'Art et l'éducation des adultes », *Cité Libre*, vol. 13, n° 48, juin-juillet 1962, p. 20.

« L'Étude de la culture canadienne-française : aspects microsociologiques », *Recherches sociographiques*, vol. 3, nos 1-2, janvier-août 1962, p. 267-272.

« Remarques sur les concepts de vision du monde et de totalité », *Anthropologica*, vol. IV, n° 2, 1962, p. 273-291.

« Commentaire : aliénation culturelle et roman canadien », *Recherches sociographiques*, vol. V, nos 1-2, janvier-août 1964, p. 145-150.

« Le socialisme aux U.S.A. », *Socialisme 64*, n° 1, 1964, p. 87-107.

« Conscience ethnique et conscience de classe au Québec », *Recherches sociographiques*, vol. 6, n° 1, janvier-avril 1965, p. 23-32.

« Conscience nationale et conscience de classe au Québec », *Les Cahiers internationaux de sociologie*, vol. 38, janvier-juin 1965, p. 99-108.

« Pour la conversion de la pensée chrétienne », *Socialisme 65*, n° 5, printemps 1965, p. 128-129.

« Remarques sur le bon usage de la spécificité nationale », *Parti-Pris*, vol. 2, nos 10-11, juin-juillet 1965, p. 26.

« Billets de faveur pour Ottawa », *Socialisme 66*, n° 7, janvier 1966, p. 22-28.

« Force de frappe – la jeunesse du Québec », *Maintenant*, nos 55-56, 1966, p. 232-235.

« La jeunesse dans le monde contemporain et dans le Québec », *Prospectives*, vol. II, n° 1, 1966, p. 11-20.

« Youth in the Contemporary World and in Quebec », *Our Generation*, vol. 3-4, mai 1966, p. 5-19.

« Ce que je crois », *Maintenant*, nos 66-67, juin-juillet 1967, p. 210.

« Du théâtre qui n'est pas de quatre sous », *Vie écolière*, vol. 57, n° 11, 13 mars 1967, p. 3.

« La révolution de Mai », *La Revue de l'A.U.P.E.L.F.*, vol. 6, n° 2, 1968, p. 52-55.

« Sur l'évolution des idéologies au Québec », *Revue de l'Institut de sociologie*, vol. 41, n° 1, 1968, p. 95-124.

« Youth as a class : a commentary », *Our Generation*, vol. 6, nos 1-2, 1968, p. 190-192.

« Des colonisés peuvent-ils devenir des partenaires égaux », *Sociologie et sociétés*, vol. I, n° 2, novembre 1969, p. 319-320.

« L'éducation a-t-elle un avenir au Québec ? », *Forces*, n° 9, automne 1969, p. 4-16.

« L'Éducation artistique et la société post-industrielle », *Socialisme 69*, n° 19, 1969, p. 93-101.

« Le Front de libération culturelle (M. Rioux) », *Liberté*, « Les écrivains, la littérature et les mass-media », n°s 3-4, mai-juin-juillet 1969, p. 58-64.

« Du rapport Parent à la société "technétronique" », *Socialisme 69*, n° 17, 1969, p. 60-66.

« Remarques sur la sociologie critique et la sociologie aseptique », *Sociologie et sociétés*, vol. I, n° 1, 1969, p. 53-67.

« Critical versus aseptic sociology », *Berkeley Journal of Sociology*, vol. 15, 1970, p. 33-47.

« L'économie et la vie quotidienne », *Forces*, n° 14, 1971, p. 20-29.

« Remarques sur l'éducation dans une société en transition », *Critère*, n° 8, janvier 1973, p. 246-257.

« Itinéraires sociologiques : Marcel Rioux (1961) », *Recherches sociographiques*, vol. XV, n°s 2-3, mai-août 1974, p. 249-253.

« La vérité est-elle au fond d'un puits ? », *Revue de l'Université Laurentienne*, « Le bilinguisme : impasse ou défi », vol. VI, n° 2, février 1974, p. 45-48.

« Les intellectuels et la liberté », *Concilium*, « Les intellectuels dans l'Église », n° 101, 1975, p. 75-82.

« Les jeunes et leur désir de "changer la vie" », *Concilium*, n° 106, 1975, p. 37-45.

« Les possibles dans une période de transition », *Possibles*, vol. 1, n° 1, automne 1976, p. 3-8.

« Le Québec à bâtir : rêve et réalité », *Forces*, n° 39, 2e trimestre, 1977, p. 42-44.

« Référendum – un gros bâton... », *Actualité*, vol. 2, n° 12, décembre 1977, p. 28.

« Bill 101 : a position anglophone point of view », *The Canadian Review of Sociology and Anthropology/Revue Canadienne de sociologie et d'anthropologie*, « Une édition spéciale de Québec », vol. 15, n° 2, 1978, p. 142-144.

« Ceux d'en haut et ceux d'en bas », *Possibles*, vol. 2, n°s 2-3, hiver-printemps 1978, p. 7.

« Le Québec ouvert sur l'Amérique et sur le monde », *Forces*, n° 43 (numéro spécial), 2e trimestre 1978, p. 4-7.

« Régions : nostalgie ou avant-garde », *Vie des arts*, vol. 73, n° 93, hiver 1978-79, p. 18-19.

« Borduas, our eternal contemporary », *Arts Canada*, 224-225, décembre 1978-janvier 1979, p. 29-30.

« Critique sociale et création culturelle – présentation », *Sociologie et sociétés*, vol. XI, n° 1, avril 1979, p. 3-6.

« Pour une sociologie critique de la culture », *Sociologie et sociétés*, vol. XI, n° 1, avril 1979, p. 49-55.

« Quelle éducation ? Quelle culture ? », *Possibles*, vol. 3, nos 3-4, printemps-été 1979, p. 203-210.

« Les turbulences idéologiques et le Québec », *Possibles*, vol. 3, n° 2, hiver 1979, p. 63-68.

« L'autogestion, c'est plus que l'autogestion », *Possibles*, « Faire l'autogestion : réalité et défis », vol. 4, nos 3-4, printemps-été 1980, p. 15-22.

« Le besoin et le désir d'un pays », *Possibles*, vol. 4, n° 2, hiver 1980, p. 7-13.

« Pour prendre publiquement congé de quelques salauds », *Possibles*, vol. 5, n° 1, 1980, p. 13-17.

« Remarques sur la sociologie critique », *Revue de l'Université Laurentienne*, vol. XIII, n° 1, novembre 1980, p. 7-10.

« Les anges gardiens du grand cirque extraordinaire », *Possibles*, vol. 6, n° 1, 1981, p. 172-177.

« Éditorial : Être ou ne pas être... ou n'être qu'un peu », *Possibles*, vol. 5, n° 2, 1981, p. 7-10.

« Fête populaire et développement et la culture populaire au Québec », *Loisir & Société*, « Culture populaire, culture de masse », vol. 4, n° 1, printemps 1981, p. 55-79.

« Point de vue – le lendemain de la veille », *Québec-Presse*, numéro spécial, Édition du premier mai 1981, ICEA, vol. 4, n° 5, mai 1981, p. 31.

« La culture "déterritorialisée" », *Le Devoir*, cahier spécial, Le sort de la culture, vendredi 12 mars 1982, p. 17.

« Politique et culture », *Conjoncture politique au Québec*, n° 2, automne 1982, p. 91-95.

« Une porte de plus en plus étroite », *Possibles*, vol. 8, n° 1, 1983, p. 19-22.

« Québec, Québec (désillusions et espoirs) », *Possibles*, vol. 7, n° 2, 1983, p. 103-111.

« La région incertaine », *Protée*, « Art et région », vol. 11, n° 1, printemps 1983, p. 11-12.

« La marge de manœuvre du Québec en Amérique », *Possibles*, vol. 8, n° 4, été 1984, p. 19-21.

« Remarks on Emancipatory Practices and Industrial Societies in Crisis », *The Canadian Review of Sociology and Anthropology/ Revue canadienne de sociologie et d'anthropologie*, vol. 21, n° 1, février 1984, p. 1-20.

« Remarques sur les industries de l'âme », *Questions de culture*, n° 7, Québec, Institut québécois de recherche sur la culture, 1984, p. 43-51.

« Remarques sur une question de création », *Possibles*, vol. 8, n° 3, printemps 1984, p. 9-11.

« Visa le noir, tua le blanc », *Possibles*, vol. 9, n° 3, printemps 1985, p. 105-107.

« Ceux d'en haut et ceux d'en bas », *Possibles*, vol. 2, nos 2-3, hiver-printemps 1978, p. 7.

« De l'État-Providence à l'État-provigo », *Possibles*, vol. 10, nos 3-4, printemps-été 1986, p. 29-40.

« Les frusques de la semaine et l'habit du dimanche », *Possibles*, vol. 12, n° 3, été 1988, p. 27-36.

« Journal de Marcel Rioux. Février 1988 », *Possibles*, vol. 12, n° 3, été 1988, p. 151-155.

« Journal de Marcel Rioux. Mai 1988 », *Possibles*, vol. 12, n° 4, automne 1988, p. 155-159.

« Journal de Marcel Rioux. Hiver 1988 », *Possibles*, vol. 12, n° 1, hiver 1988, p. 159-164.

« Un État désagrégé », *Possibles*, vol. 15, n° 1, hiver 1991, p. 15-20.

« B.-C. (Commission Bélanger-Campeau) ou l'art de l'esquive », *Relations*, n° 571, juin 1991, p. 131-132.

8. ÉTUDES SUR LES TRAVAUX DE M. RIOUX

« Les nouveaux citoyens », *Culture-Information*, vol. 1, n° 3, 20 juin-20 juil. 1966, p. 6-7.

CAMBRON, Micheline, « L'impossible contrat polémique », *Possibles*, vol. 14, n° 3, été 1990, p. 39-53.

CHAREST, N., « Pourquoi les jeunes se révoltent-ils ? », *Perspective*, vol. 9, n° 28, 8 juil. 1967, p. 8.

DUCHASTEL, J., (1981), *Marcel Rioux, entre l'utopie et la raison*, éd. nouvelle optique.

FERRETI, Lucie, « Un peuple dans le siècle » (compte rendu), *Histoire sociale*, vol. 24, n° 47, mai 1991, p. 207-208.

GAGNON, Gabriel, « Entre le Zombie et le fanatique : Finkielkraut, Rioux, Ricard », *Possibles*, vol. 14, n° 3, été 1990, p. 29-37.

GAGNON, Roland, « Un peuple dans le siècle » (compte rendu), *Nuit blanche*, n° 42, décembre 1990, février 1991, p. 23-24.

HAMEL, Jacques, « Bibliographie de Marcel Rioux », *Sociologie et sociétés*, vol. 17, n° 2, octobre 1985, p. 133-144.

HAMEL, Jacques, « Un peuple dans le siècle » (compte rendu), *Recherches sociographiques*, vol. 32, n° 1, janvier-avril 1991, p. 83-89.

LEBRUN, Monique, « La notion de peuple chez les Québécois », *Québec-français*, n° 60, décembre 1985, p. 5-8.

LECLERC, Y., Morrier, B., « Les Arts : rien ne se fait tant que la mésentente entre Québec et les étudiants ne sera réglée », *La Presse*, vol. 82, n° 57, 9 mars 1966, p. 3.

LÉGARÉ, Anne, « Discrète reconnaissance », *Spirale*, n° 99, été 1990, p. 18.

MAJOR, Robert, « Un goût d'ouverture, un parfum de désenchantement... et leur antidote », *Voix et images*, vol. 14, n° 1, automne 1988, p. 120-123.

MICHAUD, Ginette, « Une saison dans la vie de Marcel Rioux », *Spirale*, n° 81, Septembre 1988, p. 10.

MORROW, Raymond, « Marcel Rioux : Critiquing Quebec's Discourse on Science and Technology », *Canadian Journal of Political and Social Theory*, vol. 10, n° 1-2, 1986, p. 151-173.

NIELSEN, Greg Marc, « Communication et esthétique culturelle dans deux sociologies critiques : J. Habermas et M. Rioux », *Sociologie et sociétés*, vol. 17, n° 2, octobre 1985, p. 13-16.

RICARD, François, « Marcel Rioux entre la culture et les cultures », *Liberté*, vol. 31, n° 2, avril 1989, p. 3-13.

SAVARD, Raymonde, « Le colloque Marcel Rioux », *Possibles*, vol. 12, n° 2, printemps 1988, p. 208-210.

SIMARD, Jean-Jacques, « Un peuple dans le siècle » (compte rendu), *Revue d'histoire de l'Amérique française*, vol. 44, n° 3, hiver 1991, p. 444-446.

THÉRIAULT, Luc, « À propos d'autogestion et d'émancipation » (compte rendu), *Revue internationale d'action communautaire*, n° 20, automne 1988, p. 190-192.

Table des matières

Culture, création et société contemporaine

Horizon et parcours de la sociologie critique

Collection CIDAR

responsable de la collection : Gilles Houle

Le CENTRE D'INFORMATION ET D'AIDE À LA RECHERCHE (CIDAR) du Département de sociologie de l'Université de Montréal présente à la communauté des sciences sociales sa collection de cahiers. Les textes de cette collection ont comme caractéristique commune essentielle d'appartenir à l'univers de la recherche sociologique et des disciplines qui lui sont connexes.

Prenant la forme de notes ou de rapports de recherche, ou encore celle de dissertations académiques plus classiques, les textes publiés contribuent à l'avancement des connaissances. Ils ont été retenus, les uns, pour la synthèse systématique et originale des connaissances qu'ils offrent dans un champ donné de l'investigation sociologique ; les autres, au contraire, pour la percée stimulante, ouvrant aux débats et à la confrontation, qu'ils pratiquent dans un secteur particulier des théories ou des méthodologies sociologiques, ou encore des sociologies appliquées aux diverses dimensions économiques, politiques, symboliques, interactionnelles, des systèmes de relations sociales.

Participant à l'intensification des communications au sein de la communauté des sciences sociales, visant à fournir aux chercheurs et aux personnes intéressées des matériaux nouveaux, des objets à débattre et à discuter, la formule des cahiers est toute indiquée pour des textes ne revêtant pas nécessairement la forme d'une œuvre achevée, parfaite. Elle favorise plutôt une diffusion restreinte, accélérée et fonctionnelle de manuscrits servant de matériaux de recherche et d'information.

Liste des cahiers de la collection
« Les cahiers du Cidar »

Déjà paru

Cahier n° 1 :   *Mode de connaissance et organisation sociale* par Andrée Fortin, 1980. 478 p. (épuisé)

Cahier n° 2 :   *La Circulation des agents entre les positions de classe* par Noël Bélanger, 1981. 165 p. (épuisé)

Cahier n° 3 :   *Le Processus politico-idéologique de la nationalisation de l'électricité de 1963, au Québec* par Hélène Laurendeau, 1981. 180 p. (épuisé)

Cahier n° 4 :   *L'Intervention en santé mentale : premiers éléments pour une analyse sociologique* par l'Équipe de Recherche-Action en Sociologie de la Santé Mentale sous la direction de Robert Sévigny, 1983. 289 p. (épuisé)

Cahier n° 5 :   *Matériaux pour une sociologie appliquée à la santé et sécurité du travail.* Bibliographie par Jacques Blain et al. sous la responsabilité de Denise Couture, 1984. 258 p. (épuisé)

Cahier n° 6 :   *Les mouvements de réforme urbaine à Montréal au tournant du siècle : modes de développement, modes d'urbanisation et transformation de la scène politique* par Annick Germain, 1984. 415 p. (épuisé)

Liste des livres parus aux Éditions Saint-Martin dans la collection Cidar :

Jacques Rhéaume et Robert Sévigny
Sociologie implicite des intervenants en santé mentale (épuisé)
1 – Les pratiques alternatives : du groupe d'entraide au groupe spirituel

Jacques Rhéaume et Robert Sévigny
Sociologie implicite des intervenants en santé mentale (épuisé)
2 – La pratique psychothérapeutique de la croissance à la guérison

David Descent, Louis Maheu, Martin Robitaille, Gilles Simard
Classes sociales et mouvements sociaux au Québec et au Canada

Stéphane Dufour, Dominic Fortin, Jacques Hamel
*L'enquête de terrain en sciences sociales,
l'approche monographique et les méthodes qualitatives*

Achevé d'imprimer
en décembre 1992 sur les presses
des Ateliers Graphiques Marc Veilleux Inc.
Cap-Saint-Ignace, Qué.